D0260915

Schaduw over Lancaster County

Voor Shari Weber,
die me op talloze manieren helpt,
uitdagingen aangaat met gratie en kracht,
en elke dag Gods waarheid uitdraagt.
Het is een eer je mijn vriendin te mogen noemen!

MINDY STARNS CLARK

Schaduw over Lancaster County

ROMAN

Vertaald door Lia van Aken

 Voorhoeve

© Uitgeverij Voorhoeve – Kampen, 2010
Postbus 5018, 8260 GA Kampen
www.kok.nl

Oorspronkelijk verschenen onder de titel *Shadows of Lancaster County* bij Harvest House
Publishers, Eugene, Oregon 97402, USA.
© Mindy Starns Clark, 2009

Vertaling Lia van Aken
Omslagillustratie Michael Westhoff/istockphoto
Ontwerp omslag en titelblad Bas Mazur
ISBN 978 90 297 1968 1
NUR 302

1

~ Bobby ~

Mijn laatste uur heeft geslagen. Het razen van de krachtige motor achter hem overstemde elke andere gedachte. Hij klemde het stuur van de geleende motor stevig vast, dook in elkaar op de leren zitting en trok zo snel op als hij durfde. De eerste keer dat de donkere auto zijn achterband raakte, slaagde hij erin de schok op te vangen, zij het met moeite. Toen hij de motor weer in bedwang had, dook hij nog dieper weg en greep het stuur nog steviger vast. De adrenaline golfde door hem heen in de bijtende kou. Tevergeefs speurde hij in het donker voor zich uit op zoek naar een ontsnappingsroute, een afslag die de motor kon nemen, maar de achtervolgende auto niet. In de brede bocht van een heuvelige snelweg waren geen bermen en het was onmogelijk te weten wat zich in het donker aan de rechterkant van de metalen vangrail bevond. Erger nog, hij wist dat hij niet heen en weer mocht zwenken over het asfalt om de volgende klap te ontwijken, want door zulke manoeuvres zou de motor uiteindelijk over de kop slaan, of de auto hem nog een keer ramde of niet.

De tweede klap kwam toen de vangrail eindigde, een botsing die hem bijna uit het zadel wipte. Met moeite hervond hij zijn evenwicht, schoot naar voren over de leren zitting en haalde diep adem, terwijl het voertuig achter hem de dodelijke achtervolging agressief ronkend voortzette. Hij moest kiezen tussen een wisse dood op de weg en een mogelijke ontsnapping van de weg af. Hij staalde zijn zenuwen en nam het besluit om het wegdek te verlaten. Hij hield zich stevig vast, verplaatste zijn gewicht en stuurde naar rechts, de onbekende duisternis in. Schokkend en botsend maakten de banden de overgang van asfalt naar grind en knisperend bruin gras.

Laat het een veld zijn, God. Laat het een boerderij zijn. De sterke koplamp van de geleende motor sneed door de donkere winteravond en onthulde het onbekende terrein dat hij was binnengereden. Maar voordat hij kon onderscheiden wat er voor hem lag, voordat hij zelfs maar vaart kon minderen of van koers veranderen of zien of de auto hem probeerde te volgen, doemde er een grijze massa voor hem op: een stevige, anderhalve meter hoge cementen keermuur. Hij wist dat dit het einde was.

Door de plotselinge stop werd hij in een wijde boog de nachtlucht in geslingerd als een opflakkerende Romeinse kaars. Intussen dacht hij voornamelijk aan de grond ver beneden hem, de onverzoenlijke bevroren aarde die hem zou ontvangen door zijn botten te verbrijzelen of zijn nek te breken tijdens de landing. Hij bad voor de laatste, minder pijnlijke optie.

Laat het vlug afgelopen zijn, God.

Terwijl hij zijn baan vervolgde en instinctief zijn ledematen uitsloeg in de leegte, gingen zijn gedachten naar één iemand: zijn jongere zus Anna. Hij hoopte vertwijfeld dat zijn boodschap haar zou bereiken, dat ze zou begrijpen wat hij van haar vroeg. Hij vond het ironisch voor een vent die niet eens een computer bezat, dat de laatste gedachte die vlak voor zijn dood door zijn hoofd schoot zich op een e-mail richtte. Maar het bericht dat hij haar had gestuurd was de enige kans die hij had, de enige hoop dat Lydia en Isaac nog beschermd konden blijven. Die ene e-mail was de enige manier waardoor zijn wanhoopspogingen redding konden brengen aan zijn vrouw en zoon en het ongeboren kind dat Lydia droeg.

Laat het vlug afgelopen zijn, God, bad hij nogmaals vlak voor de klap. *En alstublieft, God, leid Anna alstublieft naar de waarheid.*

2

~ Anna ~

De afgelopen nacht was de nachtmerrie weer begonnen. Dat was het eerste wat me inviel toen ik de wekker afzette. In de vroege ochtenduren was het me voor het eerst in vele maanden in mijn slaap weer overkomen. Nu ik rechtop ging zitten en mijn benen over de rand van het bed zwaaide, kon ik niet begrijpen waarom hij terug was, die nachtmerrie die me de afgelopen elf jaar nu en dan gekweld had.

Waarom nu? Waarom gisteravond?

Soms was er alleen maar een aansporing van buitenaf voor nodig, zoals een huis dat ik vanaf de snelweg in brand zag staan. Een Amish man of vrouw die over het televisiescherm flitste. Een nieuwsmelding over een dode pasgeboren baby. Maar de laatste tijd had ik niets van dat al meegemaakt. Er was gewoon geen reden voor dat de nachtmerrie ineens uit het niets was teruggekomen.

Ik stond op, verwisselde mijn nachthemd voor een korte broek en een T-shirt en kuierde de badkamer in. Toen ik voor de spiegel mijn tanden stond te poetsen, probeerde ik niet meer aan de droom te denken, maar ik kon er niets aan doen.

De droom begon altijd mooi: glooiende velden die op de lapjes van een Amish quilt lijken, auto's op een weg waar ook paard en wagens rijden, kleurig wasgoed dat wappert in de wind. Maar dan kwam de boerderij, de uitgebouwde oude boerderij. Elektriciteit of gordijnen waren er niet en als ik dichterbij kwam, veranderden de ramen in donkere, lege ogen die me aanstaarden. Mijn nachtmerrie liep altijd hetzelfde af: van zwart naar oranje naar witheet. Sirenes. Gegil. De scherpe stank van rook, van verschrikking en van onuitsprekelijk verlies. Als ik ontwaakte, werd ik verteerd door schuldgevoel.

In de hoop dat gevoel samen met de tandpasta uit te kunnen spugen, spoelde ik mijn mond en pakte mijn haarborstel om mijn lange, blonde haar met krachtige halen te bewerken.

Het is heel, heel lang geleden gebeurd.

Je hebt je schuld afbetaald.

Alles is vergeven.

Dat vertelde ik mezelf steeds opnieuw terwijl ik mijn haar in een staart draaide, het licht uitdeed en naar beneden ging. In de keuken begreep ik, te oordelen naar de troep op het aanrecht en het feit dat de deur op een kier stond, dat mijn huisgenote al op was en haar oefeningen deed op de achterveranda. Kiki probeerde altijd de nieuwste fitnesstrend uit, het laatste fantastische plan om de kilo's eraf te laten vliegen. Ik had het lang geleden opgegeven haar ervan te overtuigen dat ze, als ze maar een paar keer in de week met me mee ging joggen, het wanhopig nagestreefde resultaat uiteindelijk zou bereiken. Maar, dacht ik terwijl ik het pak sap wegzette en het aanrecht afnam, op dagen als deze was ik blij dat ik alleen kon joggen. Ik had rust nodig om mijn hoofd leeg te maken en de laatste restanten van mijn nachtmerrie weg te vagen.

Toen de keuken opgeruimd was, pakte ik een flesje water uit de koelkast en deed de achterdeur verder open; ter begroeting dreef een warme oceaanwind naar binnen. Ik stapte naar buiten op de ongelijke planken van de veranda en liet de deur achter me dichtvallen terwijl ik de zilte zeelucht van de ochtend diep opsnoof. Verrukkelijk. Ik ben opgegroeid in het besneeuwde Pennsylvania en zal er wel nooit aan wennen dat het in het zuiden van Californië het hele jaar mooi weer is.

'Hoi,' zei Kiki vrolijk. Ze deed strekoefeningen aan de andere kant van de veranda, langs het vierkante stuk verrotte planken naast de deur. 'Wil je mijn nieuwe Piloga-oefeningen zien?'

'Piloga? Is dat een kruising tussen Pilates en yoga?'

'Nee, het is genoemd naar de bedenker, Manny Piloga. Hij geeft in het buurthuis les aan vijftigplussers.'

Ik keek glimlachend op mijn horloge. Het was nog vroeg, ik had best een paar minuten over om haar inspanningen aan te moedigen. En daarbij kon een praatje me verder afleiden van mijn nachtmerrie. Terwijl Kiki op de houten vloerplanken zat, reikte ik naar een aluminium vouwstoel die tegen de muur stond en zei dat ze moest oppassen dat ze geen splinters in haar achterwerk kreeg.

'Ach, dat is zo'n dik kussen, ik zou het niet eens voelen,' lachte Kiki, terwijl ze haar pyjamabroek ophees en haar benen voor zich uitstrekte.

'Hé, ik zag die vent van de supermarkt gisteren met je flirten,' hielp ik haar herinneren terwijl ik ging zitten. 'Hij scheen zich totaal niet om een beetje extra vulling te bekommeren.'

'Omdat hij op de delicatessenafdeling werkt. Hij vindt het lekker als de weegschaal doorslaat.'

Ik rolde met mijn ogen en weigerde om haar grapje te lachen, maar zij lachte hard genoeg voor ons samen.

'Moet je zien wat voor buikspieroefeningen ik heb gedaan,' zei Kiki terwijl ze achteroverleunde met haar armen parallel naar de grond gestrekt. Langzaam tilde ze haar benen in de lucht en hield ze daar. 'Zo kan ik drie minuten blijven zitten, net lang genoeg om te horen hoe je afspraakje gisteravond is gegaan. Een lekker dinertje bij Harborside, hm? Hij moet iets in gedachten hebben gehad. Misschien een bepaalde vraag die hij wilde stellen?'

'Houd toch op, Kik, het was pas ons derde afspraakje.'

'Soms kan het snel gaan als het echte liefde is. Ik heb me tijdens ons eerste afspraakje met Roger verloofd en we zijn vijfentwintig jaar gelukkig getrouwd geweest.'

'Tja, nou ja, jullie hebben geluk gehad. Erg indrukwekkende pose trouwens.'

'Bedankt. Manny zegt dat het de kern versterkt.'

Ik draaide mijn flesje water open, nam een slok en keek naar mijn huisgenote, die toevallig ook mijn huisbaas, collega en beste vriendin was, ondanks ons leeftijdsverschil van eenentwintig jaar. Terwijl zij haar bizarre houding volhield, dacht ik aan gisteravond, aan mijn derde en laatste uitje met Hal, of zoals ik hem in gedachten was gaan noemen, Hal-itose.

'We hebben besloten geen contact meer te hebben.'

Ze uitte een lange grom, van inspanning of irritatie, dat wist ik niet.

'Wie "wij"? Hij of jij? En waarom vraag ik het eigenlijk?'

'Nou, zoals je al dacht, had hij een reden om me mee te nemen naar Harborside. Hij zei dat hij iets serieuzers wilde.'

'Serieuze verkering of verloven?'

'Ik heb geen idee, Kik. Wat hij precies zei, was: "Ik geloof dat het tijd wordt om dit naar het volgende niveau te tillen." Ik wilde niet eens weten wat het volgende niveau was. Ik opperde dat hij gelukkiger zou zijn met iemand die wél houdt van een koffie-adem van een dag oud.'

Kiki schaterde. 'Dat heb je niet gezegd!'

'Nee, inderdaad. Maar ik dacht het. Ik heb gewoon gezegd dat ik het niet eerlijk tegenover hem vond, omdat ik niet geïnteresseerd was in een langdurige relatie.'

'Ja, ja.'

'Ik *ben* niet geïnteresseerd in een langdurige relatie… met hem.'

'Hm-m.' Ze zweeg een poosje, maar haar zwijgen klonk luider dan woorden gedaan zouden hebben.

Ik keek haar kant op en zag dat ze haar pose nog steeds volhield, hoewel het zweet parelde op haar voorhoofd.

'Wat nou?' wilde ik weten. 'Wat wilde je zeggen?'

'Ik weet het niet, Anna, je bent alleen zo kieskeurig in met wie je uitgaat, en dat is prima. Niet elke vent die bij een knappe meid komt rondsnuffelen is haar tijd en aandacht waard. Maar hoe komt het dat degenen die de eerste selectie doorkomen nooit doorgaan naar de volgende ronde?'

'Hallo, ik ben geen spelprogramma!'

'Je weet best wat ik bedoel. Hoe komt het dat al je relaties op deze manier aflopen, dat jij het uitmaakt zodra de ander serieus wil worden? Hoe kun je er zo zeker van zijn dat een van die kerels niet de ware is?'

Ik haalde mijn schouders op. Hoe moest ik het uitleggen? Ik bleef uitgaan omdat ik hoopte eens de man te vinden die me Reed Thornton totaal kon laten vergeten. Hij was de ware geweest, wat mij betreft, maar ik was hem elf jaar geleden kwijtgeraakt, toen het vuur uit mijn nachtmerries ook mijn dromen met hem had vernietigd. Al had ik Reed sindsdien niet meer gezien of gesproken, ik dacht nog vaak aan hem, hoe hard ik ook mijn best deed om het niet te doen. Ik moest de man nog ontmoeten die zich zelfs maar in de verste verte met hem kon meten.

'Ik wacht niet op de volmaakte man. Ik wil gewoon een vent die perfect is voor mij. Als ik die niet kan vinden, ben ik liever alleen.'

Met een luide kerm stortte Kiki eindelijk neer en bleef zwaar ademend languit liggen. Ik keek op mijn horloge. Ik moest opschieten als ik nog wilde hardlopen voordat we naar ons werk moesten. Maar terwijl Kiki lag bij te komen van de inspanningen, zag ik dat ze nog meer te zeggen had.

'Ga je gang, Kiki. Houd je niet in.'

Grinnikend rolde ze op haar zij en steunde op een elleboog.

'Goed. Je bent erg op jezelf, Anna, en ik weet dat je het moeilijk vindt om mensen toe te laten. Maar als je iemand wilt vinden, geef het dan niet zo gauw op. Ware liefde begint als je je openstelt voor risico's.'

Risico's? Het was lang geleden dat ik mezelf die luxe had toegestaan. Toen ik zeven jaar geleden brak met mijn verleden en mijn nieuwe identiteit aannam, was mijn hele leven één groot risico geworden. Destijds was het vinden van de ware Jacob niet mijn grootste zorg, vooral omdat mijn hart gebroken was door wat er allemaal met Reed was gebeurd. Toen de tijd verstreek en ik eindelijk ontsnapt was aan mijn verleden en hier in Californië tevreden raakte met mijn nieuwe leven, was de dagelijkse risicofactor sterk verminderd. Misschien was het tijd om weer eens een gokje te wagen.

'Bedankt, Kiki, ik zal erover nadenken,' zei ik terwijl ik opstond en op blote voeten naar het trapje liep. 'Maar nu moet ik gaan hardlopen, anders komen we te laat op het werk.'

Voorzichtig meer rotte planken ontwijkend, daalde ik aan één kant van het trapje af naar het zandstrand.

'Zonder schoenen?' vroeg Kiki, die een nieuwe houding aannam voor een volgende oefening.

'Ja, en ook zonder zonneklep,' zei ik grijnzend. 'Zie je nou wat voor risico's ik neem?'

Mijn blote voeten zonken in het zand en ik rende moeizaam over het strand tot ik het natte zand bij het water bereikte. Daar was het makkelijker om hard te lopen, makkelijker om grip te vinden op de korrelige bodem. Ik zette mijn ellebogen in mijn zij en sprintte langs de waterrand tot ik mijn hartslag voelde bonzen in mijn borst. Ik minderde vaart en rende verder dan ik van plan was geweest, wat gezien mijn blote voeten niet verstandig was. Ik zou er later voor moeten boeten, maar nu voelde het lekker. Het was kalmerend. Soms dacht ik dat God het zand en het water en mijn rustige ochtendrondjes aan mij had gegeven om me geestelijk gezond te houden.

Bij de pier draaide ik om en zette de pas erin naar huis. Onder het rennen dacht ik aan Reed en hoe mijn liefde voor hem het had bedorven voor alle andere mannen. Waarschijnlijk had ik hem in mijn hoofd bijzonderder gemaakt dan hij eigenlijk was. Ik besloot dat het geen kwaad kon om te bedenken dat hij niet volmaakt was, dat hij zelfs minstens één ernstige smet had waar ik van afwist. En waarschijnlijk nog een heleboel meer die ik nog niet had kunnen ontdekken. Misschien moest ik inderdaad maar eens een paar risicootjes nemen. Misschien moest ik ophouden om elke relatie af te kappen zodra het serieus begon te worden.

Ik wachtte op iemand die onmiddellijk die vonk in me ontstak zoals Reed had gedaan, iemand die me het gevoel gaf dat de wereld bij zijn diepe blik ophield te bestaan. Maar misschien vond ik dat nooit meer. Misschien moest ik leren genoegen te nemen met minder. Of ophouden met zoeken en tevreden alleen blijven, zoals Kiki nadat haar man was overleden.

Toen ik het gammele strandhuis naderde, begon ik in een rustig tempo te wandelen. Met mijn vingers om mijn pols keek ik naar de grote wijzer van mijn horloge. Mijn polsslag was goed, longen open en schoon, beenspieren brandden lekker. Jammer dat mijn voetzolen prikten.

Ik klom langs de zijkant het trapje op, pakte het lege glas dat Kiki op de veranda had laten staan en nam het door de openstaande achterdeur mee naar de keuken. Ik besloot voorlopig niet meer aan mijn liefdesleven te denken en me klaar te gaan maken om naar mijn werk te gaan. Ik hoopte dat Kiki klaar was met douchen, zodat ik meteen kon. Ik had geen tijd meer om mijn haar te föhnen, maar ik kon me in de auto nog wel een beetje toonbaar maken.

'Zeg, Kik, ben je al uit de douche?' riep ik.

'Nog heel even, dan mag je erin,' riep ze terug. Haar stem galmde in de badkamer die recht boven de keuken lag.

Mijn maag rammelde en voordat ik de keuken verliet, pakte ik een mueslireep uit de bijkeuken en nog een flesje water uit de koelkast. Ik had net de reep uitgepakt en mijn eerste hap genomen toen de telefoon begon te rinkelen. Ik bleef onder aan de trap stilstaan en luisterde hoe het antwoordapparaat voor mij opnam.

'We zijn er niet, spreek een boodschap in!' zei Kiki's opgenomen stem vrolijk uit het apparaat op het aanrecht. Dat werd gevolgd door een piep en een lange stilte.

'Annalise?' vroeg ten slotte een vrouwenstem die heel veraf klonk. 'Is dit het nummer van Annalise Jensen?'

Annalise Jensen? Die naam had ik jarenlang niet meer gehoord, niet meer nadat ik Pennsylvania achter me had gelaten, naar het westen was verhuisd en Anna Bailey was geworden. Ik vloog met bonzend hart op het apparaat af en hoopte dat Kiki het niet had gehoord.

'Ik hoop dat dit het goede nummer is,' vervolgde de stem met een zangerig accent. 'Ik zal maar een boodschap achterlaten en afwachten.'

Eén blik op de nummerweergave bevestigde dat de vrouw belde uit Dreiheit, Pennsylvania. Ik herkende het nummer niet, maar wel de stem en het vertrouwde zangerige Pennsylvania Dutch accent. Ik zette me schrap en nam op, terwijl ik mijn ogen sloot toen het verleden door vijfduizend kilometer telefoonlijn op me af kwam snellen.

'Niet ophangen,' zei ik terwijl ik het apparaat afzette. 'Met mij. Ik ben er.'

'Annalise? Met Lydia. Lydia Jensen.' Mijn schoonzus.

'Lydia? Hoe kom je aan mijn nummer?'

Ik had dit nummer in vertrouwen aan mijn broer gegeven en gezegd dat hij het ergens moest verstoppen en nooit aan iemand moest geven — zelfs niet aan zijn vrouw — en het nooit moest gebruiken behalve in een buitengewoon noodgeval.

'Bobby heeft het me gisteravond gegeven. Hij zei dat ik je moest bellen als er iets mis ging. Anders zou ik nooit...'

Ik deed moeite om te luisteren terwijl Kiki boven mijn hoofd bonkende geluiden begon te maken. Wat deed ze toch daarboven, tapdansen?

'Wat zei je als laatste?' vroeg ik.

'Sorry. Kun je me niet *gut* horen? Ik bel vanaf de boerderij van mijn zus, achter het melkhuis.'

Ik legde mijn hand op mijn andere oor, deed mijn ogen dicht en probeerde me te concentreren op het beeld van mijn schoonzus die in zo'n Amish telefoonhok stond dat meer op een buiten-wc leek dan op een telefooncel.

'Het gaat wel. Wat is er, Lydia? Wat is er aan de hand?'

Ze blies langzaam haar adem uit en terwijl ik wachtte op uitleg probeerde ik mijn bonzende hart tot bedaren te brengen en het gevoel van dreigend onheil te bezweren.

'Ik bel over Bobby. Hij... hij is *verschwunden*. Vermist. Hij is verdwenen, Annalise. Ik ben zo bang. Ik weet niet wat ik moet doen.'

Ik schraapte mijn keel, oprecht verbaasd te horen dat mijn broer zijn vrouw en kind in de steek had gelaten. Hij leek altijd zo gelukkig getrouwd, maar misschien was de rozengeur verstoord.

'Eh, ik heet nu Anna, geen Annalise,' verbeterde ik haar, voorovergebogen om de band van het antwoordapparaat terug te spoelen en het gedeelte te wissen dat was opgenomen voordat ik opnam. 'Maar goed, hij heeft je dus verlaten? In de zin van bij je weggegaan?'

'Nee, nee, dat is het niet. Het is lastig uit te leggen.'

'Ga door,' zei ik, het snoer uitrekkend tot ik bij de koelkast kon. Ik kon tenminste de lunchpakketten klaarmaken onder het praten.

'Nou, het is gisteravond gebeurd. Bobby was nog laat aan het werk in het lab en kleine Isaac en ik waren aan het oefenen met het koor. Toen we thuiskwamen uit de kerk, was er iets mis met het appartement. Het slot van de deur was kapot en het leek erop dat er iemand binnen was geweest en onze spullen had doorzocht.'

'Wat bedoel je?' vroeg ik terwijl ik een pakje schouderham en wat specerijen op het aanrecht legde.

'Kasten en laden waren halfopen. Manden waren omgekiept. Onze spullen waren er nog, maar ze waren *ferroontzled* – eh, rommelig. Alsof iemand ergens naar op zoek was geweest.'

'Zijn jullie beroofd?' vroeg ik, terwijl ik me afvroeg wat dat met Bobby's besluit om te vertrekken te maken had. Ik pakte een tarwebrood uit de trommel en begon onze boterhammen klaar te maken.

'Ik dacht van niet. Ik kon niets vinden wat weg was. Maar toch stond ik op het punt de politie te bellen toen de telefoon ging. Het was Bobby. Voordat ik hem zelfs maar kon vertellen over het appartement, zei hij dat ik Isaac mee moest nemen en weggaan, dat we gevaar liepen. Hij zei dat we naar de boerderij van mijn zus moesten gaan om te wachten tot hij contact met ons opnam. Toen ik hem over het kapotte slot vertelde en het *ferroontzled* appartement en alles, raakte hij nog meer van streek. Ik zei dat ik de politie wilde waarschuwen, maar hij zei: "Niet doen, Lydia. Ga nu meteen weg. *Ga*."'

'En ben je toen gegaan?'

'*Jah*, hij drong zo aan dat we meteen vertrokken zijn. Bobby had al met mijn broer Caleb gepraat en gezegd dat hij naar ons uit moest kijken en dat mijn zwager Nathaniel en hij ons moesten beschermen als we er waren.'

'Beschermen waartegen? Waarom?'

'Ik heb geen idee. Ik begrijp hier helemaal niets van. Ik was blij dat Caleb een mobiele telefoon heeft zodat Bobby ons terug kon bellen als we er waren…'

'Wacht eens,' onderbrak ik haar. 'Wil je me vertellen dat een Amish jongen een mobiel heeft? Sinds wanneer mag dat?' Ik was pas zeven jaar weg uit Pennsylvania, maar ik kon me niet voorstellen dat het in die tijd ineens was toegestaan dat jongelui met een gsm op zak liepen, terwijl de Amish gemeenschap toen niet eens een telefoon in huis toestond.

Lydia aarzelde en legde het toen uit.

'Caleb is negentien, eigenlijk geen jongen meer. Hij zit nu in zijn *rumschpringe*, daarom zijn de regels voor hem een beetje anders. Hij mag de mobiele telefoon niet in huis gebruiken, maar in dit geval is een uitzondering gemaakt zodat Bobby terug kon bellen.'

Rumschpringe kende ik maar al te goed, het was de periode in het leven van elke Amish tiener waarin meer vrijheid was toegestaan om de buitenwereld in te gaan. Het ging erom hun te laten zien wat 'daarbuiten' was, wat ze opgaven – en wat ze erbij wonnen – als ze ervoor kozen lid te worden van de Amish kerk en beloofden zich hun leven lang aan de Amish regels te houden. De romance van Bobby en Lydia was tijdens haar *rumschpringe* begonnen en uiteindelijk had ze besloten zich niet te laten dopen en de Amish gemeenschap te verlaten voor een minder beperkende gezindte, en een man te trouwen die de Amish als een buitenstaander beschouwden, een *Englischer*. In elk geval had ze haar radicale beslissing voorafgaand aan de doop genomen. Als ze eerst Amish was gedoopt en daarna het geloof de rug had toegekeerd, zou ze gestraft zijn met verstoting. Nu was niemand in de Amish gemeenschap blij geweest met haar besluit, maar ze mochten tenminste contact met haar en haar man en kinderen hebben en in enigermate betrokken blijven bij hun leven.

'En belde hij?' vroeg ik om naar het onderwerp terug te keren.

'Heeft Bobby je teruggebeld?'

'*Jah*, kort nadat we op de boerderij waren aangekomen, belde Bobby op Calebs telefoon om te vragen of we veilig aangekomen waren. Ik vroeg hem wat er aan de hand was, maar hij zei dat het een lang verhaal was en dat hij alles uit zou leggen zodra hij over een paar uur bij ons was.'

'En toen?'

'En die paar uur zijn verstreken, maar Bobby is nooit op komen dagen. Nu is het bijna kwart over tien in de ochtend en na dat telefoontje van gisteravond hebben we nog steeds niets van hem gehoord of gezien.'

'Dus hij is een paar uur te laat…'

'Negen uur, Anna. Bijna negen uur nadat hij hier had moeten zijn, twaalf uur na zijn telefoontje!'

'Misschien is hij achter zijn bureau in slaap gevallen. Misschien was hij erg moe en is hij per vergissing naar de verkeerde boerderij gegaan.' Ik zei er maar niet bij dat dat een voor de hand liggende vergissing was. Alle Amish boerderijen in Lancaster County zagen er in mijn ogen hetzelfde uit.

'Nee, dat is het niet. Er is hem iets overkomen. Iets vreselijks. Dat weet ik.'

Ik stopte het broodbeleg weer in de koelkast, haalde diep adem en wachtte even met uitblazen. Ik had medelijden met haar, maar ik wist niet wat ze van me verwachtte. Hoewel mijn broer en ik nu en dan e-mailden, had ik hem in weken niet gesproken... misschien wel een maand. Hij en ik hadden altijd een bijzondere band gehad, vooral na de brand en de nasleep daarvan, maar dat wilde niet zeggen dat we voortdurend contact hadden.

'Lydia, ik weet niet wat je van me wilt.'

'Ik heb geen idee, Anna. Ik weet alleen dat ik je hulp nodig heb. En Bobby heeft speciaal tegen me gezegd dat ik jou moest bellen als er iets verkeerd ging.'

'Maar hoe kan ik je helemaal hiervandaan helpen? Ik heb geen idee waar hij zou kunnen zijn.'

'Maar dat is toch jouw werk? Mensen vinden die vermist zijn?'

'Ja, ik spoor vermiste personen op. Maar...'

'Je broer is vermist. Alsjeblieft, Anna. Alsjeblieft, help me hem te vinden voordat het te laat is.'

3

Ik draaide me om en leunde tegen het aanrecht, terwijl ik door het keukenraam naar buiten keek naar het glinsterende zand en de blauwgrijze occaan die zich daarachter uitstrekte. Ik bedacht hoe ver ik letterlijk en figuurlijk verwijderd was van de vlakten en de glooiende heuvels van het land van de Amish.

'Dat is nog niet alles,' voegde Lydia eraan toe voordat ik mijn antwoord kon formuleren en aan haar toon hoorde ik dat de toestand nog ingewikkelder werd.

'Goed, wacht dan even,' zei ik, omdat ik haar weer amper kon verstaan door Kiki's gebonk boven. Ik had geen flauw idee wat ze uitspookte, maar te horen aan het stommelen en schrapen was ze meubels aan het verschuiven. Dat was dan maar goed ook, want dan kon ik tenminste nog met haar meerijden. Ik vroeg Lydia me het nummer te geven waarvandaan ze belde en legde uit dat ik ons gesprek moest voortzetten met mijn mobiele telefoon. We hingen op en meteen haalde ik mijn mobiel uit de oplader, zette hem aan en belde haar terug.

'Sorry, hoor. Ga door met je verhaal. Is er nog meer?'

'Ja. Ik heb de hele nacht na liggen denken over het appartement, over de rommel die er was gemaakt, over onze spullen. Ik was bang dat degene die er geweest was *wel* iets gestolen had.' Ze aarzelde, en terwijl ik wachtte tot ze verderging, stopte ik onze lunchpakketten in bruine papieren zakken en legde ze met mijn tas, sleutels en zonnebril klaar bij de deur. 'Bobby heeft een bewaarblik met al onze belangrijke papieren: geboorteaktes, trouwboekje, dat soort dingen. Vanmorgen vroeg dacht ik aan die trommel, dat ze misschien onze papieren, onze informatie gestolen hadden. Een vrouw bij de bruidswinkel waar ik naaiwerk voor doe, is een keer van haar identiteitspapieren beroofd en ik ben bang dat ons dat nu ook is overkomen. Dus toen Caleb daarstraks naar het appartement ging om het slot te repareren, heb ik hem gevraagd dat bewaarblik mee terug te nemen. Ik wist dat hij doorzocht was, want gisteravond stond hij open op de grond voor de kast.'

'En?' drong ik aan, terwijl ik de keuken uit ging en door de woonkamer naar de trap liep.

'En Caleb heeft de trommel meegebracht en alles zat erin, ook onze burgerservicenummers. Zelfs de creditcard die we bewaren voor noodgevallen. Er was maar één ding weg. Ik vind het zo erg, Anna.'

Halverwege de trap stond ik stil toen haar woorden tot me doordrongen. *Wat vond ze erg?*

'Het was een verzegelde envelop. Jouw naam, adres en telefoonnummers zaten erin. Toen Bobby dat er jaren geleden in stopte, vertelde hij me wat erin zat, maar hij zei dat ik hem nooit open mocht maken tenzij hem iets overkwam en ik contact met je moest zoeken. Die envelop... die is weg, Anna. Iemand heeft jouw gegevens meegenomen. Als Bobby me gisteravond door de telefoon dit nummer niet had gegeven, had ik niet geweten hoe ik je moest bereiken.'

'Lydia, wacht even,' bracht ik uit.

'*Jah*, natuurlijk.'

Terwijl ze aan de andere kant van de lijn zwijgend wachtte, liep ik langzaam verder naar boven en probeerde te begrijpen wat de gevolgen van het gebeuren waren... en wat ik er nu aan kon doen. Ik moest nadenken.

Toen ik boven was, haalde ik diep adem en klopte aan bij Kiki, met de bedoeling tegen haar te zeggen dat ze zonder mij naar haar werk moest. Ik kreeg geen antwoord, stak de gang over naar mijn eigen kamer en reikte naar de knop. Hij draaide om, maar de deur wilde niet open.

'Sorry, Lydia. Wacht nog even,' zei ik in de telefoon. Toen stopte ik de open telefoon in de zak van mijn korte broek zodat ik beide handen en een heup kon gebruiken om de deur open te wrikken, die elke keer klemde. Ik verlangde er hevig naar om in de afzondering van mijn kamer te zitten, dit gesprek te beëindigen, mijn hoofd helder te krijgen en *na te denken.*

'Kom op,' fluisterde ik terwijl ik wrikte en duwde tot de deur eindelijk losschoot.

Toen hij openzwaaide, stapte ik naar binnen en schrok toen mijn voet ergens achter bleef haken – iets wat groot en warm was en op de vloer lag. Ik viel. Mijn knieën en handen raakten de grond en de telefoon vloog uit mijn zak en schoot door de kamer. Ik keek om te zien waar ik over gestruikeld was en mijn adem stokte. Het was Kiki, die met haar ogen dicht op de vloer lag, haar gezicht bedekt met bloed.

Ik probeerde niet te gillen en draaide me weer om, en toen zag ik hem. Aan de andere kant van de kamer stond een man, in het zwart gekleed en met een bivakmuts op. Aan zijn voeten lag mijn open mobiel.

Zonder een woord bukte hij zich en gaf met een gehandschoende hand een duw tegen mijn telefoon zodat hij door de kamer heen naar me terug gleed.

'Maak je gesprek af en hang op,' zei hij zacht en dreigend. 'Doe geen stomme dingen.'

Ik slikte moeilijk en probeerde mijn stem terug te vinden. Langzaam pakte ik de telefoon op en overwoog mijn opties.

'Anna?' klonk Lydia's stem door de telefoon. 'Anna, ben je er nog? Wees alsjeblieft niet boos. Ik weet echt niet waarom iemand zo ver zou gaan om jou te vinden na al die jaren. Ik wilde je alleen laten weten dat je gebeld zou kunnen worden.'

Ik wilde antwoord geven, maar mijn stem zat ergens diep in mijn keel vast. Ik slikte nog eens en keek met grote ogen toe hoe de man een pistool recht op me richtte.

'Anna? Ben je daar?' hield Lydia vol. 'Het spijt me, maar ik denk dat het zelfs mogelijk is dat iemand naar je op zoek gaat.'

Ik schraapte mijn keel en haalde diep adem.

'Daar zou je best eens gelijk in kunnen hebben,' zei ik uiteindelijk in de telefoon. 'Meer dan je denkt.'

Terwijl de man zijn pistool op me gericht hield, slaagde ik er op de een of andere manier in mijn gesprek te beëindigen met de belofte aan de radeloze en verwarde Lydia dat ik zo snel mogelijk contact op zou nemen. Toen ik de verbinding verbrak, vroeg ik me af of ik nu de enige kans afsneed die ik had om te gillen om hulp waarbij iemand me hoorde. Maar ja, wat kon ze voor me doen vanuit een Amish boerderij vijfduizend kilometer verderop?

'Wie ben je?' vroeg ik terwijl ik de telefoon in mijn zak stopte en probeerde niet zo bang te klinken als ik me voelde. 'Wat heb je gedaan?'

Instinctief reikte ik naar Kiki's pols om haar hartslag te voelen, die wel zwak was, maar nog aanwezig. Ik keek naar haar gezicht en schoof haar haar naar achteren om de bron van de bloeding te vinden. Ik verwachtte een schotwond te zien, maar het leek meer op een snee, alsof ze met een hard en scherp voorwerp tegen haar hoofd geslagen was. Waarschijnlijk de kolf van zijn pistool.

'Je vriendin wilde niet meewerken,' zei de man. 'Misschien kun je leren van haar voorbeeld.'

Hij kwam een stap dichterbij en ik stond op. Woede en adrenaline pompten door mijn aderen.

'Wat wil je?'

'Ik denk dat je best weet wat ik wil,' antwoordde hij terwijl hij me door de gaten in zijn bivakmuts doordringend aankeek. 'Ik kom voor de robijnen. Het hele stel.'

'De *robijnen*? Wat voor robijnen?'

Hij kwam nog een stap dichter naar me toe en er flitste iets van opwinding in zijn ogen.

'De Beauharnais-robijnen. Ik weet dat jij ze hebt.'

Hij had me net zo goed naar de kroonjuwelen kunnen vragen.

Ik had geen robijnen in mijn bezit en had geen idee waar hij het over had.

'Ik weet niet wat je bedoelt,' zei ik eerlijk, terwijl ik achteruit stapte en bijna weer over Kiki struikelde. 'Ik rijd in een auto die van plakband aan elkaar hangt. Ik heb nog geen honderd dollar op mijn bankrekening staan. Denk je echt dat ik hier zou wonen als ik iets waardevols had als robijnen?'

'Wat kan mij het schelen hoe je woont?' reageerde hij. 'Ga ze pakken. Nu meteen.'

'Dit is krankzinnig,' zei ik hoofdschuddend. 'Je bent gek. Je hebt de verkeerde voor, je bent bij het verkeerde huis.'

Hij sprak met vlakke stem en spande de haan van zijn wapen.

'Je naam is Annalise Bailey Jensen, tegenwoordig genaamd Anna Bailey. Je bent de zuster van Robert "Bobby" Jensen, de dochter van Charles Jensen en afstammeling van onder anderen Peter en Jonas en Karl Jensen. Ik ben bij het goede huis en jij bent de juiste persoon. En kom nu op met die robijnen.' Wie die vent ook was, hij kende mijn stamboom beter dan ik. Maar wat hij vroeg was belachelijk. Ik had nooit robijnen bezeten en zou ze waarschijnlijk nooit bezitten.

Ik keek om me heen en probeerde vast te stellen hoeveel kans ik had als ik op de vlucht sloeg. Hij was lang en leek sterk onder de nauwsluitende zwarte trui, hoewel de bivakmuts een belemmering kon worden. Helaas had hij onder het spreken de afstand tussen ons grotendeels overbrugd.

'Ik vraag het je nog één keer en dan zal het menens moeten worden,' zei hij terwijl hij vlak voor me stil bleef staan en de loop van het pistool tegen mijn slaap drukte. 'Waar... zijn... de... robijnen?'

We keken elkaar strak aan. Op dat moment uitte Kiki een zachte jammerkreet en bewoog op de grond tussen ons in.

Dat was genoeg om hem heel even naar beneden te laten kijken. In een flits haalde ik uit en trok de onderkant van zijn muts naar beneden, zodat de ooggaten ergens rond zijn kin zaten. Bang dat hij blindelings ging schieten, draaide ik me om en dook laag door de deuropening en rolde naar de trap.

Tegen de tijd dat ik overeind kwam en halverwege de trap af was, had er één explosief schot geklonken en stormde hij net zelf door de slaapkamerdeur naar buiten. Zijn masker zat weer recht en zijn ogen fonkelden.

Ik daverde met twee, drie treden tegelijk de trap af en aarzelde maar heel even bij de aanblik van de voordeur. Die was dichterbij en de kans dat ik buiten iemand zag die me kon helpen, was groter. Toch nam ik het besluit naar de achterdeur te stormen, terwijl ik onderweg stoelen en een tafeltje achter me omgooide om hem te stuiten in zijn vaart.

Ik was snel, maar hij was sneller. Tegen de tijd dat ik door de woonkamer en de keuken heen was en de achterdeur had bereikt, kreeg hij de achterkant van mijn T-shirt te pakken, die hij even vasthield en toen losliet. Schreeuwend om hulp rukte ik de deur open, rende de veranda op en sloeg meteen rechtsaf, springend over de meest verrotte planken. Vlak achter me maakte de man zoals ik gehoopt had de fout om precies op de verkeerde plek te stappen. Met een daverende klap brak hij door de verandavloer heen en viel in de kruipruimte eronder.

Ik wist dat ik, als mijn plannetje lukte, tijd won om te maken dat ik wegkwam terwijl hij zich uit de diepte omhoogwerkte. Waar ik niet op had gerekend was dat zijn pistool uit zijn hand vloog toen hij viel, en dat het op het zand terechtkwam, waar ik het kon pakken.

Pas toen ik op de zijkant van de veranda stond, met het pistool op het gat gericht, begonnen mijn handen te trillen. Weldra trilde mijn hele lichaam zo hevig dat ik bang was het pistool te laten vallen.

'Handen omhoog of ik schiet,' schreeuwde ik en ik meende het.

'Help,' riep de man met onvaste stem. 'Alsjeblieft!'

Ik dacht dat hij me voor de gek wilde houden, maar toen ik

lichtjes naar voren boog om naar hem te kijken, zag ik waarom hij zo van zijn stuk was. Zijn rechterbeen zat gespietst aan een puntig stuk verstevigingsbalk.

'Niet bewegen of je bloedt dood,' zei ik tegen hem terwijl ik mijn mobiel uit mijn zak haalde. 'En dat is geen geintje.'

Het lukte me om het alarmnummer te bellen en tamelijk samenhangend de toestand uit te leggen, waarbij ik alleen het vreemde verhaal over de robijnen wegliet. Ten slotte beschreef ik de benarde toestand van de indringer en zei dat ik nu het pistool in mijn bezit had, en dat het er niet naar uit zag dat de vent, wie het ook was, van zijn plek kon komen.

'Zeg dat hij zich niet moet bewegen,' zei de telefoniste van de meldkamer terwijl ze de hulpdiensten inschakelde.

'Ze zegt dat je niet moet bewegen,' herhaalde ik, met een beetje schuldgevoel over de voldoening in mijn stem.

Toen mij was verzekerd dat politie en ambulances onderweg waren, hing ik op, boog me voorover, zette mijn handen op mijn knieën en probeerde op adem te komen. Ik wilde naar boven rennen om bij Kiki te kijken, maar ik durfde mijn gevangene niet alleen te laten, gespietst been of niet. Ik had genoeg enge films gezien om te weten dat zodra de boef geveld was en de heldin dacht dat ze veilig was, hij weer plotseling tot leven kwam en haar zowat vermoordde.

'Anna? Zeg, Anna!'

Een van onze buren kwam kordaat aan wandelen over het zand, een gepensioneerde oude heer van twee huizen verder die door iedereen 'de kolonel' werd genoemd. Ik had altijd gedacht dat het zijn bijnaam was, omdat hij een treffende gelijkenis vertoonde met het gezicht op het logo van KFC, maar op dat moment kon ik alleen maar hopen dat hij hem in het leger had verdiend.

'Wat is dat voor kabaal? Hoorde ik een pistoolschot?'

Ik probeerde hem te vertellen wat er gebeurd was, maar zodra ik begon, barstte ik in tranen uit. Op de een of andere manier lukte het hem door mijn hysterische geratel heen zijn conclusies te trekken. Hij richtte zich op tot zijn volle lengte, gekleed in een T-shirt en bermuda met zwarte sokken en sandalen, nam het pistool uit mijn bevende hand en verzekerde me dat de cavalerie naderde en de situatie onder controle was.

'Leg je handen over je oren,' voegde hij eraan toe. Toen richtte hij het pistool tot mijn verrassing naar de lucht en haalde de trekker over.

Binnen een paar seconden stroomden verscheidene makkers van hem van zijn veranda over het zand naar ons toe.

'De Krijsende Adelaars van de Honderdeneerste Luchtlandingsdivisie tot uw dienst,' zei hij saluerend. Ik was zo opgelucht dat ik een dikke, betraande kus op zijn wang drukte.

'Kunt u deze man gevangen houden tot de politie en ambulances hier zijn?' vroeg ik terwijl ik mijn natte wangen afveegde met de rug van mijn hand.

'We hebben bij Bastogne in het Ardennenoffensief gestaan. Een inbreker met een stok door zijn been kunnen we denk ik wel aan,' zei de kolonel, terwijl hij de bivakmuts van het hoofd van de man trok. Het gezicht dat hierdoor werd ontbloot, was bezweet en rood aangelopen onder vettig zwart haar. Ik herkende de vent niet, maar ik prentte me zijn trekken in zodat ik hem nooit meer zou vergeten.

'Dank u, kolonel,' fluisterde ik.

Terwijl de tranen nog over mijn gezicht stroomden, wuifde ik dankbaar naar de oprukkende troepen en ging naar binnen, hevig verlangend om te zien dat Kiki nog leefde.

In de slaapkamer knielde ik naast haar neer en merkte op dat ze niet had bewogen en dat de plas bloed rond haar hoofd groter was geworden. Weer schoof ik haar haar naar achteren en zag dat haar gezicht onnatuurlijk bleek was.

Met trillende handen pakte ik voorzichtig haar pols om haar hartslag te voelen, maar dit keer was ik er niet zeker van of ik hem voelde. Ik boog me over haar heen, mijn tranen vielen in haar haar, en smeekte haar nog even vol te houden. Mijn maag trok samen van wanhoop en ik werd beroerd bij de gedachte dat er weer iemand kon sterven door mijn schuld.

Omdat ik niet wist wat ik anders moest doen, stond ik op en stak de gang over naar haar slaapkamer, waar kennelijk hun eerste worsteling had plaatsgevonden. Met een golf van misselijkheid keek ik naar de troep om me heen en het drong tot me door dat al dat lawaai dat ik had gehoord terwijl ik met Lydia aan de telefoon zat, afkomstig was geweest van Kiki die een dolleman van zich af probeerde te houden.

Bij de gedachte aan die dolleman liep ik naar haar raam aan de achterkant en deed het open, boog me in de felle zon naar buiten om te kijken wat er beneden gebeurde. Het was duidelijk dat de oude heren de toestand uitstekend onder controle hadden. Ze leken er zelfs flink van opgekikkerd, zoals ze heen en weer liepen over het zand en om beurten het pistool op de gevangene gericht hielden. Eentje was naar huis gerend om een camera te halen en ik zag hoe hij over het strand aan kwam sjokken en ermee in de lucht zwaaide. Toen ik dat zag, trok ik me gauw terug naar binnen en deed het raam dicht, in de hoop dat er verder geen foto's gemaakt gingen worden. Na alles wat ik had gedaan om te verdwijnen en opnieuw te beginnen, kon ik het risico niet nemen dat de media mijn beeltenis in handen kregen en mijn zwaar bevochten privacy schonden. Erger nog, ik wilde er niet eens aan denken hoe ze deze situatie konden verdraaien.

Toen kort daarna politie en hulpdiensten arriveerden, vonden ze me zittend naast Kiki. Ik hield huilend haar hand vast. De ambulancebroeders waren vriendelijk maar efficiënt, ze onderzochten haar en stabiliseerden haar, terwijl ze me intussen voortdurend verzekerden dat ze nog leefde. Toen ze in de ambulance was geladen en die was weggereden, kort daarna gevolgd door de ambulance met onze gewonde indringer, kon ik verlicht ademhalen. Ik herpakte mezelf en ging naar de woonkamer waar ik op de bank ging zitten om de vragen van de politie te beantwoorden. Ik probeerde niet te kijken naar de rommel die ik had gemaakt toen ik van alles had omgegooid in een poging het tempo van mijn aanvaller te vertragen.

De dienstdoende rechercheur droeg een keurig gestoomd pak, waarvan de gladheid een sterk contrast vormde met zijn gerimpelde en verweerde gezicht. Hij stelde zich voor als rechercheur Hernandez en begon me professioneel en meelevend te ondervragen. Terwijl hij onder het praten aantekeningen maakte in een klein notitieboekje nam hij het hele scenario meerdere keren met me door, elke keer even wachtend om precies te verifiëren wat de indringer tegen me had gezegd. Toen de rechercheur me vroeg *Beauharnais* te spellen, antwoordde ik dat ik geen idee had.

'B – o – r – n – è?' opperde ik. 'Ik weet het echt niet. Ik heb dat woord nog nooit gehoord.'

Hij scheen me op mijn woord te geloven en even voelde ik me schuldig omdat ik in eerste instantie niet helemaal eerlijk was geweest, toen ik hem mijn valse naam had gegeven en niet de echte. Maar toen dacht ik aan andere politiemensen uit het verleden, die veel minder barmhartig waren geweest en argwanender, en ik hield voet bij stuk. Deze man had alle informatie die hij nodig had.

Terwijl rechercheur Hernandez en ik praatten, ving ik door het raam een glimp op van een mediabusje dat aan kwam rijden, waarschijnlijk getipt door een van de Krijsende Adelaars die als held wilde verschijnen in het journaal van twaalf uur. Toen hij mij zag kijken, keek de rechercheur ook. Ik zag over zijn schouder dat het busje tussen twee politieauto's stilhield.

'Kunt u zorgen dat ze weggaan?' vroeg ik zacht.

Hij draaide zich weer naar me om en haalde zijn schouders op.

'Ik kan ze van het terrein af sturen, maar ik kan ze er niet van weerhouden een nieuwsbericht te maken.'

Mijn hart begon te bonzen toen de situatie in volle omvang tot

me doordrong en ik een vlot geklede vrouw aan de passagierskant uit het busje zag springen. Dat was ongetwijfeld degene die
het gebeuren live zou verslaan.

'Is er iets?' vroeg rechercheur Hernandez lichtelijk achterdochtig.

Ik raapte al mijn moed bij elkaar en verplaatste mijn aandacht
van het tafereel buiten naar de man die voor me stond.

'Ik ben eh... een voormalige beroemdheid,' zei ik losjes. 'U
weet hoe gênant het kan zijn als iemand die in zijn jeugd eh...
beroemd was, als volwassene in het nieuws komt. Vooral als ze in
dit vervallen oude huis woont...' Over zijn schouder zag ik dat
de bestuurder de achterkant van het busje opende en er camera-
apparatuur uit haalde.

'Ik wist het wel!' antwoordde de rechercheur zacht terwijl hij
me grinnikend opnam. 'Ik wist dat u me bekend voorkwam. Wie
was u? Ik bedoel, *bent* u? Wie bent u? U zat toch in een comedyserie?'

'Ik gebruikte toen een andere naam,' antwoordde ik naar waarheid.

'Eens zien. Als u nog een kind was... Wat was het ook alweer.
The facts of life? *Growing pains*?'

'Help me alstublieft, wilt u? Ik zit er op het moment niet op te
wachten om op het journaal te komen.'

'*Mork en Mindy*? *De Cosbyshow*? *Doogie Howser*?'

'Alstublieft?'

Hij scheen mijn verzoek te overwegen en toen klapte hij eindelijk zijn notitieboekje dicht.

'Geen probleem,' zei hij. 'Volgens mij zijn we toch klaar.'

Tot mijn grote opluchting stapte hij kordaat naar buiten om de
nieuwsploeg naar de achterveranda te verwijzen. Daarna kwam
hij binnen en riep zijn mannen bij elkaar, die ook klaar leken om
te gaan.

'Ik zal tegen de nieuwsploeg zeggen dat ze weg moeten gaan
als ze klaar zijn met het filmen van de oude heren,' zei hij terwijl

hij me zijn visitekaartje gaf. 'Bel me als u nog iets bedenkt wat met de zaak te maken kan hebben.'

'Doe ik. Wilt u de kolonel en zijn vrienden voor me bedanken? Zeg maar dat ik op dit moment te veel uit mijn doen ben om naar buiten te komen.'

'Geen probleem.'

Ik wachtte terwijl hij zijn spullen verzamelde en liep met hem mee naar de voordeur, waar ik hem nogmaals bedankte voor alles.

'We doen gewoon ons werk, mevrouw,' knipoogde hij, maar toen hij over de drempel stapte, deed hij nog een laatste poging. '*Family Ties? Gimme a Break?*'

'Ja, geef mij een *break*,' echode ik en ik deed de deur achter hem dicht voordat het tot hem door kon dringen dat het een verzoek was, niet het antwoord op zijn vraag.

Toen ik de deur op slot had gedaan en de grendel ervoor had geschoven, ging ik naar boven om me te verkleden in een truitje en een broek. Ik wist niet hoelang de ploeg nog aan het filmen bleef, maar ik vond dat ik de gelegenheid te baat moest nemen om de voordeur uit te glippen en ongezien weg te komen. Het ambulancepersoneel had me verteld naar welk ziekenhuis Kiki werd gebracht.

Ik hoopte maar dat ik er kon zijn voordat het te laat was.

4

~ Stéphanie ~

14 november 1828

Mijn geliefde zoon,

Het is met grote aandrang dat ik je schrijf.

*Met de verschijning van dit pakje vandaag, mag ik aannemen dat je
adoptiefouders je nu op de hoogte hebben gesteld van de identiteit van je
ware afkomst. In mijn oorspronkelijke afspraak met hen was vastgelegd
dat dit nieuws moest worden verzwegen tot de datum van je achttiende
verjaardag. Niettemin schrijven de omstandigheden voor dat ik nu handel,
ondanks het feit dat je pas zestien jaar bent. Mijn verontschuldigingen
aan jou en de familie Jensen dat ik niet wacht tot de vastgelegde datum,
maar gezien de recente gebeurtenissen in Neurenberg zullen ze zeker
inzien dat haast geboden is. Een jongeman van zestien jaar is stellig oud
genoeg om al deze informatie te verwerken en te bevatten.*

*Hoe dan ook, het schokkende nieuws dat je voogden je hebben verteld
over je rechtmatige afkomst is waar. Ingesloten vind je bewijs, waaronder
je* geburtszeugnis, *evenals de lijsten uit de* Adelsmatrikel *en uit de Almanach de Gotha. Merk op dat je zowel in de* Adelsmatrikel *als in de
Almanach de Gotha zonder naam genoteerd staat als 'zoon, doodgeboren'. Deze misleiding was destijds noodzakelijk, zoals je mettertijd zeker
zult begrijpen. Tevens heb ik de voogdijregeling ingesloten die ik drie dagen
voor je geboorte in het geheim met de familie Jensen heb opgesteld.*
*Eveneens ingesloten is één volmaakt paar oorbellen met robijnen en dia-
manten. Tot dit moment werden deze oorbellen bewaard in de koninklijke*

kluis, tezamen met de andere zes stukken die de volledige set vormen van de Beauharnais-robijnen, een geschenk dat Napoleon me gaf ter gelegenheid van je geboorte. Ik zend je deze oorbellen ten bewijze van jouw en hun afkomst en als bewijs van mijn oprechtheid. Houd ze alsjeblieft op een veilige plaats verborgen tot het ogenblik dat je naar het paleis kunt terugkeren en ze bij de volledige set kunt voegen. Op die dag zal ik die sieraden voor het eerst omdoen nadat ik ze heb ontvangen en ik zal ze met trots dragen als ik naast je sta, mijn zoon, wanneer je je rechtmatige plaats inneemt in een lang geslacht van adel. Pas dan zal de ware erfgenaam bekend zijn en zullen de boze plannen en daden van je stiefovergrootmoeder en haar zoon aan het licht komen.

Zorg dat je gereed bent, want ik zal je te bestemder tijd ontbieden.

Met innige en bestendige liefde,
je moeder, SdB

5

~ Anna ~

Mijn verstand was zo in de war door mijn aanvaring met de indringer, de ondervraging door de politie en de verschijning van de media, dat ik al bijna in het ziekenhuis was voordat het in me opkwam om Kiki's moeder, een kras vrouwtje van in de zeventig dat in de buurt woonde, op de hoogte te brengen. Ik belde haar met mijn mobiel toen ik de parkeergarage indraaide, en ze kwam zo snel in het ziekenhuis aan dat ze haast eerder bij de receptiebalie stond dan ik. Samen wachtten we op nieuws over Kiki en uiteindelijk kregen we te horen dat ze bij bewustzijn was, maar sliep, en dat ze twaalf hechtingen in haar hoofd had. Ze wachtten de uitslag nog af van de CAT-scan, maar de voorlopige diagnose was een zware hersenschudding. Ze had ook veel bloed verloren. Volgens de verpleegkundige moest ze waarschijnlijk een nachtje blijven ter observatie en om een bloedtransfusie te krijgen, waarna ze de volgende dag weer naar huis mocht.

Toen we te horen kregen dat er alleen familie bij haar mocht, was ik eigenlijk opgelucht. Overmand door schuldgevoel over wat er gebeurd was, kon ik Kiki nog niet onder ogen komen. Ik moest er almaar aan denken hoe ze boven had gevochten voor haar leven terwijl ik beneden aan de telefoon zat. Waarom had ik niet begrepen dat er iets mis was? Die man was naar mij op zoek geweest. Wat hij ook wilde, het was mijn schuld dat hij was gekomen, mijn schuld dat Kiki nu in het ziekenhuis lag.

Terneergeslagen vroeg ik Kiki's moeder haar de groeten te doen en toen vertrok ik en liep naar mijn auto. Mijn stappen waren zwaar en traag en achter mijn ogen dreigden tranen. Zou ik nog meer levens verwoesten dan ik al gedaan had? Was ik voorbestemd om een gevaar te zijn voor iedereen die me kende? Beverig ademde ik diep in en probeerde rustig te worden. In de auto dwong ik mezelf een paar minuten te blijven zitten tot ik mijn emoties in bedwang had. Als ik goed mijn best deed kon ik mijn tranen inhouden, maar het schuldgevoel ging niet weg. Kiki was een trouwe vriendin voor me geweest en in ruil daarvoor had ik haar nooit de waarheid over mijn leven toevertrouwd, had ik haar nooit verteld wie ik werkelijk was. De enige hier die dat wist was Norman, onze chef op het werk, en alleen omdat hij het zelf had uitgevogeld, niet omdat ik het hem had verteld.

Over Norman gesproken, hij zou zich wel afvragen waar Kiki en ik bleven, maar ik wilde hem liever persoonlijk vertellen wat er was gebeurd dan dat hij het op tv zag of door de telefoon hoorde. Ik besloot naar het kantoor te gaan. Als ik inderdaad op zoek moest naar mijn broer, waren de computers daar veel beter dan mijn kleine laptop thuis.

Ik startte de auto, reed de parkeergarage uit en dacht aan de dag dat Norman en ik elkaar zeven jaar geleden voor het eerst ontmoetten, toen ik naar aanleiding van een personeelsadvertentie op zijn kantoor verscheen. In de advertentie stond: *Ervaring gewenst, maar niet noodzakelijk.* De sollicitatie was heel goed verlopen en Norman wilde me aannemen, maar als speurneus kon hij dat niet met een schoon geweten doen zonder eerst uit te zoeken waarom bepaalde stukken van mijn sollicitatiebrief niet klopten. Als oude rot in het vak tegen een echte amateur, had hij niet veel tijd nodig gehad om mijn ware identiteit op te sporen. Nu was hij hier de enige die de waarheid wist, die begreep dat Anna Bailey eigenlijk Annalise Bailey Jensen was, lid van de beruchte groep die vroeger door de pers 'de Vijf van Dreiheit' werd genoemd.

Elf jaar geleden hadden de media ons afgeschilderd als niets minder dan een stel monsters, terwijl we in feite een groep roekeloze tieners waren die een stomme fout hadden gemaakt door per ongeluk een Amish boerderij in brand te steken. Bij die brand waren uiteindelijk een vader en moeder met hun pasgeboren baby omgekomen, terwijl de andere vijf kinderen van het echtpaar als wees achterbleven. Hoewel de pers ons had geplaagd en het hof ons had veroordeeld, had de Amish gemeenschap ons vergeven. Maar alle vergeving van de wereld kon niets veranderen aan het feit dat door onze achteloze domheid levens verloren waren gegaan. Norman wist dat en toch was hij bereid geweest me de baan aan te bieden, omdat hij vond dat iedereen in het leven een tweede kans verdiende.

'Ik ga op mijn gevoel af, meisje,' had hij aan het eind van ons tweede gesprek tegen me gezegd. 'In aanmerking genomen hoe goed je je best deed om je eigen papieren spoor af te dekken, durf ik te zeggen dat je een speciale gave hebt voor dit soort werk. Je zult het prima doen.'

En ik had het prima gedaan, dacht ik toen ik de hoofdweg opdraaide. Mijn baan betaalde niet erg goed, maar ik was er dol op. Ik was gek op de mensen met wie ik samenwerkte en op de uitdaging van het opsporen van mensen die vermist werden.

Ik voegde in en zette koers richting centrum. Onder het rijden probeerde ik Lydia's nummer een paar keer, met een naar gevoel omdat ik het gesprek met haar zo abrupt had afgebroken. Ze nam niet op en toen ik het kantoor bereikte, gaf ik het voorlopig op. Ik vond een leeg vak op het parkeerterrein voor werknemers en liep het gebouw in en door een vertrouwde doolhof van gangen naar onze afdeling. In de metropool die Kepler-West Finance vormde, lag de kamer waar Kiki, Norman en ik werkten beslist in de achterbuurt. Ver van de glanzende ingang aan de voorkant of de chique bestuursvleugel, was ons piepkleine afdelinkje weggestopt op een lager niveau in een binnengang zonder ramen of daglicht. Maar wat ons aan ambiance ontbrak, maakten we goed met bekwaamheid en prestatie. Ons drietal functioneerde als een goed geoliede machine, met Norman aan het roer. Ik deed het meeste computerwerk en Kiki het meeste veldwerk. In de zeven jaar dat ik daar werkte, hadden we van alles opgespoord, van criminelen die hun borgtocht verbeurden tot ondergedoken miljonairs, maar ik had nooit gedacht dat ik mijn eigen broer nog eens op zou sporen.

Norman stond met het koffiezetapparaat te worstelen toen ik in de deuropening verscheen, maar toen hij mijn gezicht zag, liet hij het apparaat voor wat het was en schonk me zijn volle aandacht. Kennelijk zag hij dat er iets mis was.

Gelukkig waren we onder elkaar en konden we praten. Ik vertelde hem wat er gebeurd was en was blij dat het dit keer lukte zonder te huilen. Hij luisterde aandachtig, stelde vragen als het nodig was en overhandigde me een doos tissues toen ik uitgepraat was.

'Met mij is alles in orde,' zei ik terwijl ik hem de doos teruggaf.

'Met mij niet,' zei hij terwijl hij een tissue pakte en zijn neus snoot. 'Arme Kiki! Nu ligt ze in het ziekenhuis, terwijl het evengoed het mortuarium had kunnen zijn!'

Ik liet hem een poosje ijsberen en kermen, dankbaar dat hij zo'n innig begaan mens was. Terwijl hij zich herstelde, fikste ik het koffiezetapparaat en zette een pot, en toen maakte ik een kop voor hem klaar zoals hij het graag had, met veel room en twee zoetjes. Ik moest hem vertellen dat ik naast de inbraak van die ochtend ook nog een dringende familiekwestie had af te handelen. Toen ik hem zijn koffie gaf, bood hij me een vrije dag aan omdat ik die wel nodig had na zo'n traumatische ochtend. Ik antwoordde dat ik dat erg op prijs zou stellen, zeker als ik eerst een poosje op kantoor mocht blijven om de computer te gebruiken voor een persoonlijke kwestie.

'Ga je gang,' zei hij terwijl hij plaatsnam achter zijn bureau. 'Als je hulp nodig hebt, zeg je het maar.'

'Bedankt, baas. Ik zou inderdaad graag even gebruik willen maken van je hersens, als je het niet erg vindt.'

Ik rolde een stoel naar zijn bureau en vertelde hem de rest van het verhaal, over mijn vermiste broer en alles wat Lydia had gezegd. Hij luisterde aandachtig, knikte nu en dan en maakte wat aantekeningen. Ook liet hij me nog een keer over de aanval vertellen, maar toen ik bij het gedeelte kwam over wat de indringer had gezegd, hield hij op met schrijven en keek naar me op.

'Wat voor robijnen?' vroeg hij.

'Hij sprak het uit als "bornè-robijnen". Zegt je dat iets? Heb je dat woord ooit eerder gehoord?'

Norman schudde peinzend zijn hoofd. 'Maar als hij zo over je familiestamboom begon, moet het iets zijn wat van geslacht op geslacht is doorgegeven.'

'Ja, maar ik denk niet dat hij de juiste stamboom had. Mijn broer en vader had hij goed, maar toen noemde hij mensen van wie ik nog nooit had gehoord. Peter? Jonas? Karl? Ik weet niet wie dat zijn. Hij moet me met iemand anders verward hebben.'

'Hoe ver terug heb je je afkomst nagetrokken?'

'Wat bedoel je?'

'Voorgeslacht, genealogie, dat soort dingen. Weet je zelfs maar de namen van je overgrootouders of je betovergrootouders?'

Ik schudde mijn hoofd en besefte dat hij gelijk had. Hoe kon ik zeker weten dat die namen geen verband met mij hielden als ik niets wist van een paar geslachten terug?

'Heb je je ouders gesproken? Misschien kunnen die helpen,' opperde Norman.

'Mijn ouders zijn op dit moment op vakantie. Ik zou niet weten hoe ik ze moest bereiken.'

'Hebben ze geen mobiele telefoons?'

Ik legde uit dat die niet werkten waar ze nu waren, dat mijn ouders enthousiaste vogelaars waren en een trektocht van drie weken maakten door Nieuw-Zeeland om geelneusalbatrossen en grauwe pijlstormvogels te zien.

'Zijn het wetenschappers?'

'Nee,' antwoordde ik, en ik voegde eraan toe dat de lievelingshobby van mijn vader, vogels kijken, na zijn pensionering een obsessie was geworden. Sportief als altijd gaf mijn moeder hem zo veel mogelijk zijn zin, hoewel ze hem, toen hij met de plannen voor deze reis kwam, zowat met zijn eigen verrekijker voor zijn hoofd had geslagen. 'Zijn idee won, maar volgend jaar moet hij met haar mee naar een scrapbookbeurs.'

'Nou, ga dan met je oudste familielid praten, een grootouder misschien,' hield Norman aan. 'Soms sta je versteld van de hoeveelheid informatie die oude mensen in hun hoofd meedragen. Als je bijvoorbeeld met je overgrootmoeder zit te praten, kun je van alles te weten komen over háár overgrootmoeder, en ook over de rest van de familie.'

Ik dacht erover en schudde langzaam mijn hoofd. Aan mijn vaders kant waren geen oude mensen meer. Mijn overgrootouders waren allang dood toen ik geboren werd, mijn grootmoeder stierf aan kanker toen ik twaalf was en mijn grootvader was slechts een jaar daarna overleden aan een gescheurde aorta. Dat vertelde ik Norman en hij stelde voor dat ik niettemin zelf wat genealogisch werk zou uitvoeren. Hij was ervan overtuigd dat de robijnen een soort familie-erfstukken waren en als ik mijn familiestamboom natrok, zou ik wellicht het punt kunnen vinden waarop ze waarschijnlijk waren doorgegeven aan een andere tak.

'Je kunt er gif op innemen dat een verre nicht op dit moment met die robijnen rondloopt, terwijl jij per vergissing aangevallen wordt.'

'Misschien.'

'Of misschien is de man die vanmorgen bij je huis opdook zelf wel een verre neef die denkt dat jij de robijnen hebt! Wie weet wat voor verhaal erachter zit, maar ik denk dat je het beste van hieruit kunt beginnen. Het kan ook zijn dat je een hoop informatie krijgt als de politie de man eenmaal ondervraagd heeft.'

Dat was waar, hoewel er een tijdje overheen zou gaan voordat hij geopereerd was en aanspreekbaar genoeg zou zijn om ondervraagd te worden. Ik besloot me intussen te concentreren op de zoektocht naar mijn broer. Gezien het tijdstip hielden zijn verdwijning en de inbraak waarschijnlijk op de een of andere manier verband met elkaar.

Ik bedankte Norman en rolde terug naar mijn bureau. Daar

opende ik verscheidene toepassingen op mijn computer en koos nog een keer het nummer van het telefoonhok. Nu nam Lydia op en ze verontschuldigde zich dat ze daarstraks de telefoon niet had kunnen horen. Ik bood ook mijn excuses aan dat het zo lang had geduurd voordat ik haar terugbelde, maar omwille van de tijd deed ik geen uitgebreid verslag van de gebeurtenissen van die ochtend en gaf ik haar gewoon een verkorte versie. Ik wilde voornamelijk weten of ze wel eens van de Beauharnais-robijnen had gehoord, maar net als ik had ze geen idee.

'Heb je al iets van Bobby gehoord?' vroeg ik.

'Nee, Anna. Het is alsof hij simpelweg van de aardbodem verdwenen is.'

'Hij moet ergens zijn,' zei ik, 'maar als ik hem op moet sporen, heb ik al jullie persoonlijke rekeningnummers nodig, en zijn burgerservicenummer.'

'*Jah*, dat kan. Ik heb immers dat blik met belangrijke papieren nog.'

Ze beloofde me over een paar minuten terug te bellen en terwijl ik wachtte, zocht ik 'Beauharnais-robijnen' op in de zoekmachine. Ik probeerde elke spelling die ik kon bedenken – *bornè*, *boornè*, *boornee* – maar wat ik ook intypte, het leverde geen enkele relevante hit op. Het zou niet eenvoudig zijn om erachter te komen wat de man bedoeld had.

Toen Lydia terugbelde met de informatie, opende ik mijn standaard opsporingsformulier om op mijn gebruikelijke systematische manier te werk te gaan, al was het nu mijn eigen broer naar wie ik zocht. Zoals altijd begon ik 'bekende gegevens' in te voeren. Natuurlijk vroeg het formulier niet om de dingen die ik *wel* wist, zoals hoeveel Bobby hield van de talloze tinten roodbruin die het haar van zijn zoon Isaac in de zon weerspiegelde, of hoe graag hij te paard samen met zijn Amish vriend, die renpaarden trainde, met halsbrekende snelheid over het parcours galoppeerde. Nee, het formulier wenste gegevens die ik niet wist, zoals huidige en voormalige e-mailadressen, zijn kredietgeschiedenis, zijn beroep. Die dingen kreeg ik van Lydia, die ze een voor een voorlas van papier.

Niet dat Bobby en ik elkaar niet in het algemeen op de hoogte hielden, dacht ik terwijl ik een creditcardnummer intypte. Hij en ik spraken elkaar gewoonlijk een of twee keer per maand door de telefoon en ik zeurde regelmatig dat hij thuis een computer zou nemen, zodat we vaker via e-mail konden communiceren. Maar na de brand en alles wat in de nasleep daarvan was gebeurd, hadden mijn broer en ik niet meer over koetjes en kalfjes gepraat, zoals werk en dagelijkse gebeurtenissen. We neigden er vaker toe gevoelens en gedachten te bespreken.

Als je samen zo'n tragedie meemaakt, krijg je een ander soort band met elkaar.

Toen Lydia me alle informatie had gegeven die ze kon vinden, bedankte ik haar en zei dat ik over een uur terug zou bellen, hopelijk met goed nieuws, hoewel ik diep vanbinnen het tegendeel vreesde. Mijn belangrijkste zorg was dat de man die vanmorgen bij mij had ingebroken, gisteravond iets soortgelijks had gedaan bij mijn broer, maar dat Bobby niet aan hem had kunnen ontkomen zoals ik. Met die gedachte in mijn hoofd begon ik mijn opsporing door ziekenhuizen, mortuaria en politiebureaus in Lancaster en Chester County in Pennsylvania te bellen om te zien of zij iemand, dood of levend, hadden gezien die aan Bobby's signalement voldeed. Ik ving overal bot, dus nadat ik in die richting alle middelen had geprobeerd, keerde ik terug naar de gegevens die Lydia me had gegeven en begon zijn creditcards na te trekken.

Wat ik ontdekte, was zowel interessant als verwarrend. Te oordelen naar zijn uitgaven was Bobby's dagelijks leven in financiële zin zo voorspelbaar, zo eenvoudig, dat het gewoon saai was om te lezen. Maar gisteravond laat hadden er plotseling vreemde activiteiten plaatsgevonden met zijn rekeningen. Ik kon eruit opmaken dat Bobby tussen tien en elf uur 's avonds ongewone bedragen had opgenomen bij pinautomaten, een ticket had geboekt naar nota bene Las Vegas, en zijn naam, adres en contactinformatie op uiteenlopende rekeningen had veranderd. Ofwel zijn identiteit was gestolen en iemand anders had dat allemaal gedaan, of Bobby had het zelf gedaan in een poging zijn sporen uit te wissen en te verdwijnen. Naar mijn deskundige mening scheen het op het laatste te wijzen.

Terwijl dit doolhof van raak en mis me verbijsterde en in de war maakte, gaf het me ook hoop. Als deze transacties werkelijk door Bobby zelf waren uitgevoerd, dan kon ik in elk geval de conclusie trekken dat hij zijn verdwijning zelf georganiseerd had. Ik wist nog steeds niet waarom hij zoiets zou doen, maar dat was tenminste beter dan te horen krijgen dat hij slachtoffer was geworden van een misdaad en ergens bewusteloos lag waar niemand in de buurt was die hem kon helpen.

'Bobby, wat is er gaande?' fluisterde ik terwijl ik probeerde me in zijn gedachten te verplaatsen en me afvroeg wat hij zou doen als hij in bepaalde moeilijkheden zat. Alle mogelijkheden overwegend, zette ik een zoektocht in naar de serviceprovider zodat ik tenminste de computer kon vinden waar hij achter had gezeten toen hij gisteravond al die rare manoeuvres uitvoerde.

Zoals bij alle opsporingsopdrachten zou ijverig en nauwgezet onderzoek uiteindelijk winnen. Dat hield ik mezelf tenminste voor terwijl mijn vingers over het toetsenbord vlogen en wanhoop binnensloop in mijn hart.

6

Er was wat graafwerk voor nodig, maar uiteindelijk bleek dat Bobby zijn computeractiviteiten had uitgevoerd in een internetcafé in Exton, Pennsylvania, gisteravond tussen tien en elf uur. Nu had ik in elk geval een specifieke plaats en tijd. Om er zeker van te zijn dat degene achter het toetsenbord niemand anders was geweest dan hijzelf, nam ik contact op met het café en sprak met de manager, die erg inschikkelijk was. Zij had gisteravond dienst gehad en herinnerde zich duidelijk dat er om een uur of tien een man binnen was gekomen die ongeveer een uur was gebleven. Volgens haar was het een 'echt knappe vent' van midden dertig, met krullend bruin haar en groene ogen. Ze zei dat hij zwarte koffie had besteld, een dubbele espresso, maar hij was al zo gespannen dat ze niet snapte waarvoor hij het nodig had.

'Ik overwoog het hem uit zijn hoofd te praten,' zei ze, 'zoals een barkeeper weigert een dronkaard te bedienen. Maar ik vond dat het mijn zaken niet waren.'

'Was hij alleen?'

'Voor zover ik weet wel. Maar hij ging een paar keer naar buiten om de telefoon te gebruiken.'

Bobby bezat geen mobiele telefoon, dus ik was er zeker van dat hij toen Lydia had gebeld om te zeggen dat Isaac en zij gevaar liepen en dat ze naar de boerderij moesten gaan. Maar wat voor gevaar? Van wie? Waar leidde dit allemaal toe? Nu ik wist dat hij niet ergens gewond en alleen op de grond lag, keek ik steeds naar de klok en voelde me almaar stommer omdat ik enkele uren verspilde aan een vruchteloze jacht op wat waarschijnlijk niets meer was dan een kortdurend huiselijk drama dat zich met of zonder mijn hulp vanzelf zou voltrekken. Het was eigenlijk niets voor hem, maar misschien had mijn broer dat hele 'gevaar' in het leven geroepen als list om tijd te winnen om weg te lopen bij zijn vrouw.

Het zou niet voor het eerst zijn dat Bobby besloot om van de aardbodem te verdwijnen. Jaren geleden, toen zijn voorwaardelijke straf was afgelopen, was hij weggegaan om door het land te trekken. Een tijd lang voelde het alsof hij gewoon van de aardbodem was verdwenen, maar uiteindelijk kwam hij weer naar huis, waar hij te weten kwam dat Lydia nog steeds van hem hield en al die tijd op hem had gewacht. Kort daarna waren ze getrouwd en voor zover ik wist was hij sindsdien een trouwe en zeer aanwezige echtgenoot geweest.

Ik wilde net even pauze nemen toen de telefoon ging. Ik schrok. Met een blik op het schermpje zag ik dat het Lydia was.

Ik hoopte dat ze belde om te zeggen dat Bobby eindelijk terug was en dat alles goed was, maar zodra ze begon te praten, stokte haar stem in een snik.

'Wat is er, Lydia?'

'Ik heb net een gesprek gehad met Haley.'

'Haley Brown?' Haley was tijdens de hele middelbare school mijn beste vriendin geweest en een van de Vijf van Dreiheit, net als haar man Doug. Toen ik was verhuisd en opnieuw begonnen, waren we het contact kwijtgeraakt, maar ik zou haar altijd als een goede vriendin blijven beschouwen, een lid van die kleine groep die verbonden was door de tragedie met zijn nasleep.

Jah. Ik heb een paar mensen gebeld om erachter te komen of een van onze vrienden Bobby had gezien. Toen ik de Browns belde, kreeg ik Haley aan de lijn. Ik ben meer te weten gekomen dan me lief is.' Ze snikte weer en ik beet op mijn lip, aandachtig luisterend toen ze haar zelfbeheersing terugvond en vervolgde: 'Haley zei dat Bobby gisteravond inderdaad bij hen thuis was geweest.'

'Dat is toch mooi? Hoe laat?'

'Rond half twaalf. Dat betekent dat hij er anderhalf uur nadat hij mij voor de tweede keer had gebeld naartoe is gegaan.'

'Oké, dat is één stukje van de puzzel,' zei ik terwijl ik een aantekening maakte op de tijdbalk van mijn opsporingsformulier. De timing klopte: hij had Lydia gebeld om tien uur, achter de computer gewerkt tot elf uur, en was toen om half twaalf naar Haley toe gegaan. 'Is het ongewoon dat hij daar zo laat heen gaat? Zijn jullie vieren nog bevriend met elkaar? Jullie zien elkaar toch wel eens?'

'Soms, *jah*, in dat grote, chique huis dat Haleys vader hun heeft gegeven. Maar goed, Haley zei dat Bobby heel zenuwachtig was toen hij kwam. Doug was nog niet thuis, maar Bobby vroeg niet eens naar hem. Hij klopte gewoon aan en toen Haley opendeed, zei hij dat hij geld moest lenen, zo veel als ze contant in huis had.'

'Deed hij dat vaker? Geld lenen van jullie rijke vrienden?'

'Nooit,' zei Lydia met nadruk en toen voegde ze er minder zeker aan toe: 'Niet dat ik weet tenminste.'

'En toen? Heeft ze hem geld gegeven?'

'*Jah*, ze zei dat hij moest wachten en ze is naar de kluis in de slaapkamer gegaan om er achtduizend dollar uit te halen. Ach, stel je toch eens voor. Ze had achtduizend dollar contant in een blikje op haar kamer!'

Ik gaf geen antwoord, maar ik wist dat dat voor Lydia en Bobby waarschijnlijk neerkwam op een jaar huur. Niet bepaald een schijntje.

'Maar goed, ze zei dat hij zo zenuwachtig was dat ze geen vragen stelde. Ze zei gewoon dat hij het maar moest terugbetalen als het kon. Hij zei "goed" en "bedankt" en toen is hij weggegaan.'

'Dus waarom…'

'Er is nog meer. Toen hij weg was, keek Haley naar de beveiligingscamera's om hem te zien wegrijden en toen zag ze iets bewegen in de achtertuin. Ze zei dat Bobby de sleutels van Dougs motor gestolen moet hebben terwijl zij het geld uit de kluis haalde, want terwijl zij meekeek op de beveiligingsmonitor ging hij naar de aangebouwde garage en nam Dougs motor mee. Toen reed hij hem naar het hek aan de achterkant.'

'Wat? Heeft Bobby Dougs motor gestolen?'

'Haley zei dat ze het raar en merkwaardig vond, of misschien zelfs grappig. Ze vertrouwde erop dat Bobby hem uiteindelijk terug zou brengen.'

'Maar dat heeft hij nog niet gedaan?'

'Nee.'

'Goed, dus we zitten met een ongewone ontmoeting met een vriendin, een lening van contant geld en een gestolen motor. Is dat alles?'

'Nee, er is nog meer,' zei ze en haar stem begon weer te trillen. 'Haley zei dat Doug gisteravond niet thuis is gekomen. Een tijd lang dacht ze dat Bobby de motor voor Doug had meegenomen, zodat ze met z'n tweeën stiekem een avondritje konden maken. Maar toen kwam Doug niet thuis en Bobby niet terug en uiteindelijk viel ze wachtend in slaap. Vanmorgen was hij nog niet op komen dagen en ze was razend.'

'Dus nu is Doug ook vermist?'

'Nee, Anna. Doug is niet vermist. Doug is dood.'

Dood? Dat nieuws had ik niet verwacht!

'Dood? Hoe?'

Uit mijn ooghoek zag ik dat Norman zich naar me omdraaide. Terwijl Lydia vertelde dat Dougs lichaam vanmorgen was gevonden op een bouwterrein, nadat hij klaarblijkelijk van een hoogte naar beneden was gevallen, legde ik mijn hand over de telefoon en fluisterde: 'Niet mijn broer. Iemand anders.'

Ik maakte meelevende geluiden door de telefoon en reageerde merkwaardig afstandelijk op het nieuws dat een van de leden van ons beruchte groepje niet langer onder de levenden was. Voor de brand waren Doug en ik niet zo close geweest. Destijds had hij alleen oog gehad voor Haley, met wie hij uiteindelijk trouwde, en al mijn aandacht ging naar zijn vriend Reed. Na de brand maakte het feit dat we dezelfde nachtmerrie meemaakten van rechtszittingen, getuigenissen en vonnissen, dat de meesten van ons een veel hechtere band kregen. Hoewel ik Doug verscheidene jaren niet had gesproken, hadden we toch een eigenaardige verwantschap gehad. Nu was hij dood. Mijn zelfzuchtige kant, de kant waarvoor ik me schaamde, wist dat dit nieuws de pers een nieuwe gelegenheid gaf om de oude kost van de Vijf van Dreiheit weer op te warmen en net als elf jaar geleden breed uit te meten in de nieuwste nummers van talloze roddelbladen, kranten en tijdschriften.

Destijds was het verhaal van de Vijf van Dreiheit te mooi en had het te veel potentieel om te laten schieten, dus de media bleven het veel te lang steeds weer opnieuw uitmelken. Wat voornamelijk plaatselijk nieuws had moeten blijven, trok de aandacht van het hele land, waarschijnlijk omdat de slachtoffers Amish waren. Daarna verschenen de gezichten van ons vijven – Reed, Doug, Bobby, Haley en mij – in de roddelbladen, op omslagen van nieuwstijdschriften, op voorpagina's van kranten, wat we ook deden of waar we ook heen gingen. Rap werden we van vijf vrienden die op een avond een beetje rondhingen en een tragische fout maakten, tot het middelpunt van artikelen als: *Tragische afloop woest tienerfeest, Amish gezin omgekomen*. De persversie van de gebeurtenissen klopte voor geen meter, maar haalde de grote krantenkoppen. Nu kwamen die koppen weer terug. In een poging Dougs dood en zijn begrafenis uit alle mogelijke hoeken te belichten, zou de pers ons ongetwijfeld allemaal lastigvallen en onze herstelde levens verwoesten, alleen om een paar extra nummers te verkopen.

Ik probeerde daar vooralsnog niet aan te denken en besloot dat Dougs dood een aantal beroerde implicaties had. Ik haalde diep adem, probeerde mijn gedachten op een rijtje te zetten en te bedenken hoe Dougs dood verband kon houden met Bobby's verdwijning. En wat het stelen van een motor ermee te maken had. Norman hing in de buurt rond en bood fluisterend zijn hulp aan, dus ik vroeg Lydia even te wachten.

'Graag,' zei ik dankbaar tegen Norman en ik krabbelde merk, model en kenteken van Bobby's auto op een stukje papier. Ik gaf het hem en vroeg hem de auto na te trekken om te zien of hij gisteravond in de prak was gereden of weggesleept of bij een ongeluk betrokken was geweest. Mijn redenering was dat een auto-ongeluk de noodzaak tot alternatief vervoer kon verklaren, en het gaf ons een nieuw stukje van de puzzel om Bobby op een specifieke tijd en plaats te lokaliseren. Terwijl Norman het voertuig natrok, hervatte ik mijn gesprek met Lydia en vroeg haar of Isaac en zij nog veilig waren.

'Jah. Nathaniel en Caleb moeten de koeien melken en op het land werken, dus ze hebben een buurman gevraagd om bij ons te komen. Die buurman heeft zijn zoon en broer en neef meegebracht, dus we zijn goed beschermd.'

'En al hun koeien en land dan?'

'Ze werken niet op de boerderij, ze hebben een baan in de stad. Vandaag is hun vrije dag, daarom zijn ze hier gekomen om over ons te waken.'

En dat was in een notendop de organisatie van de Amish gemeenschap. *Heb je hulp nodig? Moet ik naar je toe komen om op je te passen? Op mijn enige vrije dag van deze week, terwijl ik duizendeneen dingen te doen had en allerlei plannen? Geen punt. Ik kom.* Dat was een van de dingen die ik altijd het meest gerespecteerd had bij de Amish. Ze bekommerden zich om elkaar. Ze voorzagen in de nood van hun gemeenschap, al ging het ten koste van hun eigen behoeften.

'Krijgen ze daar geen moeilijkheden mee, dat ze met jou omgaan?'

'Hoezo?'

'Omdat je de orde verlaten hebt en zo. Ze horen de omgang met jou toch te beperken?'

'Anna, je weet toch dat ik niet verstoten ben. Ik heb de orde verlaten vóór de doop.'

'Maar je familie...'

'Mijn familie is in de wereld, niet van de wereld. Ze moeten het contact met mij beperken, *jah*, maar niet volkomen afbreken. En als hun vrienden en buren bereid zijn mij en mijn zoon een dienst te bewijzen, dan doen ze dat. Zo gaat het bij de Amish. Dat weet je toch.'

Ik wist het inderdaad. In het jaar na de brand kreeg ik de kans om de Amish gemeenschap in werking te zien, van dichtbij en persoonlijk. Hun goedheid bleek uiteindelijk een van de weinige positieve elementen die de hele ervaring opleverde.

Ik zuchtte diep, verzamelde de papieren die over mijn bureau voor me lagen uitgespreid en besloot Lydia te vertellen wat ik tot nu toe te weten was gekomen over Bobby's activiteiten van gisteravond. Toen ik de vreemde reeks computerhandelingen beschreef die hij in het internetcafé had uitgevoerd, stond ze net zo perplex als ik, zeker toen ik de reservering naar Las Vegas noemde. Op zoek naar een reden voor die vlucht vroeg ik Lydia of Bobby wel eens gokte, wat ze stellig ontkende. Als antwoord op mijn vragen hield ze ook vol dat ze geen vrienden hadden in Nevada en dat Bobby daar nog nooit geweest was, niet voor een conventie of een uitstapje met de jongens of wat ook.

'En je weet zeker dat hij niet in het geheim een gokprobleem heeft?' drong ik aan.

'Voor honderd procent. We zijn zelfs nog nooit naar Atlantic City geweest en dat is veel dichterbij dan Las Vegas.'

'Geen geld dat verdwijnt of verborgen bankrekeningen of bonnetjes van een lening in zijn zakken?'

Nu zweeg ze even.

'Lydia? Wat is er?'

'Ik… ik heb inderdaad een bonnetje van een pandjeshuis in Harrisburg in zijn zak gevonden toen ik de was deed. Maar ik denk heus niet dat het iets met gokken te maken heeft. Hij is de laatste tijd gewoon erg… spaarzaam. Toen ik hem naar dat bonnetje vroeg, zei hij dat de hoge gasprijzen ons budget hadden aangetast en dat hij daarom een paar dingen had beleend om de eindjes aan elkaar te knopen.' Ze noemde op wat hij zoal had verpand: zijn oude trompet, een pneumatische drilboor, een paar kandelaars die een huwelijkscadeau waren geweest. Lydia zei dat ze niet gemerkt had dat die dingen weg waren, omdat ze allemaal afkomstig waren uit de bergruimte in de kelder van het appartementengebouw.

'Hm,' zei ik omdat ik niet wist wat ik moest zeggen. Kennelijk had Bobby iets voor Lydia verzwegen, anders had hij haar uit zichzelf over dat pandjeshuis verteld in plaats van te wachten tot hij betrapt werd. 'En je neef die renpaarden traint? Zou het kunnen zijn dat hij als bijverdienste als bookmaker optreedt en in laat zetten op die paarden?'

'Ik weet niet precies wat een bookmaker is, maar Silas is een volkomen eerlijk man. Bobby heeft trouwens geen belangstelling voor wedden op paarden. Hij houdt alleen van snelheid, in bijna alles. Snelle auto's, snelle paarden, snelle motoren, eigenlijk alles wat hard gaat. Hij is je broer, Anna. Je weet dit van hem. Als jongen reed hij al zo hard als hij kon de heuvels hier af, weet je nog?'

Ik wist het nog.

Norman zwaaide om mijn aandacht te trekken, dus ik vroeg Lydia even te wachten.

'Ik heb het kenteken nagetrokken,' zei Norman tegen me, 'maar de auto van je broer is in de afgelopen vierentwintig uur niet gezien, bekeurd of teruggevonden.'

Ik bedankte hem voor zijn hulp en toen hij weer achter zijn computer ging zitten, bedacht ik wat mijn volgende stap moest zijn. Van achter mijn computer had ik het basisopsporingsprogramma uitgevoerd. Er waren natuurlijk nog andere wegen, zoals onderzoek naar eventuele problemen op Bobby's werk of naar zijn verschillende hobby's en interesses en contactpersonen. Hier nam Kiki het gewoonlijk over, zij deed het soort onderzoek dat veel persoonlijk contact, veel loopwerk en uitkijken naar aanwijzingen vereiste. Daar was ze erg goed in, niet alleen omdat ze intelligent en opmerkzaam was, maar ook omdat ze bij andere mensen niet als bedreigend overkwam maar ontwapenend was. Gezien haar leeftijd, geslacht en persoonlijkheid was ze een natuurtalent in het ontlokken van informatie.

Ik daarentegen, was veel meer op mijn gemak met een computerscherm dan met mensen. Niet dat ik verlegen was, ik was alleen altijd op mijn hoede of iemand me soms herkende, altijd klaar om het op een lopen te zetten als ze die nieuwsgierige blik op hun gezicht kregen en me vroegen of we elkaar wel eens eerder hadden ontmoet. Maar in de huidige situatie had ik geen keus. Nu ik had gedaan wat ik kon om dit raadsel vanuit mijn kantoor hier in Californië op te lossen, was de volgende voor de hand liggende stap naar Pennsylvania te gaan om van daaruit Bobby's spoor op te pakken.

Met een bezwaard hart zei ik dat tegen Lydia. Ze reageerde gretig, duidelijk opgelucht en verlangend naar mijn hulp ter plaatse.

'Je bent welkom op de boerderij bij mijn familie,' verzekerde ze me. 'Ik weet zeker dat je Bobby makkelijker kunt vinden als je hier bent, Anna. Daarbij komt dat ik bang ben dat het gevaar uiteindelijk ook jouw kant op komt, nu iemand jouw gegevens heeft. Hier ben je waarschijnlijk veiliger.'

Ik besloot volkomen eerlijk tegen haar te zijn.

'Weet je nog dat ik je vertelde dat ik vanmorgen een kleine aanvaring had?'

'*Jah*. Er was een man naar je huis gekomen die om robijnen vroeg?'

'Zoiets. Jij hebt daar zo veel om over te tobben dat ik je niet met mijn problemen wilde opzadelen, maar als je het hele verhaal wilt weten: hij brak in in mijn huis, sloeg mijn huisgenote bewusteloos en bedreigde mij met een pistool. Volgens mij is het gevaar al gearriveerd.'

Dat zette een nieuwe huilbui in gang en toen ik haar gekalmeerd had, zei ik dat ik moest ophangen, maar dat ik over precies een halfuur terug zou bellen als ik een vlucht had geboekt.

Toen ik opgehangen had, bleef ik lange tijd zwijgend zitten en probeerde met mijn ogen dicht het onvermijdelijke te aanvaarden. Ik had geen keus, ik moest naar huis. Mijn broer was op dit moment in grote moeilijkheden, dat was glashelder. Wat hem ook overkomen was, het was niet best.

Wat moet ik nu doen, God? bad ik zwijgend, terwijl ik het voor de hand liggende antwoord wist. *Ga naar Pennsylvania.*

Ik dacht aan mijn armzalige bankrekeningetje, iets in de buurt van zevenhonderd dollar in totaal, zonder andere reserve dan honderd dollar op mijn spaarrekening en een creditcard met een limiet van drieduizend dollar – die ik nooit gebruikte behalve in een buitengewoon noodgeval.

Ik kan het niet betalen, bracht ik mijn hemelse Vader onder het oog, alsof Hij dat niet wist. Bovendien zou het zeker iemand opvallen als ik terugging en straks stortten de media zich met volle kracht op me. Mijn nieuwe uiterlijk en nieuwe leven zouden ontdekt worden en ongetwijfeld verwoest zijn.

Ga desondanks naar Pennsylvania.

Ik dacht weer aan de Amish, hoe ze zich om elkaar bekommerden, hoe ze de noden in hun gemeenschap lenigden zonder eerst aan hun eigen behoeften te denken. Bobby was mijn gemeenschap, mijn naaste levende familielid en hij had me nodig. Op de een of andere manier had hij me nodig.

'Goed, God,' fluisterde ik terwijl een golf van emotie me de tranen in de ogen dreef. Ondanks alles zou ik weer naar huis gaan en de dingen rechtzetten. Ik veegde mijn ogen af, draaide me om naar mijn computer en ging op zoek naar een vlucht naar Philadelphia. Het was de eerste keer dat ik zou terugkeren na mijn vlucht zeven jaar geleden. Met een misselijk gevoel in mijn maag besefte ik dat tegen de tijd dat dit alles voorbij was, alles wat ik had gedaan om opnieuw te beginnen tevergeefs was geweest.

Met trillende vingers vond ik tot mijn blijdschap tenminste een paar goedkope plaatsen op een paar nachtvluchten die vanavond vertrokken. Ik koos de vlucht met een overstap in Vegas, zodat ik een paar minuten de tijd had om daar wat speurwerk te doen. Nadat ik Norman een poosje vrij had gevraagd en van hem de verzekering had gekregen dat hij in mijn plaats een oogje op Kiki zou houden, boekte ik de vlucht en betaalde hem. Daarna maakte ik voor het eerst vandaag mijn mailbox open om een algemeen berichtje te versturen om me af te melden bij mijn plaatselijke vrienden en vriendinnen.

Ik was zo afgeleid door alles wat ik moest doen, dat ik het bijna over het hoofd zag. In mijn lijst van inkomende mails stond een e-mail van Bobby in hoogsteigen persoon, gisteravond om 22.42 uur verstuurd, met als onderwerp *dringend*. Ik opende het bericht en las met ingehouden adem:

Hoi Bobanna,
Weet je nog dat je een poosje geleden zei dat als je één ding over kon doen terwijl je wist wat je nu weet, dat je het dan anders zou doen? Ik volg je advies op. Communiceer alsjeblieft dienovereenkomstig.
Bobby

Ik leunde achterover in mijn stoel en slikte. 'Bobanna' was zijn koosnaampje voor mij. Zo veel begreep ik nog. De rest verbijsterde me. Eén ding dat ik over kon doen? Wetende wat ik nu wist? Ik schudde mijn hoofd en probeerde mijn verstand te gebruiken.

Hoewel hij me dit dringende bericht had gestuurd en erop rekende dat ik er iets mee zou doen, had ik helaas geen idee waar hij het over had. Ik herinnerde me dat hele gesprek niet. Wat bedoelde hij?

Ik had gewoonweg geen idee.

7

De volgende twee uur was ik bezig hangende zaken af te ronden terwijl Norman Bobby's reservering voor een vlucht naar Las Vegas onder de loep nam. Mijn baas had connecties die ik niet had – connecties met vervoersbeambten en luchtvaartmedewerkers die hem soms informatie toespeelden die voor de gemiddelde speurder niet beschikbaar was. Ik probeerde niet mee te luisteren terwijl hij namens mij hun hulp inriep, maar onwillekeurig zag ik de triomfantelijke glans in zijn ogen toen hij eindelijk ophing.

'Goed, meisje. Pak een stoel en ik zal je mijn theorie voorleggen. Je zei dat het leek alsof Bobby opzettelijk probeerde te verdwijnen. Dan spreekt het vanzelf dat het meeste van wat hij gisteravond op internet heeft gedaan, bedoeld was om grote verwarring te scheppen die moeilijk na te trekken was. Eens?'

'Eens.'

'Al die veranderde rekeningen waren misleiding en verwarring, om tijd te winnen terwijl hij maakte dat hij de stad uit kwam. Volg je me?'

'Ja.'

'Naar mijn idee maakten de vluchtreservering en de huurauto deel uit van die misleiding. Hij boekte die vlucht om de indruk te wekken dat hij naar Vegas ging, maar ik geloof niet dat hij in werkelijkheid in dat vliegtuig is gestapt.'

De verhandeling die Norman afstak was *Persoonsopsporing les 1*, de basisstappen van het onderdeel *Hoe verdwijn ik*.

'Dat dacht ik eerst ook,' antwoordde ik. 'Maar je laat één belangrijk element weg: de geldopname uit de pinautomaat. Als

Bobby die vlucht niet heeft genomen, hoe heeft hij dan vanmorgen, twintig minuten na de landing van de vlucht, honderd dollar kunnen opnemen uit een automaat op het vliegveld van Las Vegas?'

Norman kneep zijn ogen tot spleetjes en keek me onderzoekend aan.

'Als het een vreemde was die je opspoorde, Anna, dan wist je het antwoord op die vraag.'

Ik bleef hem lange tijd aankijken voordat het tot me doordrong.

'Er is iemand anders bij betrokken,' fluisterde ik.

'Ja, daar ga ik van uit. Of die andere persoon zat in het vliegtuig en nam geld op namens Bobby toen hij uitgestapt was, of hij was al in Las Vegas en kwam alleen op de juiste tijd naar het vliegveld om het te doen. Ik geloof hoe dan ook niet dat je broer dat geld heeft opgenomen. Ik geloof niet dat hij ooit in dat vliegtuig heeft gezeten. Ik hoorde dat je aan je schoonzus vragen stelde over Vegas en gokken en zo, maar ik denk dat het tijdverspilling is. Hij is niet naar Vegas gegaan.'

Ik leunde achterover en dacht na over de implicaties van een tweede betrokkene. Ik wilde mijn broer het voordeel van de twijfel geven, maar hoe meer ik te weten kwam, hoe lastiger dat werd.

'Volgens mijn bron bij de luchtvaart,' vervolgde Norman, 'heeft je broer zich ingecheckt voor de vlucht op het vliegveld van Philadelphia. Dat staat in de computer. Wat er niet in staat, is die tweede verificatie van de instapkaart die gescand wordt bij de gate als de passagiers in het vliegtuig stappen.'

'Dus Bobby heeft zich wel bij de balie ingecheckt, maar heeft niet in het vliegtuig gezeten?'

'Precies.'

'En die verhoogde vliegveldbeveiliging en zo dan? Zijn er nu geen regels voor dat vliegtuigen niet mogen opstijgen als er bagage aan boord is die bij geen enkele passagier hoort?'

'Dat is inderdaad de procedure. Maar Bobby heeft geen bagage ingecheckt. Kennelijk had hij alleen handbagage, zodat de vlucht toestemming kreeg om op te stijgen zonder hem.'

Ik bedankte Norman voor zijn vele inspanningen, het duizelde me. Misschien had hij gelijk. Als het een vreemde was die ik probeerde op te sporen, zou ik veel helderder denken en misschien aan andere dingen hebben gedacht, zoals de mogelijkheid dat hij een vriendin had of betrokken was bij illegale activiteiten. Maar omdat het Bobby was, ontbrak mijn broodnodige professionele cynisme aan deze zoektocht. Als je niet het slechtste van iemand kon denken, hoe kon je dan de noodzakelijke gedachtesprongen maken om zijn spoor te volgen?

Ik keerde terug naar mijn eigen bureau, sloot mijn computer af en ruimde mijn bureau op, klaar om de stad uit te gaan. Ik had nog één ding te doen. Met tegenzin pakte ik het kaartje dat de rechercheur me vanmorgen had gegeven en koos het nummer dat erop stond.

Toen ik mijn naam noemde tegen rechercheur Hernandez, klonk zijn stem dit keer merkwaardig gespannen en algauw besefte ik waarom.

'U zat niet in *Grimme a Break*. U zat in geen enkele comedyserie, hè? Dat u me bekend voorkwam, was helemaal niet doordat u een kindsterretje was, maar doordat u op een geheel andere manier berucht was.'

'Ik heb het woord "kindsterretje" nooit gebruikt. Ik zei alleen dat ik beroemd was toen ik jong was. U hebt zelf die conclusie getrokken.'

'Eens zien,' vervolgde hij zonder op mijn protest te letten. 'Roekeloos in gevaar brengen... dood door schuld... ik heb op dit moment uw politiefoto op het scherm staan. Ik herinner me vaag dat uw gezicht destijds elke avond in het nieuws was. Ik wist wel dat ik u eerder had gezien.'

'Dat is niet relevant voor deze zaak.'

'Nou, volgens mij wel. Op z'n allerminst had u het vanmorgen tegen me kunnen zeggen, mevrouw Bailey. O, pardon, mevrouw Jensen.'

'Waarom? Het was in een andere staat en het is lang geleden gebeurd.'

'Toch had het gezien de omstandigheden geholpen als ik had geweten dat u een strafblad had.'

Mijn hart bonsde en ik voelde een plotselinge woede groeien in mijn borst. Toen ik weer sprak, was het kalm en kordaat.

'Als u de moeite had genomen om dat strafblad te lezen, rechercheur Hernandez, dan had u kunnen zien dat ik minderjarig was toen het gebeurde. Ik heb huisarrest gekregen en een proeftijd. Ik heb niet in de gevangenis gezeten.'

'Misschien niet, maar ik kan er slecht tegen wanneer iemand relevante informatie verzwijgt en zich anders voordoet dan hij is.'

Ik liet mijn voorhoofd in mijn handen rusten en haalde diep adem. Ik voelde die oude, vertrouwde golf van wanhoop en claustrofobie die me altijd overspoelde als alweer iemand me niet het voordeel van de twijfel wilde geven. Het was al moeilijk genoeg om het schuldgevoel te hanteren waarmee ik mezelf overstelpte, maar ik zat er zeker niet op te wachten dat andere mensen daaraan bijdroegen. En al helemaal niet wanneer ze de bespottelijke versie van de pers van de gebeurtenissen die op die noodlottige avond zo lang geleden plaatsvonden erdoorheen filterden.

'Als u de moeite had genomen om de bijzonderheden van mijn arrestatie te lezen, dan zou u weten dat ik niet betrokken was bij een opzettelijk misdadige handeling. We waren gewoon een paar tieners die verstrikt zaten in een afgrijselijke tragedie.' Hij gaf geen antwoord, dus ik ging verder. 'Ik was pas zeventien toen het allemaal gebeurde, maar zodra ik een maand later achttien werd en de pers rechtmatig mijn naam en foto bekend mocht maken, was het met me gedaan. De verslaggeving was wreed en meedogenloos. Toen dat mediabusje vanmorgen bij mijn huis verscheen, had ik het gevoel dat de geschiedenis zich ging herhalen. Pech voor mij dat een willekeurige indringer mijn huis koos om in te breken. De huidige situatie heeft niets te maken met het verleden en ik was op geen enkele manier verplicht om u te vertellen dat ik een strafblad had. Denk erom, rechercheur, dat ik dit keer het slachtoffer ben, niet de dader.'

Tegen de tijd dat ik klaar was met mijn toespraakje was mijn gezicht gloeiend warm en ik stond verbaasd over het venijn dat ik in mijn eigen stem hoorde. Ik had mijn best gedaan om de woede en de wrok los te laten, maar nu ik uitgedaagd werd, was het me duidelijk dat er diep vanbinnen nog meer gevoelens van angst verstopt zaten. Ik vroeg me af of ik ooit van die oude gevoelens af zou komen.

Daarna bond de rechercheur tenminste een beetje in en zijn stem klonk minder achterdochtig. Eindelijk kon ik toekomen aan de reden dat ik had gebeld, om te vragen hoe het ervoor stond met de indringer. Rechercheur Hernandez zei dat de man rond het middaguur geopereerd was en nu lag te rusten. De artsen dachten hem een dag of twee te houden, waarna hij behoudens medische complicaties werd overgedragen aan de politie.

'Hebt u hem kunnen ondervragen? Bent u meer te weten gekomen over waarom hij het heeft gedaan en wat hij wilde?'

'We hebben zijn vingerafdrukken nagetrokken, maar die zeiden ons niets. En we hebben hem inderdaad vragen gesteld, maar hij geeft geen antwoord. Hij weet dat hij het recht heeft om te zwijgen en dat is precies wat hij doet, vooralsnog in elk geval. Als hij in hechtenis zit, zijn we in een betere positie om hem te verhoren.'

'U had met hem moeten praten toen hij uit de narcose kwam.'

'Ja, vast. Leg dat maar eens uit tijdens de rechtzitting.'

Ik moest weg en ik wilde een eind maken aan het gesprek. Voorlopig onthield ik Hernandez het nieuws over mijn vermiste broer. Hoewel Bobby's verdwijning en mijn inbreker verband met elkaar konden houden, wilde ik dat rechercheur Hernandez zich op mijn inbraak concentreerde als een op zichzelf staande misdaad zonder de kwestie onnodig te vertroebelen. Gezien zijn houding tegenover mijn strafblad, zou hij vast de verkeerde conclusies trekken als hij hoorde dat Bobby er misschien iets mee te maken had.

In plaats van over Bobby te beginnen, vroeg ik alleen of het huis nog een plaats delict was of dat ik mocht gaan opruimen en inpakken.

'We zijn helemaal klaar, maar misschien ziet u nog wat geel waarschuwingslint om de veranda vanwege het gat. Daar zult u iets aan moeten doen voordat er nog iemand zich bezeert.'

'Doe ik.'

Toen ons martelende telefoongesprek afgelopen was, hing ik op, pakte mijn tas en draaide me om naar Norman, die ook zijn bureau had opgeruimd en klaarstond om weg te gaan. Omwille van de veiligheid wilde hij per se met me mee naar huis en me een lift geven naar het vliegveld. Ik wist dat ik hulp nodig had en maakte een klein beetje drukte, maar ik weigerde niet.

We gingen naar buiten, ik reed voorop en binnen twintig minuten waren we bij het strandhuis.

Toen we geparkeerd hadden en naar de deur liepen, viel het me in dat Kiki me zou kunnen vragen te verhuizen als ze eenmaal begreep hoe de vork in de steel zat. Ik kon me niet indenken hoeveel impact dat op mijn leven zou hebben. Naast het feit dat ze een fantastische huisgenote was − ze was gemakkelijk in de omgang, ik kon met haar lachen en ze bemoeide zich niet met mijn zaken − kon ik het me letterlijk niet veroorloven om ergens anders te wonen. Afgezien van dit huis en een klein pensioen van haar overleden echtgenoot was Kiki net zo arm als ik, maar ze verhuurde me een van de logeerkamers voor een schijntje, en ik maakte het verschil goed met koken en schoonmaken; die regeling kwam ons allebei goed uit. Zonder die overeenkomst was ik reddeloos verloren.

Ik probeerde daar voorlopig niet aan te denken, deed de voordeur van het slot en we stapten naar binnen, hoewel Norman beslist voorop wilde gaan. In een starre, parate houding controleerde hij alle kamers van het huis, de bijkeuken en alle kasten inbegrepen. Ik betwijfelde of hij op zijn leeftijd een misdadiger kon afweren als er eentje opdook, maar het was toch erg lief van hem. Toen hij in mijn kamer het kogelgat in de muur zag, liet hij een laag gefluit horen. Dat kogelgat zat me minder dwars dan de grote bloedvlek op de vloer. Toen Norman naar beneden ging, maakte ik het vlug zo goed mogelijk schoon met bleekwater en oude lappen.

Ik had geen idee hoelang ik in Pennsylvania zou blijven, dus ik gooide lukraak wat kleren, schoenen, toiletspullen en een föhn in een koffer. Ook pakte ik mijn laptop in en nam de tijd om eerst een paar foto's van Bobby uit te printen.

Toen ik beneden kwam, zat Norman aan de telefoon. Toen hij opgehangen had, legde hij uit dat zijn zoon zaterdagochtend vroeg hier kwam om de veranda te repareren, het kogelgat boven op te vullen en de houten planken in mijn slaapkamer te vervangen die bedekt waren met Kiki's bloed. Voordat ik kon bedenken hoe ik dat allemaal moest betalen, voegde Norman eraan toe dat de arbeidstijd gratis was en dat we de benodigdheden later als we wilden terug konden vorderen van Kiki's verzekering.

Ik bedankte hem uitbundig terwijl ik het huis afsloot en we mijn bagage naar de auto droegen. Norman zat achter het stuur op weg naar het vliegveld en ik probeerde Kiki te bellen in het ziekenhuis. Ik kreeg haar moeder, die zei dat de CAT-scan normaal was geweest afgezien van een hersenschudding, zoals verwacht, en dat Kiki een poosje bij haar bleef logeren als ze uit het ziekenhuis kwam.

Toen ik het gesprek had beëindigd, stopte ik mijn telefoon weg en vroeg Norman bij Kiki te gaan kijken als ik weg was en haar te vertellen over de reparaties aan het huis.

Het was niet druk op de weg en de reis naar het vliegveld verliep vlot. Op de stoeprand namen Norman en ik afscheid en toen was ik op mezelf aangewezen om mijn bagage in te checken en door de beveiliging heen te komen. Tegen de tijd dat ik de gate bereikte, had ik nog anderhalf uur te gaan en dat was maar goed ook, want ik wilde nog een paar dingen afhandelen voordat we opstegen.

8

~ Stéphanie ~

21 november 1828

Mijn lieve zoon,
Ik begrijp niets van je reactie op de brief die ik je heb gestuurd. Hoe kun je weigeren mee te werken aan datgene wat je uiteindelijke bestemming is? Er stroomt koninklijk bloed door je aderen, mijn kind! Het is je plicht om zeer binnenkort je boerenwerktuigen neer te leggen en de scepter op te nemen. Ingesloten vind je nog een stuk van de Beauharnais-robijnen, dit keer de Coronet, als weer een bewijs van mijn toewijding aan de zaak jou op je rechtmatige plaats terug te brengen.

Je hebt geen idee wat er voor dit moment is opgeofferd! Om je hiervan te doordringen, sluit ik bij deze brief bladzijden in die ik zestien jaar geleden met mijn eigen hand heb geschreven in de maanden voordat jij geboren werd. Als ik nu mijn dagboek lees, zie ik dat ik een ijdel en frivool meisje was, maar het is mijn hoop dat je door de onbeduidendheden heen de liefde zult zien die ik reeds voor je geboorte voor jou koesterde. Tevens zul je gaandeweg begrijpen waarom ik de besluiten die ik over jou nam, genomen heb.

Het is je onmogelijk deze mantel te weigeren! Ik hoop dat je bovenal van die waarheid doordrongen zult raken als je de volgende alinea's leest.

Met al mijn liefde,
SdB

———————————

Dagboek, 5 maart 1812

Ik ben vandaag flauwgevallen aan het hof, wat voor Karl aanleiding was om de paleisarts te ontbieden. Ik zei tegen mijn echtgenoot dat hij zich geen zorgen moest maken, dat mijn toestand ongetwijfeld veroorzaakt werd door de ongewoon hoge temperaturen en de nieuwe tulband die ik droeg. Het was een geschenk van de keizer, die zegt dat tulbanden tegenwoordig een grote rage zijn in Parijs. Ik snap niet waarom, want ik vond het een warm en ongemakkelijk ding; maar ik volg wel graag de mode. En o, wat mis ik Parijs!

Hoe dan ook, na een vertrouwelijk gesprek met de dokter en een eerbaar onderzoek, heeft hij bevestigd wat ik al sinds januari vermoed: ik draag weer een kind, de geboorte zal waarschijnlijk plaatsvinden in de herfst. O, wat hoop ik dat ik Karl dit keer een zoon zal schenken!

Prinses Amelie is nog maar negen maanden oud. Haar glimlach schenkt me weliswaar zonneschijn in dit overigens sombere paleis, maar haar bestaan doet weinig om mijn positie hier te versterken of mijn huwelijk met Karl te bekrachtigen. Luise doet haar uiterste best om te zorgen dat ik hier niet gelukkig ben en ik weet dat ze handelt uit jaloezie en minachting.

Als ik het leven schenk aan een mannelijke erfgenaam, zal dat alles veranderen.

9

~ Anna ~

Niet ver van mijn gate vond ik een rustig plekje, pakte mijn mobiel en rekende uit hoe laat het was in Pennsylvania. Het was aan de Oostkust half elf in de avond, dus een telefoontje op dit uur was onbeleefd, maar niet bespottelijk. Ik besloot dat een van mijn eerste doeleinden moest zijn om meer te weten te komen over de dood van Doug Brown. Gezien het tijdstip en Bobby's vreemde verschijning bij Dougs huis op die avond, wist ik dat er een of ander verband moest zijn. Vroeger zou ik gewoon hebben gevraagd of mijn vader het voor me uit wilde zoeken. Als woningbouwinspecteur voor de gemeente had hij nauw samengewerkt met de plaatselijke politie en hij was altijd op de hoogte van de dorpsroddels. Maar nu hij gepensioneerd was en ergens anders woonde, moest ik me op iemand anders verlaten, misschien een oude vriend van hem die nog in Hidden Springs werkte en zijn oren open had voor de gang van zaken daar.

Ik dacht aan meneer Carver, een van de weinigen die mijn vaders kant hadden gekozen en Bobby en mij het voordeel van de twijfel hadden gegeven toen hij en ik gearresteerd, berecht en veroordeeld werden voor onze misdaden. Destijds was onze hele familie in een heel moeilijke situatie beland, maar we waren ten minste te weten gekomen wie onze echte vrienden waren – en dat waren er niet veel. Ik meende me te herinneren dat meneer Carver door alles heen loyaal was gebleven. Ik belde het informatienummer en kreeg het privételefoonnummer van de man in Hidden Springs. Nadat de telefoon drie keer was overgegaan nam hij op, zijn stem klonk hartelijk en vertrouwd.

Nadat ik me had verontschuldigd omdat ik zo laat nog belde,

kwam ik meteen terzake en vertelde hem wie ik was en dat ik normaal gesproken mijn vader gebeld zou hebben, maar dat die op dit moment op vakantie was in Nieuw-Zeeland.

'Nieuw-Zeeland?' riep hij uit. 'Wat spookt die ouwe boef daar helemaal uit?'

Ik legde kort uit dat hij vogels waarnam en zei toen dat ik op weg was naar Pennsylvania om mijn broer te zoeken, die vermist werd.

'Volgens zijn vrouw is Bobby gisteravond verdwenen en vandaag hoorde ik van de dood van Doug Brown. In aanmerking genomen dat ze goede vrienden waren, dacht ik dat het me bij mijn zoektocht naar Bobby zou kunnen helpen als ik meer te weten kon komen over wat Doug is overkomen. U was altijd zo'n goede vriend van mijn vader. Ik hoop dat u het niet erg vindt dat ik u lastigval om te vragen of u me iets over de situatie kunt vertellen, zodat ik de juiste feiten heb.'

Meneer Carver leek blij te zijn dat hij van me hoorde, maar hij wist niet of hij me wel kon helpen.

'Er wordt natuurlijk een hoop gekletst op het gemeentehuis. Je weet hoe dat gaat. Ik denk dat het makkelijk is om dit persoonlijk te bespreken. Zei je dat je in de stad was? Waarom kom je niet nu meteen hierheen, dan laat ik Letha een paar stukken perziktaart voor ons opwarmen.'

Ik bedankte hem en zei dat ik onderweg was, maar niet voor de ochtend in Philadelphia aankwam. Hij stelde voor af te spreken in een cafetaria en ik was hem buitengewoon dankbaar voor zijn aanbod. Ik vertelde dat mijn vlucht rond zeven uur aankwam en dat ik om negen uur in Hidden Springs kon zijn.

'Zou je eigenlijk bezwaar hebben om ergens anders af te spreken, op een plek niet zo dicht bij mijn kantoor? Om praatjes te voorkomen.'

'Zegt u maar waar.'

Hij stelde een cafetaria voor in de buurt van Valley Forge. Ik noteerde het adres en sprak af hem daar om negen uur in de ochtend te ontmoeten, tenzij mijn vlucht vertraging had. In dat geval zou ik hem opbellen zodra ik geland was. Toen we het gesprek beëindigden en ik mijn telefoon wegstopte, sprak ik een stil dankgebed uit dat dit tenminste gelukt was.

Ik keek op mijn horloge en zag dat ik nog tijd had om wat noodzakelijke boodschappen te doen voordat ik in het vliegtuig moest stappen. Eerst moest ik naar een elektronicawinkel en gelukkig vond ik er een in dezelfde terminal als mijn gate. Daar kocht ik een wegwerpmobiel voor Lydia, zodat ik haar in de komende dagen makkelijker kon bereiken. Dat gedoe met dat telefoonhok moest afgelopen zijn.

Daarna bezocht ik de juwelier er vlak naast. Ik liep langs twee verkopers die bezig waren en zocht de oudste, meest ervaren uitziende persoon uit. Ik wachtte tot hij een klant had geholpen. De vrouw die voor me stond liet haar jas vallen en terwijl ik hem opraapte en aan haar teruggaf, drong het tot me door dat ik hartje winter op weg was naar Pennsylvania en er niet eens aan had gedacht een jas mee te nemen.

'Kan ik u helpen?' vroeg de verkoper toen zijn klant was weggewandeld.

Ik zette mijn zorgen over een jas voorlopig opzij, schonk de man een warme glimlach en vroeg of hij wel eens had gehoord van de Beauharnais-robijnen.

'Ja, natuurlijk,' antwoordde hij onmiddellijk. 'Hier hebben we een paar prachtige Birmese robijnen hangers. We hebben stenen in peervorm, marquise, ovaal...'

Voordat hij te enthousiast werd, legde ik uit dat ik het niet wilde weten om iets te kopen. Ik vroeg het hem als ervaren juwelier alleen om onderzoeksredenen.

'En het is niet *Birmees*,' zei ik. '*Bor-nees*. Hebt u daar wel eens van gehoord? Is dat een soort robijn?'

Hij zei dat hij het woord als zodanig nooit had gehoord, maar hij opperde dat 'Beauharnais' de plaats zou kunnen zijn waar ze werden gedolven.

'Robijnen worden gevonden in Thailand, Sri Lanka, Vietnam, Madagascar… Misschien ligt Beauharnais in die streek.' Vervolgens zei hij dat Beauharnais ook de naam kon zijn voor een nieuwe vorm van synthetische robijn. 'Deze ringen bijvoorbeeld, zijn gemaakt van Verneuil-robijnen. Erg mooi, en veel gunstiger geprijsd dat hun Birmese neven.'

Hij probeerde nog steeds te verkopen, maar ik kon me niet eens veroorloven naar de robijnen te *kijken*, laat staan te kopen. Ik bedankte hem voor zijn hulp en zei dat ik moest gaan. Hij was erg vriendelijk en verontschuldigde zich dat hij mijn vraag niet had kunnen beantwoorden. Toen opperde hij dat ik contact moest opnemen met een edelstenen- of sieradenmuseum om daar eens te vragen. Ik bedankte hem en vroeg me af waarom ik dat zelf niet had bedacht.

Toen ik de winkel uit ging, liet ik mijn gedachten weer naar het jasprobleem dwalen. Ik wist dat ik er nu geen kon kopen op het vliegveld, tussen de zonnebrandcrème en de strandhanddoeken. Ik slikte mijn trots in en liep naar de afdeling Gevonden voorwerpen, waar ik vroeg wat ze deden met de oude spullen die niemand ooit had teruggevraagd.

'Die gaan daarin,' zei hij terwijl hij wees naar een grote canvas bak op wielen, die uitpuilde van de spullen. 'Ga uw gang.'

Ik vond het niet erg om gebruikte kleding te dragen. Een groot deel van mijn garderobe kwam zelfs van het Leger des Heils. Maar ik waste mijn aankopen altijd grondig voordat ik ze aantrok. Hier had ik die luxe niet. Knarsetandend probeerde ik niet te denken aan de bacteriën en de lichaamsgeur, en zocht in de bak tot ik een leuk marineblauw joppertje vond met bijpassende handschoenen in de zakken.

Tegen de tijd dat ik voor de tweede keer bij mijn gate kwam, hoefde ik niet lang meer te wachten. Ik vond een zitplaats bij het raam, legde mijn spullen neer en staarde naar buiten naar het drukke grondpersoneel. Ik haalde diep adem, blies langzaam uit en liet mijn gedachten afdwalen naar Bobby's e-mail.

Weet je nog dat je een poosje geleden zei dat als je één ding over kon doen terwijl je wist wat je nu weet, dat je het dan anders zou doen?

Ik kon me niet herinneren dat ik dat had gezegd, maar kennelijk was het in een gesprek een poosje terug geweest. Ik probeerde te bedenken waar we het toen over hadden gehad, maar er viel me niets in. Pas toen ik in het vliegtuig stapte, wist ik weer waar Bobby het over had gehad: verdwijnen.

Ik herinnerde me vaag een telefoongesprek dat we hadden gevoerd zes maanden nadat ik begonnen was als speurder naar personen. Ik vertelde toen hoeveel ik aan de training op mijn werk had kunnen hebben om mijn sporen uit te wissen en opnieuw te beginnen. Als ik ondergedoken was voor de maffia of een gewelddadig ex-vriendje, had ik waarschijnlijk de moeite genomen om het opnieuw te doen, maar dan als een prof. Nu zat ik eigenlijk alleen maar ondergedoken om onder het voortdurend wakende oog van de media uit te komen, en zolang de trucs die ik had gebruikt agressieve journalisten ervan weerhielden me op te sporen, was mijn ontsnapping voldoende.

Ik weet nog dat ik tegen mijn broer zei: *'Als ik nog een keer moest verdwijnen, zou ik het nu zo veel geraffineerder aanpakken. Ik heb geleerd hoe je een papieren spoor zo grondig kunt uitwissen dat niemand me ooit zou kunnen vinden, denk ik.'*

Terwijl ik in de rij door de slurf liep, besloot ik dat dat het moest zijn. Ik kon me herinneren dat we er een poosje over gepraat hadden en dat ik had uiteengezet welke drie stappen iemand kon nemen om een nieuw leven te beginnen en volledig te breken met het oude: misinformatie, desinformatie en reformatie. Ik wist niet meer of Bobby het een bijzonder boeiend onderwerp had gevonden, maar ik had het hem toch verteld, ik denk om met mijn nieuwe kennis te pronken. Alle trucs die hij gisteravond op de computer had gedaan, had hij waarschijnlijk tijdens dat gesprek van mij geleerd.

Het probleem was natuurlijk dat Bobby zijn e-mail beëindigde door te zeggen dat ik 'dienovereenkomstig moest communiceren'. Ik moet een veilige manier hebben genoemd waarop iemand kon communiceren met de achterblijvers, maar ik kon me met de beste wil van de wereld niet herinneren wat het was. Mijn hersenen flitsten van een geschreven briefje achterlaten op een afgesproken plek naar een neppostbus huren in een andere stad naar een bericht achterlaten op een gratis e-mailadres dat speciaal voor dat doel was aangemaakt. Er waren vele manieren om veilig berichten te verzenden en te ontvangen, of in elk geval om berichten onveilig door te geven via plaatsen die toch veilig waren omdat niemand er ooit aan zou denken om daar te zoeken. Maar ik wist niet welke methode Bobby gebruikte en zonder duidelijke aanwijzing kon het weken duren voordat ik erachter was.

Ik sloot mijn ogen voor het opstijgen en bad in stilte of God me wilde helpen dat hele gesprek op te diepen uit mijn geheugen. Ik bad ook voor een veilige vlucht, voor Kiki's herstel, voor Lydia's gemoedsrust. En bad vooral voor Bobby.

Waar hij ook is, wat hij ook nodig heeft, bewaar hem alstublieft veilig in Uw handen totdat ik hem kan vinden.

10

~ Bobby ~

De pijn was erger dan hij ooit had gekend. De wetenschap dat hij de val had overleefd was geen troost, gelet op het feit dat hij niet naar Lydia en Isaac toe kon. Hij kon helemaal nergens heen.

Hij deed één oog open, huiverend van de pijn die die eenvoudige handeling veroorzaakte in het andere oog, dat opgezwollen was en dichtzat. Hij had al zijn energie nodig om rond te kijken in de donkere, vochtige kerker. Het rook in de kleine ruimte naar aarde en roest. Nee, geen roest. Bloed.

Zijn bloed.

Hij wilde zich oprichten op zijn goede been, maar hij wist dat de golven van pijn en misselijkheid hem onmiddellijk weer zouden vellen. Voor de honderdste keer sinds de klap bracht hij in gedachten zijn verwondingen in kaart, de gapende snijwonden, de ribben die stellig gebroken waren, het bot dat uitstak onder zijn knieschijf, de flap huid die over zijn ene oog hing. Bij elke beweging beleefde hij opnieuw de pijn van de klap, maar hij wist dat hij zou sterven als hij niet gauw iets deed om hieruit te komen – evenals Lydia en Isaac zouden sterven als hij niet op tijd bij hen kon komen.

Hij deed zijn ogen dicht, legde zijn hoofd achterover op de grond en probeerde dankbaar te zijn voor kleine zegeningen. Hij had tenminste een paar dekens. Hij had tenminste water en zelfs iets te eten. Hij had tenminste een zaklantaarn, hoewel hij hem niet vaak durfde te gebruiken uit angst dat de batterijen leeg raakten. Vanwege de kou waren hierbinnen waarschijnlijk geen slangen, zelfs geen spinnen.

De muizen waren een ander verhaal.

Volgens zijn telling lag hij nu twee dagen in deze gevangenis, deze dodenkerker. Maar hij was er niet zeker van, want de koorts die door zijn lichaam raasde, benevelde ook zijn verstand. In zijn nachtmerries zwermden er duizenden ratten over hem heen, die knaagden aan het open vlees bij zijn knie. Dan werd hij wakker en als hij de muizen in de buurt van zijn hoofd hoorde piepen, begon hij te gillen en naar ze te slaan met zijn handen, ze weg te schoppen met zijn goede been.

Maar niemand hoorde zijn geschreeuw. Er kwam niemand om hem te redden, zelfs Anna niet. Alles om hem heen was donker en koud en levenloos.

Zoals hij zichzelf begon te voelen.

11

~ Anna ~

Tijdens de vlucht knaagden er twee vragen in mijn hoofd, en uiteindelijk pakte ik pen en papier en schreef ze op:

Had Norman gelijk dat Bobby's reservering voor Las Vegas vals was? Waarom had Bobby Dougs motor nodig terwijl hij een uitstekende auto had?

Hoeveel ik er ook over nadacht, ik kon het niet begrijpen. Toen we landden in de stad waar ik moest overstappen en precies op schema stilstonden bij de gate, stopte ik pen en papier weg en maakte me klaar om uit te stappen, terwijl die vragen mijn gedachten bleven beheersen. Toen ik uit het vliegtuig stapte, keek ik op mijn horloge, blij dat ik voor mijn volgende vlucht nog tijd had om een beetje rond te snuffelen.

Volgens de gegevens op Bobby's creditcard had hij gisteravond een enkeltje van Philadelphia naar Las Vegas aangeschaft voor een late vlucht die hem vanmorgen rond zeven uur hier gebracht zou hebben. Omdat Lydia volhield dat Bobby geen bekend verband had met deze stad, noch met gokken of Nevada, had ik niet geweten wat ik ervan moest denken. Nu ik hier in Vegas was, begon ik Normans theorie te geloven dat Bobby dat ticket alleen als list had gekocht.

Toch moest iemand in zijn plaats de reis hebben gemaakt, want om zeven uur achttien in de ochtend was er geld van zijn rekening gehaald via een pinautomaat op dit vliegveld. Wie had dat gedaan? Een vriend? Een vriendin? Dat was duidelijk een van de grootste vragen die me bezighielden. We wisten al dat Bobby een paar dingen voor zijn vrouw had verzwegen. Was het echt zo'n grote stap om je af te vragen of hij haar ook had bedrogen? Ik had moeite met elke andere geloofwaardige verklaring, maar ik was vastbesloten Bobby het voordeel van de twijfel te geven.

In de grote hal vond ik de pinautomaat in kwestie. Als ik bij de politie werkte, had ik een kopie kunnen eisen van de bewakingsvideo van het apparaat en een blik kunnen werpen op degene die de opname had gedaan. Maar dat was nu niet mogelijk, dus bleef ik maar een poosje bij de automaat staan en probeerde me in gedachten een beeld te vormen van wat er werkelijk was gebeurd.

Er viel niet veel te zien, moest ik toegeven. Na die ene opname, die het saldo van Bobby en Lydia's rekening van 120 dollar had teruggebracht tot 20, was er niets meer met die kaart gedaan. Ook stonden er geen kosten op Bobby's creditcard voor dingen in Las Vegas, zoals hotels, een huurauto of maaltijden.

Ben je hier, Bobby? Ben je in Las Vegas?

Ik draaide een hele cirkel om naar de mensen om me heen te kijken. Ondanks het late uur waren er vakantievierende toeristen, zakenlui, uitgeputte ouders, overactieve kinderen, soldaten in uniform. Er was geen spoor van mijn broer, geen glimlach met een kuiltje in één wang, geen schitterende groene ogen, geen 'hoi Bobanna'.

Ietwat teleurgesteld liep ik terug naar mijn gate. Wat had ik gedacht te vinden bij deze pinautomaat? Had ik werkelijk verwacht dat Bobby ernaast op me stond te wachten? Ik voelde me dwaas om het toe te geven, maar ergens wel, geloof ik, ondanks Normans meer ervaren mening. Wat sneu.

Terug in de gate voor mijn aansluiting vond ik een lege zitplaats in de wachtruimte. In mijn hoofd speelden zich nog verschillende scenario's af. Door de twee vragen samen te voegen tot één, had ik tenminste eindelijk een theorie kunnen bedenken: stel dat Bobby de motor nodig had gehad *omdat* hij de vlucht had geboekt? Als Bobby had gedaan wat hij kon om de schijn te wekken dat hij naar Las Vegas vloog, was het logisch dat hij naar het vliegveld was gereden om zijn auto op een opvallende plaats te parkeren. Als iemand hem dan probeerde op te sporen, zou diegene niet alleen ontdekken dat hij een ticket naar Vegas had gekocht, maar ook zijn auto op het vliegveld geparkeerd zien staan, wachtend op zijn terugkeer. Wat voor bewijs kon je nog meer nodig hebben dat Bobby die vlucht echt had genomen? Hij had zelfs iemand overgehaald om geld op te nemen uit een pinautomaat in Vegas, nog meer bewijs dat hij er was.

Maar hij had alleen de *schijn* gewekt dat hij de vlucht had genomen, en dat zijn auto op het vliegveld stond bezorgde hem één groot probleem: hoe moest hij weer thuiskomen zonder auto? Hij moest vervoer hebben, maar een huurauto was zichtbaar op zijn creditcard, of hij contant betaalde of niet. Hij kon zich niet veroorloven een tweedehands auto te kopen, niet dat hij er trouwens midden in de nacht een had kunnen vinden, dus hij had nog maar twee keuzes over: een pendelbus of de trein. Geen van beide bracht hem helemaal thuis op de boerderij van Lydia's zus in Dreiheit. Maar met de trein kon hij wel naar Hidden Springs, besefte ik, waar Doug en Haley Brown net een kilometer van het station woonden.

Met bonzend hart deed ik mijn ogen dicht en probeerde me Bobby's daden van gisteravond voor te stellen. Ik vermoedde dat hij na zijn vertrek uit het internetcafé in Exton naar het station van Hidden Springs was gereden, waar hij zijn auto had geparkeerd. Toen was hij naar het huis van de Browns gehold, waar hij geld had geleend van Haley en de motor had gepikt, waarna hij terug was gereden naar het station om hem daar te parkeren. Toen was hij weer in zijn eigen auto gestapt, naar het vliegveld van Philadelphia gereden, waar hij zijn auto bij lang parkeren had gezet, zich had ingecheckt voor de vlucht, en toen het vliegveld had verlaten om met de trein terug te gaan naar Hidden Springs. Daar was hij uit de trein gestapt, op de motor gestapt en weggereden. Voor ieder ander zouden het dwaze acties lijken, maar dat was al net zo'n ingewikkelde list als die ik hem jaren geleden had beschreven, toen ik hem vertelde hoe ik zou verdwijnen als ik het over kon doen.

Als mijn theorie klopte, bleef de vraag over waarom hij niet zoals beloofd naar Lydia toe was gegaan. Waarom was hij niet naar de boerderij van haar zus gekomen?

Met die vragen in mijn hoofd stapte ik aan boord van mijn aansluitende vliegtuig. Ik was blij dat de twee zitplaatsen naast de mijne leeg waren en toen we in de lucht zaten, rekte ik me uit en maakte het me zo gemakkelijk mogelijk. Langzaam dommelde ik in slaap, in de hoop dat ik niet wakker zou worden voordat het tijd was om te landen in Philadelphia. Ik had een drukke dag voor me en ik had alle slaap nodig die ik kon krijgen.

Zo gladjes verliep de nacht niet, maar het lukte me wel om een paar uur slaap te pakken, onderbroken door veel gedraai en gewoel. Precies om zes uur 's ochtends ging de cabineverlichting aan, er werden drankjes uitgedeeld en we begonnen aan de afdaling. Omdat ik zo krap bij kas zat, had ik op een gratis ontbijt gehoopt, maar het enige wat ik kreeg was een piepklein in plastic verpakt biscuitje bij mijn koffie.

Het voelde natuurlijk vertrouwd om het vliegveld van Philadelphia binnen te wandelen, maar het gaf me niet het gevoel dat ik 'thuis' was gekomen. Toen ik door de lange gangen liep en de roltrap af naar de bagageband, had ik eerder een soort déjà vu. Ik ging snel even naar de toiletten om me op te frissen en toen ik de bagageband bereikte, begonnen de koffers er net aan te komen. Ik pakte mijn groezelige zwarte koffer toen hij langs rolde, maar ik liep nog niet meteen naar de autoverhuurbalie. Eerst ging ik naar de trein- en busverbindingen en controleerde de treintijden om te zien of mijn theorie steek hield. Inderdaad, Bobby had met de trein van het vliegveld van Philadelphia naar Hidden Springs kunnen gaan, met één snelle overstap op het station van 30th Street.

Ik moest een pendelbus nemen om mijn auto op te halen, dus ik stapte zonder na te denken naar buiten de winterlucht in. Ik hapte naar adem, geschrokken van de temperatuur. Ik was vergeten dat het hier zo ijskoud was. Vlug trok ik mijn jas en handschoenen aan en voelde me nogal dom. Ik had net zo goed *Californische* op mijn voorhoofd kunnen stempelen. De pendelbus kwam gelukkig meteen, maar in het verwarmde gebouw van het autoverhuurbedrijf moest ik mijn jas weer uittrekken toen ik langzaam opschoof in de rij.

Aan één kant was een zitruimte met een televisietoestel dat aanstond zonder geluid en daarnaast een koffiehoek met een blad donuts. De donuts liet ik aan me voorbijgaan, maar de koffie rook lekker. Terwijl ik op mijn beurt wachtte en probeerde te beslissen of ik nu een kop nam of nadat ik mijn transactie had gesloten, werd mijn blik getrokken door een beeld op de tv en mijn hart stond bijna stil: het was een foto van Doug Brown, lachend naar de camera. Dat beeld ging over in een foto van Bobby, met zijn naam eronder en de woorden: *Gezocht voor ondervraging*. Ik wilde erheen rennen en het geluid aanzetten om te horen wat er werd gezegd, maar ik durfde niet. Ik bleef maar gewoon staan kijken hoe Bobby's gezicht overging in een verslaggever die in een microfoon sprak. Toen werd tot mijn grote ontzetting de befaamde foto getoond van de groep die de pers de bijnaam de Vijf van Dreiheit had gegeven. Daar stonden we met z'n vijven: Bobby, Doug, Reed, Haley en ik. Op de foto waren we bevroren in de tijd. We liepen samen de trap van het gerechtsgebouw af, de jongens in pak en Haley en ik in een jurk. De eerste keer dat ik die foto zag, was in een artikel in het tijdschrift *Newsweek*, met de kop *Rechtszaak losbandig tienerfeest.*

De camera zoomde in op onze afzonderlijke gezichten en bleef bij ieder even hangen. Toen ze bij mij kwamen, stond ik letterlijk ademloos te kijken naar het achttienjarige meisje met het droevige gezicht en het korte, donkere haar. Slecht op mijn gemak streek ik mijn pony naar mijn ogen, terwijl ik me afvroeg of mijn gezicht karakteristiek genoeg was om onmiddellijk herkend te worden, ondanks het veranderde kapsel en de haarkleur, en het feit dat ik sindsdien elf jaar ouder was geworden. Verwoed zocht ik naar mijn zonnebril en ik zette hem net op toen de vrouw achter de balie vroeg wie er aan de beurt was.

Ze zal wel hebben gedacht dat ik lichtelijk geschift was, want tijdens de hele transactie keek ik haar niet één keer aan of zelfs maar op. Niettemin verhuurde ze me de auto die ik had gereserveerd, de goedkoopste last-minute die ik had kunnen vinden. Nadat ik mijn bagage in de kofferbak had geladen, stapte ik in en bleef een poosje zitten om bij te komen van de schok die ik had gekregen toen ik mezelf op tv zag zoals ik vroeger was.

Ik wilde hier niet zijn.

Ik wilde hier echt helemaal niet zijn.

Maar wat kon ik anders? Het was duidelijk dat mijn broer in de narigheid zat en mijn hulp nodig had. En eerlijk gezegd was ik waarschijnlijk beter in staat om hem te vinden dan wie ook ter wereld. Niet alleen mijn professionele ervaring en mijn opsporingskennis maakten mij bij uitstek geschikt voor de taak, maar ook het feit dat ik mijn broer kende, dat ik wist hoe hij dacht, hoe zijn hersenen werkten. Als iemand Bobby kon vinden, was ik het.

Met tegenzin startte ik de auto en draaide het parkeerterrein af. Ik volgde de borden naar 95 South. Haast op de automatische piloot reed ik verscheidene kilometers over die weg voordat ik afsloeg naar de Blue Route, die me naar Valley Forge zou brengen zonder dat ik recht door het centrum van Philadelphia hoefde. Tot mijn blijdschap zag ik op mijn dashboardklok dat ik mijn afspraak om negen uur kon halen, zelfs als ik onderweg in de spits terechtkwam.

Onder het rijden luisterde ik naar het nieuws op de radio, maar ik hoorde niets wat ik niet zelf had kunnen bedenken door te kijken naar de foto's op het tv-scherm. Terwijl ik de radio uitzette, bleef één foto me voor de geest zweven, die van ons vijven toen we uit het gerechtsgebouw kwamen. We waren toen zo jong, zo bezwaard door wat we hadden gedaan. In de jaren daarna hadden we elk een verschillende weg bewandeld om onszelf te vergeven.

Bobby was de weg een poosje kwijt geweest, maar eindigde ten slotte waar het allemaal was begonnen, daar in Dreiheit met Lydia. Haley en Doug hadden troost gevonden bij elkaar, al had ik begrepen dat hun huwelijk niet bepaald een doorslaand succes was. Volgens Bobby was Haley vaker dronken dan nuchter. Doug had zich getroost met het uitgeven van het geld van zijn vader. Ik was erin geslaagd een leven voor mezelf op te bouwen toen ik in Californië opnieuw was begonnen, al leek het in niets op wat ik me had voorgesteld toen ik jonger was.

En dan had je Reed. Als de oudste van de groep had hij de zwaarste straf gekregen, in meer dan één opzicht. Eerst had hij drie maanden op de brandwondenafdeling van het ziekenhuis doorgebracht. Toen hij uit die gevangenis vrijkwam, schoof hij op naar de volgende. Hij was schuldig bevonden aan roekeloos in gevaar brengen, dood door schuld, aanzetten van minderjarigen tot misdaad en een drugsmisdrijf, en werd veroordeeld tot één jaar gevangenisstraf en drie jaar voorwaardelijk.

De weg die hij had afgelegd was de zwaarste geweest, en toch was hij in zekere zin veerkrachtiger geweest dan wij. Na de brand hadden Doug en Bobby allebei hun droom om geneeskunde te gaan studeren opgegeven en ze hadden de hogeschool niet eens afgemaakt. Maar Reed zette door. Toen hij uit de gevangenis kwam, ging hij terug naar de universiteit, studeerde af als arts en ging onderzoek doen.

Ik heb begrepen dat hij tegenwoordig in Washington D.C. woonde en werkte aan DNA-onderzoek; niet alleen op wetenschappelijk gebied, maar ook op het gebied van wetgeving en ethiek. Reed was er ondanks zijn strafblad in geslaagd een succesvol lid van de beroepsbevolking te worden, iets wat niet makkelijk was. Zijn familie was stinkend rijk, dus ik verdacht zijn familie ervan dat ze hun geld en invloed gebruikt hadden om de weg te banen, zowel om de universiteit over te halen hun zoon weer aan te nemen als om hem te helpen een prestigieuze positie in de wacht te slepen zodra hij afgestudeerd was.

Ik had Reed Thornton niet meer gezien sinds de dag van zijn veroordeling. Hij was al schuldig bevonden door de jury en de enige hoop waaraan we ons vast konden klampen tot het vonnis was dat de rechter rekening zou houden met het feit dat Reed niet eerder veroordeeld was, dat hij eerstejaarsstudent geneeskunde was met goede cijfers en dat hij zich op de plaats van de brand heldhaftig had gedragen. Hij was naar binnen gerend en had een kind gered voordat hij bijna zelf door de vlammen werd verteerd. Het was duidelijk dat hij lichamelijk ondraaglijke pijn had geleden; verdiende hij het echt om jaren in de cel door te brengen voor wat in essentie een ongeluk was?

Ik zal nooit vergeten wat het eerste was dat Reed deed toen de straf was uitgesproken. Nadat het nieuws tot hem was doorgedrongen dat hij het komende jaar van zijn leven in de gevangenis zou doorbrengen, gevolgd door drie jaar voorwaardelijk, draaide hij zich naar me om en keek me aan. Met zijn mooie blauwe ogen keek hij me aan, met angst, verdriet en spijt in zijn blik. Ik hield zijn blik vast en dacht aan wat hij en ik voor elkaar hadden kunnen zijn. Dat het wat mij betreft liefde op het eerste gezicht was geweest, dat hij de hele zomer van samen optrekken en elkaar leren kennen nodig had gehad om te ontdekken dat hij op zijn beurt gevoelens had voor mij. Ten slotte dacht ik aan die ene kus die we hadden gedeeld, die ene kus die zo'n belofte inhield en het laatste fijne moment bleek te zijn van de ergste nacht van mijn leven.

Ik blijf altijd van je houden, zei ik met mijn ogen, in de hoop dat hij het begreep. Toen pakte de gerechtsdienaar Reed bij de arm en voerde hem mee de deur van de rechtszaal uit, en ik was alleen.

Sindsdien had ik hem nooit meer gezien.

Het zien van zijn jeugdige gezicht op de tv vandaag had het allemaal weer boven gebracht, het verdriet, het verlangen, het verlies. Bobby hield me op de hoogte over iedereen en volgens hem was Reed nooit getrouwd. Terwijl ik invoegde in de rechterbaan voor de afslag die er aankwam, vroeg ik me af of hij nu geluk-kig was, of hij tevreden was met zijn werk, of hij een goed leven had.

En vooral vroeg ik me af of hij nog net zo vaak aan mij dacht als ik aan hem.

12

~ Stéphanie ~

20 mei 1812

Tot mijn genoegen kan ik, nu ik vijf maanden in verwachting ben, melden dat de empiretaille in de mode blijft. Dat is heel nuttig voor mij, want die stijl is uitermate geschikt voor mijn groeiende gestalte. Ik heb de koninklijke kleermakers deze maand druk beziggehouden, maar ik vertrouw er volledig op dat ik mijn nieuwe japonnen de hele herfst zal kunnen dragen.

Na terugkeer van zijn laatste reizen, schonk Karl me een editie van La Belle Assemblée en enkele meters roze zijde. Ik geloof heus dat mijn echtgenoot eindelijk een groeiende genegenheid voor me heeft, want hoe had hij anders zulke attente geschenken kunnen uitzoeken die zo geschikt zijn voor zijn overgeplaatste Parisienne? Ik heb vannacht van Versailles gedroomd en nu smacht mijn hart naar de prachtige tuinen van thuis.

Afgezien van Karls recente vriendelijkheid is het leven aan het paleis nog steeds tamelijk onaangenaam. Vanmorgen trof ik Luise en haar zoon Leopold fluisterend aan in de salon. Toen ze mijn aanwezigheid opmerkten, groetten ze niet, maar draaiden ze zich simpelweg om en vertrokken. Hun affronten blijven me steken.

Eens zal ik misschien begrijpen wat de grootvader van mijn echtgenoot zag in Luise toen hij haar koos als zijn tweede vrouw, in een morganatisch huwelijk nog wel. Ik vind haar innerlijk en uiterlijk onaantrekkelijk, en Leopold heeft het bittere en wraakzuchtige gedrag van zijn moeder.

Gelukkig is het paleis groot genoeg om elkaar dagen achtereen weinig te hoeven zien. Toch zie ik uit naar de dag dat er vrede wordt gesloten tussen alle leden van deze familie. Ik wil niet dat mijn kind geboren wordt te midden van het gefluister en de onheuse bejegening van deze huiselijke ellende.

13

~ Anna ~

Meneer Carver, de oude vriend van mijn vader, zat op me te wachten toen ik de cafetaria in Valley Forge binnenkwam. Hij zat aan een tafeltje bij het raam en ik zag hem meteen toen ik voet over de drempel zette. Hij glimlachte naar me en zwaaide, en ik ging bij hem aan tafel zitten. We praatten over het weer. Ik zei dat het zo koud was buiten en hij antwoordde grinnikend dat het op dit moment eigenlijk helemaal niet zo koud was, het voelde waarschijnlijk alleen maar zo omdat ik er niet bepaald op gekleed was. Hij had natuurlijk gelijk. Onder mijn joppertje droeg ik een licht katoenen shirtje met korte mouwen. Zodra ik bij Lydia was, moest ik een paar truien lenen.

Nadat we over koetjes en kalfjes hadden gepraat en onze bestelling was opgenomen, kwam meneer Carver ter zake. Hij dempte zijn stem en zei dat hij in onze ontmoeting had toegestemd om twee redenen: omdat mijn vader altijd een goede vriend van hem was geweest, en omdat het hem niet beviel dat iedereen maar meteen de conclusie trok dat Bobby iets te maken had met Dougs dood.

'Je broer is een goeie jongen,' zei hij. 'Ik weet dat hij nooit iemand met opzet zou doden, en zeker geen vriend. Mensen vergeten graag dat die brand een ongeluk was.'

Meneer Carver zei dat de politie het woord 'moord' nog niet gebruikte, maar dat Bobby werd 'gezocht voor ondervraging' in verband met de 'verdachte dood' van zijn vriend Doug. Alle tekenen wezen in de richting van schuld en dat was beroerd voor Bobby, waar hij ook mocht zijn.

Bobby en Doug werkten voor hetzelfde moederbedrijf: Wynn Industries, de grote farmaceutische firma waarvan Dougs schoonvader Orin Wynn eigenaar was. Volgens meneer Carver was Doug woensdagavond voor het laatst gezien toen hij rond acht uur het gebouw van Wynn Industries verliet. Klaarblijkelijk was hij daarvandaan naar het stadje Exton gereden, dat ongeveer een kwartiertje verderop lag, om naar het nieuwe hoofdgebouw van Wynn Industries te gaan, een gebouw van tien etages dat nog in aanbouw was.

Het tijdstip van zijn dood stond niet vast, maar op zeker ogenblik tussen acht uur en middernacht was Doug van de zevende verdieping in de hal op de begane grond gevallen en op slag dood geweest. Meneer Carver zei dat het gebouw een tien etages hoog atrium had, maar dat nog niet alle veiligheidsrelingen geïnstalleerd waren en op de zevende verdieping helemaal niet. Er waren geen sporen van een worsteling daarboven en het bouwstof dat verder het hele gebouw bedekte, was daar juist weggeveegd. Vlak na zijn val was er eveneens een zware doos met tegels gevallen, die op de grond naast zijn lichaam terecht was gekomen, zodat de vloer gedeukt was en de tegels verbrijzeld waren.

Meneer Carver zei dat de politie niet zeker wist of de val een ongeluk was of dat Doug geduwd was, maar vooralsnog gaan ze ervan uit dat hij is geduwd – en dat Bobby degene is die het heeft gedaan.

'Maar waarom Bobby?' vroeg ik diep ontstemd.

Meneer Carver antwoordde dat Bobby's vingerafdrukken op Dougs lichaam waren gevonden en op de kruk van de deur van de hoofdingang van het gebouw, zowel vanbinnen als vanbuiten.

'Het spijt me, maar er is geen sprake van dat mijn broer Doug gedood kan hebben,' zei ik onvermurwbaar. 'Vingerafdrukken mogen dan bewijzen dat hij er was, maar niet dat hij een vriend de dood in heeft geduwd.'

'Nu begrijp je waarom ik erin toestemde om met je af te spreken. Ze zeggen dat Bobby de hoofdverdachte is vanwege de vingerafdrukken, maar tussen jou en mij gezegd denk ik dat hun conclusie minder te maken heeft met vingerafdrukken dan met Bobby's strafblad. Je weet hoe het gaat. Eens een misdadiger, altijd een misdadiger.'

Mijn maag draaide om en ik vroeg meneer Carver door te gaan. Vervolgens sprak hij over Dougs vrouw Haley, die zei dat Bobby diezelfde avond rond elf uur bij haar thuis was gekomen om geld te lenen. Ze had hem achtduizend dollar contant gegeven, waarna Bobby stiekem naar de schuur was gegaan en Dougs motor had gestolen. Bobby's vingerafdrukken zijn gevonden op het sleutelkastje bij de voordeur waar de sleutel van de motor hing, dus Haleys theorie dat hij de sleutels had gepakt terwijl zij de kamer uit was, leek te kloppen.

'Dat is alles wat ik weet,' zei meneer Carver bedroefd schuddend met zijn hoofd.

Ik leunde naar achteren en veegde mijn mond af aan mijn servet hoewel ik amper iets gegeten had. Bobby's verdwijning was ineens in een heel ander licht komen te staan en ik had een wee gevoel in mijn maag.

'Wat denkt u dat er die avond is gebeurd?' vroeg ik. 'Hoe denkt u dat Bobby bij Dougs dood betrokken was?'

Meneer Carver haalde zijn schouders op en nam eerst nog een hap van zijn ontbijt voordat hij antwoord gaf.

'Tja, alles wijst erop dat Bobby in het gebouw in Exton was, maar ik durf te wedden dat hij nooit op die zevende verdieping is geweest. Waarom zou hij de moeite nemen om het stof op te vegen en hun voetafdrukken boven uit te wissen, maar niet om zijn vingerafdrukken van de voordeur weg te vegen? Dat is gewoon dom en Bobby is niet dom.'

'Nee.'

'Persoonlijk denk ik dat Bobby Doug heeft zien vallen, of aankwam nadat hij was gevallen. Er zaten twee vingerafdrukken van Bobby op Dougs pols, precies hier,' zei hij terwijl hij op de onderkant van zijn pols enigszins naar links wees, 'en op zijn hals hier,' vervolgde hij en plaatste zijn vingers onder zijn kin naar rechts. 'Dat doe je als je een hartslag zoekt. Je legt je vingers hier, op de pols, en als je niets voelt, leg je je vingers hier, in de hals.'

In een flits schoten mijn gedachten naar gisterochtend, toen ik precies hetzelfde had gedaan bij Kiki toen ze bloedend op de grond lag.

'De politie is ook geneigd de hartslagtheorie te volgen, maar ze zeggen dat het even waarschijnlijk is dat Bobby Dougs hartslag voelde niet omdat hij hoopte dat hij nog leefde, maar om zeker te weten dat hij dood was.'

Meneer Carver schudde spijtig zijn hoofd.

'Daarom wilde ik je spreken, Annalise. Ik hoop dat jij de waarheid zult achterhalen en geen overhaaste conclusies trekt omdat Bobby toevallig een strafblad heeft.'

'Helaas trekken mensen altijd overhaaste conclusies als je een strafblad hebt. Dat is de harde les die wij alle vijf geleerd hebben.'

We bleven nog een poosje zitten praten en toen de rekening kwam, strekte ik mijn hand ernaar uit omdat ik vond dat ik moest betalen omdat meneer Carver op mijn verzoek hierheen gekomen was. Maar hij stond erop dat hij het afhandelde en ik stribbelde niet erg tegen. Ik stopte alleen mijn portemonnee weg, dankbaar voor zijn ridderlijkheid.

Toen we op het parkeerterrein uit elkaar gingen, bedankte ik meneer Carver uitvoerig. Hij schudde mij de hand, maar ik gaf hem een knuffel en zei dat ik blij was dat mijn vader goede vrienden had zoals hij op wie we konden rekenen.

'Nou ja, houd het maar stil, anders krijg ik moeilijkheden,' zei hij. 'Maar wat heeft het voor zin om op de hoogte te zijn van alle roddels op het politiebureau en het gemeentehuis als ik er nu en dan niet eens over mag praten?' Lachend opende hij het portier van mijn auto voor me en zei dat ik goed op mezelf moest passen.

Toen ik het parkeerterrein afdraaide, bekroop me het gevoel

dat iemand me gadesloeg. Lange tijd hield ik mijn achteruitkijkspiegel in de gaten om te zien of iemand me volgde. Hoewel het leek van niet, vervolgde ik mijn weg met de gedachte dat het verstandig was om op mijn hoede te zijn nu er al één man dood was en één vermist.

Terug op Gulph Road dacht ik aan de drie stadjes Dreiheit, Hidden Springs en Exton, die allemaal een rol hadden gespeeld in de vreemde gebeurtenissen die woensdagavond hadden plaatsgevonden. Exton lag in Chester County aan Route 30. Hidden Springs lag daar ongeveer twintig kilometer vandaan, vlak voor de grens van Lancaster County. Dreiheit lag nog eens dertig kilometer ten zuidwesten van Hidden Springs, onder Lincoln Highway aan de weg naar Quarryville. De drie vormden een soort brede driehoek.

Hidden Springs was het stadje waar Bobby en ik oorspronkelijk vandaan kwamen, de plek waar we opgegroeid waren en alle twaalf klassen van de school hadden bezocht. Ook hadden we een groot deel van onze kindertijd in Dreiheit doorgebracht, op bezoek bij onze grootouders. Maar afgezien van nu en dan een uitstapje naar het winkelcentrum hadden we helemaal geen persoonlijke band met het stadje Exton.

Maar in aanmerking genomen dat Doug daar was gedood en dat Bobby daar op dezelfde avond een internetcafé had bezocht, besloot ik de 202 South te nemen en eerst naar Exton te rijden. Ik wilde een blik werpen op het gebouw waar Doug was gestorven, al was het maar om me te oriënteren op de gebeurtenissen van die avond. Volgens meneer Carver lag het nieuwe gebouw van Wynn Industries anderhalve kilometer van de kruising van Route 30 en Highway 100. Daar ging ik heen en zag tot mijn verbazing het grote aantal winkels en andere bedrijven die om het winkelcentrum van Exton heen als paddestoelen uit de grond waren geschoten. Ik sloeg de snelweg op en reed tot ik aan de rechterkant een gebouw van tien etages op zag doemen. Gelukkig was er aan de linkerkant een benzinestation, waar ik stopte, uit angst om gezien te worden. Ik kon niet meer dan een liter of zeven benzine verbruikt hebben sinds ik mijn huurauto op het vliegveld had opgehaald, maar ik stopte toch naast de pomp en nam de tijd om de tank vol te gooien, terwijl ik de gelegenheid te baat nam om het bouwterrein aan de overkant te observeren.

Het was het hoogste gebouw in de buurt en als het klaar was, zou het een schitterend bouwwerk zijn van glas en staal, heel toepasselijk voor het moderne farmaceutische bedrijf dat het zou huisvesten. Het terrein eromheen was vol met hopen zand, bergen bouwmaterialen, een kleine kraan en andere machines die er nu werkloos bij stonden. Het hele stuk land was tijdelijk omheind door oranje netgaas en van waar ik stond, meende ik een strook felgeel politielint langs de voordeur te zien. Er stond een aantal auto's naast die ingang geparkeerd, niet alleen politiewagens maar ook een paar heel dure auto's. Ik had het gevoel dat die van enkele directeuren van Wynn Industries waren, die de situatie in de gaten hielden. Haleys vader bezat het hele bedrijf, dus het was op z'n minst een slecht voorteken dat zijn schoonzoon in hun eigen gebouw om het leven gekomen was.

Ik draaide net mijn benzinedop dicht toen er een busje van een nieuwszender aan kwam rijden en voor het gebouw stopte. Met bonzend hart klapte ik gauw het klepje dicht, stapte in mijn auto en startte. Ik stopte mijn creditcard in mijn tas en reed weg, terwijl ik me afvroeg hoelang het nog kon duren voordat de media te weten kwamen dat ik terug was in Pennsylvania en me bezighield met de zaak.

Mijn volgende halte was Hidden Springs, het stadje dat ik altijd mijn thuis zou blijven noemen al hadden mijn ouders een paar jaar geleden het huis verkocht en waren ze naar Florida verhuisd. Ik reed binnendoor en de wegen waren me zo vertrouwd dat het leek of de auto zelf de weg wist te vinden. Ten slotte bereikte ik de oude buurt en sloeg de straat in waar ik was opgegroeid. Ons huis stond halverwege aan de rechterkant, een boerderijachtige woning met drie slaapkamers. Ik stopte aan de kant van de weg en liet de motor een paar minuten draaien. Hoeveel kleiner leek het huis nu dan toen ik erin woonde.

Hoewel bescheiden, was het een aardig huis geweest om in op te groeien, met een buurt vol kinderen en een basisschool slechts een paar straten verderop. Pas toen we een jaar of tien waren, had ik echt vriendschap gesloten met Haley Wynn, maar tegen het einde van de achtste klas waren we praktisch onafscheidelijk. Toen ik haar gigantische, chique huis aan de rijke kant van de stad eenmaal had gezien, was het mijne nooit meer goed genoeg. Waarschijnlijk heb ik mijn arme ouders toen een paar jaar aan het hoofd gezeurd omdat ik wilde weten waarom Haleys familie een zwembad had en wij niet, waarom Haleys vader een hoop geld verdiende en de mijne niet. Ik kreeg meerdere keren de les gelezen over de voordelen van een ambtenaar zijn, maar dat was aan mij verspild. Zolang Haley tv op haar kamer had en een inloopkast die vol hing met de laatste mode, kon de ambtenarij volgens mij nooit boven het vrije ondernemerschap gaan.

De gedachte aan Haley maakte me droevig. Ik voelde me schuldig dat ik onze vriendschap had laten verwateren, vooral omdat ik niks had gedaan aan haar ongelukkige huwelijk en haar drankprobleem. Misschien had ik iets voor haar kunnen betekenen in haar leven. Misschien moest ik haar nu meteen een bezoek brengen.

Ik verzamelde al mijn moed en zette koers door de stad richting het huis dat Haley en Doug als huwelijksgeschenk van haar vader hadden gekregen. Ik was er maar één keer geweest, een paar dagen voordat ik zeven jaar geleden uit Californië vertrok, maar toen was ik zwaar onder de indruk. Het was haast even groot als het huis waarin ze was opgegroeid, met een zwempaviljoen en een aparte garage waar drie auto's in konden. Het hele geval was een schitterend voorbeeld van de Pennsylvaanse koloniale stijl met steen en hout. Nog indrukwekkender was dat het verscholen stond op enkele hectaren van de duurste buurt van de stad.

'Dit huis is zo groot dat jullie elkaar straks niet meer kunnen vinden,' had ik lachend tegen Haley gezegd toen ze me een rondleiding gaf. Helaas, bedacht ik nu, waren ze elkaar inderdaad kwijtgeraakt, maar dan letterlijk. Ik vroeg me af hoe het voelde om op je negenentwintigste al weduwe te zijn.

Toen ik hun buurt indraaide, begon ik mijn twijfels te krijgen over het onaangekondigde bezoek. Dougs lichaam was pas de vorige dag gevonden, dus Haley was op dit moment waarschijnlijk van de kaart en druk bezig met het regelen van de begrafenis en familieleden van buiten de stad, en niet te vergeten haar eigen verdriet. Aan de andere kant kon een bezoek van haar oude hartsvriendin best precies zijn wat ze op dit moment nodig had – en het kon mij bij mijn onderzoek helpen om haar verhaal uit de eerste hand te horen.

Ik reed verder in de richting van haar huis, maar toen ik er nog maar een halve straat vandaan was, zag ik dat het omsingeld was door de media; er stonden drie verschillende nieuwsbussen buiten geparkeerd. Met bonzend hart trapte ik op de rem en reed vlug de oprit van iemand anders op om de auto te draaien en weg te rijden.

Natuurlijk liggen ze daar voor de deur, dacht ik toen ik maakte dat ik de buurt uit kwam. Dit was een belangrijk verhaal, met verbanden naar een ander, ouder belangrijk verhaal dat simpelweg weigerde uit te sterven. Toen ik Lincoln Highway opdraaide, had ik nog steeds een knoop in mijn maag en ik besloot later telefonisch contact te zoeken met Haley.

Voorlopig moest ik doorrijden naar Dreiheit, het stadje waar op die noodlottige augustusavond in 1997 een Amish boer en zijn vrouw en hun pasgeboren baby omkwamen – maar waar in feite nog vijf mensen hun leven verloren. Toen ik Lancaster County binnenreed en een kronkelende, schilderachtige weg insloeg, dacht ik tot in bijzonderheden na over de ramp die het keerpunt in ons aller leven zo scherp markeerde.

14

Het verhaal begon eigenlijk toen Bobby en ik nog maar kinderen waren. Hoewel we met onze ouders in Hidden Springs woonden, gingen we vaak op bezoek bij onze grootouders in Dreiheit. Die bezaten daar een schitterend oud stenen huis op ongeveer twee glooiende hectaren. Als kind vonden Bobby en ik het heerlijk om het terrein te verkennen en met Grete en Lydia Schumann te spelen, de Amish zusjes die ernaast woonden met hun ouders en grootouders en hun kleine broertje Caleb. Het hele gezin was zo anders, zo aardig, dat ik als ik thuiskwam van onze bezoeken daar mijn ouders probeerde over te halen ook Amish te worden.

In het jaar dat ik twaalf was en Bobby veertien stierf onze grootmoeder aan kanker. Haar ziekte had zo lang geduurd dat haar dood niet onverwacht kwam, maar we waren allemaal verbijsterd toen maar een jaar later een aneurysma ook een einde maakte aan het leven van onze vitale grootvader. Omdat mijn vader hun enige kind was, erfde hij het prachtige oude familiehuis in Dreiheit dat door meerdere geslachten Jensen heen was doorgegeven. Hoewel onze ouders het huis graag in de familie hadden gehouden, konden ze zich de kosten van het onderhoud niet veroorloven. Hoe droevig het ook was, mijn vader had geen andere keus dan het eeuwenoude, in federale stijl gebouwde stenen landhuis te ontruimen en te koop te zetten. Meneer Schumann toonde belangstelling voor de aankoop van het land, wat heel goed uitkwam, want de makelaar kon het huis zelf verkopen aan een architect die land had aan de rivier de Susquehanna en op zoek was geweest naar een uniek huis om daarheen te verplaat-

sen. Toen de koop gesloten was, misten Bobby en ik onze grootouders natuurlijk vreselijk, maar we misten ook hun schitterende
huis in Dreiheit, en niet te vergeten onze Amish vriendinnen van
de boerderij ernaast.

Naderhand, toen Haley Wynn en ik beter bevriend raakten,
begon ik nu en dan met haar mee terug te gaan naar Dreiheit.
Haar ouders waren gescheiden en hoewel Haley bij haar vader in
Hidden Springs woonde, die de voogdij had gekregen, bracht ze
vaak het weekend door in Dreiheit bij haar moeder. Die woonde
in een klein plattelandshuisje, een eindje van de plek waar het
huis van mijn grootouders had gestaan. Haar kleine huisje leek
weliswaar in niets op de grandeur van de oude Jensen-hofstede
die er niet meer was, maar toch was het leuk om het stadje te bezoeken waarvan ik zo veel hield daar midden in het land van de
Amish. Toen we ouder werden en een rijbewijs kregen en Haleys
vader haar een auto gaf, zetten we de traditie voort en reden nu
en dan een weekend naar Dreiheit om bij haar moeder thuis te
ontspannen en lol te maken. Mevrouw Wynn was geen typische
burgerlijke moeder, maar een hippietype met lang golvend haar
en geborduurde of kanten blouses. Toen we naar de middelbare
school gingen, begon ze aan te dringen dat ik oud genoeg was
om haar bij haar voornaam, Melody, te noemen, en dat ik moest
doen of ik thuis was bij haar. Achter het huis had ze een biolo-
gische tuin, die zo overvloedig vrucht droeg dat het net was of
we onze eigen groentekraam hadden. Haley was allergisch voor
tomaten, maar ik deed niets liever dan ze zo van de plant te pluk-
ken, af te wassen en uit de hand op te eten.

Maar hoe aardig Haleys moeder ook was, ik was meer gesteld
op haar vader. Melody was aangenaam relaxt, maar Orin Wynn
had de scherpe geest en grenzeloze energie van een geweldig
geslaagde ondernemer. Thuis was ik gewend aan saaie, uiterst tri-
viale tafelgesprekken, maar als ik bij Haley en haar vader te eten
werd gevraagd, waren de gesprekken interessant, boeiend en nooit
voorspelbaar. Op één avond konden we bijvoorbeeld de voor- en

nadelen van het kapitalisme versus het socialisme bespreken of de tien plaatsen noemen die we in ons leven het liefst wilden zien. Toen Haley en ik in de derde klas van de middelbare school zaten, at ik een keer bij hen toen het gesprek op Bobby kwam, die eerstejaarsstudent was aan de Universiteit van Pennsylvania.

'Dat is behoorlijk indrukwekkend,' had meneer Wynn gezegd en hij voegde eraan toe dat die universiteit een uitstekende school was en lid van de Ivy League. Toen hij hoorde dat Bobby na zijn afstuderen verder wilde gaan voor geneeskunde, hield hij op met het snijden van zijn biefstuk en knikte me toe. 'Weet je of hij plannen heeft voor de komende zomer? Want we gaan onze onderzoeksafdeling uitbreiden in Lancaster County. We hebben een paar vacatures voor inwonende stagiairs in het DNA-lab, als hij belangstelling heeft.'

Ik had geen idee of Bobby met DNA-werk te maken had of niet, maar ik zei tegen meneer Wynn dat ik het hem zou vragen.

'We hebben al één plek opgevuld met een vent uit Harvard, een eerstejaars geneeskundestudent genaamd Reed Thornton. Maar er zijn nog twee plaatsen open, dus laat je broer me maar bellen.'

Laat je broer me maar bellen.

Het was maar een toevallige opmerking, een vriendelijk aanbod van een vriend van de familie, maar uiteindelijk bleken die zeven woorden het begin van het einde voor ons allemaal.

Meneer Wynn was eigenaar van Wynn Industries, een gigantisch farmaceutisch bedrijf in Hidden Springs. Ik dacht niet dat zijn aanbod van een stageplaats iets bijzonders was, maar toen ik Bobby een paar dagen later op school belde en de boodschap aan hem overbracht, was hij meteen razend enthousiast.

'DNA is de toekomst!' riep Bobby. 'Natúúrlijk wil ik, sufkop!'

Bobby had meteen contact opgenomen met meneer Wynn om een afspraak te maken voor een sollicitatiegesprek en een maand later kreeg hij te horen dat hij aangenomen was. De derde stageplaats ging naar een student van nog een andere Ivy Leagueschool, iemand uit het Middenwesten die Doug Brown heette. Zodra het semester in juni was afgelopen, pakte Bobby de spullen uit zijn studentenhuis bij elkaar en verhuisde naar een huurhuisje in Dreiheit, waar het laboratorium stond. Anders dan de twee andere stagiairs was Bobby door de jaren dat we bij onze grootouders op bezoek waren geweest al heel vertrouwd met het stadje en zijn omgeving.

Een paar weken later reden Haley en ik naar Dreiheit om het weekend van Onafhankelijkheidsdag bij haar moeder door te brengen. We besloten Bobby een bezoekje te brengen in het lab nu we toch in de stad waren, en hoewel ik het leuk vond om zijn werkplek te zien en zijn baas te ontmoeten, de geniale doctor Updyke, had Haley meer belangstelling gehad voor een van Bobby's collega's, de jongen uit het Middenwesten die Doug heette. Haley en Doug konden meteen goed met elkaar opschieten en toen het vuurwerk op de avond van 4 juli werd afgestoken, zorgden zij voor hun eigen spektakel.

Algauw waren ze officieel een stel. De man van Harvard was aangekomen en had zijn positie als hoofdstagiair ingenomen. Haley overwoog de hele zomer in Dreiheit te blijven. Toen ze een baantje vond bij de plaatselijke ijssalon, was het een uitgemaakte zaak. Ze had plezier in haar werk en toen er kort daarna nog een baantje vrijkwam, begon ze te zeuren dat ik moest solliciteren en de zomer met haar samen bij haar moeder moest doorbrengen. Ik was de toevallige oppasbaantjes die ik thuis kreeg toch al zat, dus ik hield haar eraan. Haley was razend enthousiast, want ze hoopte me te koppelen aan de stagiair die ik nog niet had ontmoet, Reed Thornton, die ze door de telefoon beschreef als 'vreselijk aantrekkelijk' en precies mijn type.

Toen ik kennismaakte met Reed, vond ik dat Haley het zacht had uitgedrukt. Hij was niet zomaar aantrekkelijk, hij was de meest adembenemende jongen die ik ooit had gezien. Hij scheen zich ook tot mij aangetrokken te voelen, tenminste totdat mijn broer met zijn grote mond zich ermee bemoeide en mij scherp zijn 'zusje van zeventien' noemde. Reed, die toen eenentwintig was, scheen zijn belangstelling vlug te verliezen, al deed hij nog steeds heel aardig tegen me. In plaats van de romance die ik had willen beleven, werden Reed en ik goede vrienden. Wij vijven – Reed, Doug, Bobby, Haley en ik – trokken die zomer vaak samen op. We werkten de hele dag en 's avonds gingen we naar de plaatselijke toeristentrekpleisters, vielen een enkele keer binnen bij een *rumschpringe*feestje of hingen rond bij Haleys moeder thuis. Melody werkte in de landbouw en werd gefascineerd door de mogelijkheden van het onderzoek naar plantaardig DNA. Ze vond het heerlijk om de jongens uit te horen over hun onderzoek naar menselijk DNA in het laboratorium. Hun gesprekken gingen me vaak ver boven mijn pet, maar toch vond ik het leuk om te luisteren, alleen al omdat Reed zo ongelooflijk slim was.

Zoals Haley had voorspeld, werd het een zomer om nooit te vergeten. De mannen waren geniaal en lollig en dol op plagen, en natuurlijk vonden Haley en ik het geweldig om voor de verandering eens met oudere, volwassener kerels op te trekken. Hoe meer ik met Reed omging, hoe harder ik voor hem viel, en algauw was ik ervan overtuigd dat ik hevig verliefd was, hoewel hij me nog steeds eerder als een zusje behandelde. Reed mocht misschien geen oog hebben voor mijn charmes, maar de gevoelens die ik uitstraalde vielen Bobby wel op. Meer dan eens waarschuwde hij me niet te hard voor Reed te vallen, want er waren dingen met betrekking tot hem die ik niet wist en die ik niet leuk zou vinden. Ik dacht dat Bobby gewoon de overdreven beschermende grote broer uithing en negeerde het advies. Naarmate de zomer verstreek, bleef ik schaamteloos proberen Reed te versieren en hij bleef me behandelen als een goede vriendin.

Tot ieders verrassing bleek de echte romance van die zomer niet Reed en ik of Haley en Doug te zijn, maar Bobby en een Amish meisje dat Lydia Schumann heette. Met de Schumanns hadden we als kind gespeeld, toen ze naast onze grootouders woonden. Als kind hadden Lydia en haar zus en broer ons *Dutch*

Blitz geleerd en met ons gesleed, en ons zo'n beetje laten zien hoeveel lol je kon hebben zonder tv of modern speelgoed.

Bobby en Lydia waren van dezelfde leeftijd en als kind waren zij tweeën onverslaanbaar geweest bij elk spel dat we speelden. Ze hielden allebei van streken uithalen en fantastische verhalen bedenken en ronselden iedereen die ze maar konden krijgen om een potje honkbal op straat te spelen. Toen onze grootouders stierven, waren mijn broer en ik er zeker van dat we de kinderen Schumann niet veel meer zouden zien.

Maar toen Bobby zijn stage begon in Dreiheit, was een van de eerste families die het lab binnen kwam wandelen die van Lydia. Er zat een zeldzame genetische storing in haar familie en haar moeder Kate, die zwanger was, kwam voor een genetisch onderzoek. Bij haar familie gedroeg Lydia zich stil en verlegen, maar toen Bobby haar dat weekend zag op een *rumschpringe*feestje, was ze allesbehalve stil en verlegen. Ze was nog steeds ondeugend, grappig en intelligent, maar nu ook mooi. Ze werden bijna meteen verliefd en brachten elk moment dat ze konden samen door.

Lydia was destijds negentien, de leeftijd waarop ze zich hoorde voor te bereiden op de doop in de Amish kerk en een huwelijk met een aardige Amish jongen. In plaats daarvan was ze gevallen voor Bobby en ze begon er ernstig aan te twijfelen of ze zich Amish wilde laten dopen of niet. Er stond veel op het spel, dat wist ze. Als ze de doop doorzette en later van gedachten veranderde, zou ze voor altijd verstoten worden door de Amish gemeenschap. Maar als ze nu brak met de kerk en zich niet liet dopen, kon ze contact houden met haar familie en hoefde ze niet de sociale doodverklaring te ondergaan die de verstoting met zich meebracht. Beide besluiten leidden tot ernstige gevolgen en konden niet luchthartig worden genomen.

Bobby en Lydia bleven de rest van die zomer samen uitgaan, maar hoe meer ze van elkaar gingen houden, hoe meer het hem frustreerde dat hij haar alleen in de weekenden kon zien. Amish ouders zagen op vrijdag- en zaterdagavond wat door de vingers als hun kinderen in de *rumschpringe* zaten, in de hoop dat een klein voorproefje van de vrijheid en een korte verkenning van de buitenwereld voldoende waren om te besluiten de rest van hun leven Amish te blijven. Door de week was het een beetje moeilijker om stiekem weg te komen, maar Lydia was vastbesloten het te proberen. Maar omdat de familie geen telefoon had, moesten Bobby en zij een communicatiesysteem bedenken voor de avonden door de week waarop hij niet hoefde te overwerken en haar wilde zien.

Het had niet lang geduurd voordat Bobby uitgedacht had hoe hij Lydia een teken kon geven. Haar slaapkamer was de enige in hun huis die uitkeek op het land van de familie aan de achterkant, de andere slaapkamerramen werden verduisterd door een rij esdoorns. Omdat ze zo ver weg kon kijken, kocht Bobby een pak vuurpijlen en om haar een teken te geven om naar buiten te komen en bij hem te zijn, reed hij gewoon om naar de achterkant van de boerderij – op het land dat vroeger van onze grootouders was geweest – en schoot er eentje af. Uiteindelijk ging hij over op Romeinse kaarsen omdat die niet zo veel lawaai maakten en zes keer achter elkaar oplichtten. Dat was bijna altijd genoeg om haar aandacht te trekken en als ze die feloranje strepen in de verte door de lucht zag schieten, kleedde ze zich stilletjes aan, glipte naar buiten en rende door de lange, rechte rijen van het maïsveld tot ze hem aan de andere kant bereikte.

Meestal gingen ze nergens naartoe. Ze waren gewoon samen daar buiten in het donker, soms tot diep in de nacht. Op koelere avonden maakten ze een vuurtje of kropen bij elkaar in Bobby's truck. Ondanks het risico uit te gaan met een meisje voor wie dat verboden was, vonden we het allemaal ongelooflijk romantisch dat Bobby en Lydia voor het vriendje en vriendinnetje uit hun kindertijd waren gevallen. Hun geheime afspraakjes werden nog bijzonderder door het feit dat de grond waarop ze zaten eens van zijn familie was geweest en nu van de hare.

Op een avond tegen het einde van de zomer was Bobby van plan Lydia zoals gewoonlijk te ontmoeten. Maar die keer hadden wij met z'n allen niets beters te doen en vroegen we of we mee mochten, om misschien een vuurtje te stoken, marshmallows te roosteren en gewoon gezellig bij elkaar te zitten. Het was een prachtige avond en het leek ons leuk. We propten ons in Bobby's grote truck en stopten onderweg een keer voor Doug, die bier wilde.

Bij de boerderij snapte ik waarom Bobby er graag was. Op de plaats waar het huis van onze grootouders vroeger had gestaan, waren alleen de cementen trapjes aan de voor- en achterkant over, de kelder, die nu blootgesteld was aan de elementen, en hun oude garage, waarin Lydia's vader nu een paar landbouwwerktuigen stalde. Voor het overige had meneer Schumann niet veel met de grond gedaan, dus de sierlijke oude bomen die vroeger het grasveld van onze grootouders schaduw gaven, stonden er nog. Zelfs onze oude touwschommel hing nog aan de hoogste boom, al was het touw bijna weggerot.

Toen we aankwamen, stuurde Bobby ons de tuin in om houtjes te verzamelen voor het vuur. Intussen haalde hij een Romeinse kaars uit zijn geheime voorraad achter in de truck en schoot hem af zodat Lydia wist dat ze moest komen. Doug wilde er ook een paar afschieten, gewoon voor de lol, maar Bobby loog en zei dat hij er niet meer had. Ik wist dat hij ze wel had en ik wist waar hij ze bewaarde in de truck, maar ik zei niets, want ik wist zeker dat hij niet wilde dat Doug ermee speelde omdat we dan ontdekt konden worden. Eén Romeinse kaars kon afgeschoten worden zonder al te veel aandacht te trekken. Een heel stel kon de avondhemel verlichten en de aandacht trekken van de buurtbewoners, of zelfs van de politie.

Terwijl we op Lydia wachtten, wees Bobby ons de weg naar de vuurkuil waar Lydia en hij een cirkel van stenen en zand hadden gebouwd. De jongens legden ons vreugdevuurtje aan terwijl Haley en ik de juiste houtjes uitkozen om marshmallows aan te roosteren. We spreidden een paar dekens op de grond uit om het vuur heen. Op dat moment voegde Lydia zich bij ons, buiten adem van het rennen door het veld, maar blij dat ze het hele stel zag. We zaten met z'n allen gezellig een uurtje rond het vuur te praten en te lachen en marshmallows te roosteren. Gedurende de zomer met deze groep was ik eraan gewend geraakt dat de twee stellen helemaal over elkaar heen hingen, terwijl Reed en ik een platonische afstand bewaarden. Maar die avond zat hij een beetje dichterbij en liet hij zijn hand een beetje langer op de mijne liggen. Ik had de hoop allang opgegeven dat hij belangstelling voor me had, maar toch was het leuk om hem voor de verandering een beetje terug te zien flirten.

Toen Bobby en Lydia zich excuseerden, wisten we dat ze weggingen om zich enigszins af te zonderen. Op dat moment wist ik niet hoe ver ze gingen als ze alleen waren, maar ik hoopte dat hun geloof hun de kracht gaf om de verleiding te weerstaan om grenzen te overschrijden.

Volgens Haley gingen Doug en zij nooit te ver, al wilde hij wel. Terwijl ik toekeek hoe die twee één sixpack achteroversloegen en aan een nieuwe begonnen, vroeg ik me af hoe dronken zij moest zijn voordat haar grenzen niet meer telden.

Uiteindelijk stak Reed ook zijn hand uit naar een biertje, maar ik sloeg het af toen hij mij er eentje aanbood. Met mijn zeventien, bijna achttien jaar was ik een tamelijk braaf meisje. Ik was maagd, ik dronk niet, had roken maar één keertje geprobeerd en vloekte zelden. Niet dat ik het prettig vond om als Brave Hendrik bekend te staan, maar ik leefde gewoon volgens mijn geloofsovertuiging. Toen ik op dertienjarige leeftijd Christus aannam, wilde ik er helemaal voor gaan: te zijn als Hij, meer te leren over Hem, Hem te aanbidden en Hem lief te hebben. Volgens mij genoten de jongeren die ik kende en zich soms een beetje wild gedroegen alleen op het moment zelf en hadden ze er later meestal spijt van. Wanneer ze kotsten in de wc hadden ze er spijt van. Wanneer ze de geur van rook uit hun haar probeerden te krijgen voordat ze naar huis gingen, hadden ze er spijt van. Wanneer ze het lijntje in het venster van de zwangerschapstest in een plusje zagen veranderen, hadden ze er heel erg spijt van. Mij leek het makkelijker, en slimmer en zeker christelijker, om dat soort dingen niet te ondernemen. Ik werd niet boos als mijn vrienden de grenzen overschreden, maar ik deed niet mee. Gelukkig was onze hele groep trouwens nogal braaf, behalve Doug, die te veel dronk.

Als rustigste van allemaal werd het me door deze jongeren gewoonlijk niet moeilijk gemaakt, want ze kenden mijn grenzen en respecteerden ze. Maar om de een of andere reden begon Doug me die avond te plagen, hij noemde me een spelbreker. Haley, die mijn beste vriendin moest zijn, deed algauw met hem mee. Naar hun idee was het allemaal gewoon een grapje, maar ze waren dronken en dat maakte hen onhebbelijk en een beetje te agressief. Ik keek hulpzoekend naar Reed, maar hij glimlachte alleen maar en zei: 'Ik zie niet in wat één biertje voor kwaad kan.'

Tot mijn grote verbazing voelde ik me in de hoek gedrukt. Ik voelde me heel ongemakkelijk, maar op die ene avond dat Reed eindelijk een beetje belangstelling voor me had getoond, wilde ik het niet verknoeien door een tutje te lijken – of erger nog, een klein kind. Daarom zei ik wat ik toen zei. Later heb ik wel duizend keer gewenst dat ik het terug had kunnen nemen.

'Hé, jongens,' zei ik in een wanhopige poging om over iets anders te beginnen, 'ik weet waar Bobby al die Romeinse kaarsen bewaart. Hij loog tegen je, Doug. Hij heeft een heel pak achter in zijn truck.'

Daarna begon de avond een eigen leven te leiden. Doug en Reed vergaten hun geplaag en renden naar de auto om het vuurwerk te pakken. In de vijftien of twintig minuten daarna slaagden ze erin het halve pak af te schieten. Doug gooide zelfs een handvol in het vuur om te zien wat er zou gebeuren. Helaas gingen ze toch af, alleen kwamen ze er horizontaal uit in plaats van verticaal. Hysterisch lachend sprongen we op en doken weg om de oranje vuurballen te ontwijken als ze langs schoten.

De hele tijd dat de jongens aan het spelen waren, verwachtte ik almaar dat Bobby uit het donker tevoorschijn kwam rennen om te zeggen dat ze moesten ophouden. Maar dat gebeurde niet en later hoorden we dat Lydia en hij in de garage hadden gezeten. Hij getuigde later dat ze ons konden horen lachen, maar dat ze de lichtflitsen niet konden zien omdat de deur stevig gesloten was.

Toen Doug het vuurwerk afsteken zat werd, nam hij Haley in zijn armen en begon haar agressief te kussen. Ze kuste hem hartstochtelijk terug en na een minuut fluisterden ze iets tegen elkaar, namen elkaar bij de hand en verdwenen net als Bobby en Lydia het donker in.

Nu bleef ik alleen achter met Reed. We zaten naast het slinkende vuur en praatten over het feit dat de zomer bijna voorbij was en hoe verdrietig we daarom waren. Hij praatte over zijn familie, de rijke ouders die meer interesse hadden voor hun volgende vakantie dan voor hun eigen zoon. Ik praatte erover hoe ik naar mijn diploma verlangde, zodat ik met de universiteit kon gaan beginnen.

'Ja, het is makkelijk te vergeten dat je nog maar zeventien bent,' zei hij en hij keek me ineens geconcentreerd aan met die blauwe ogen. 'Soms, Annalise, weet ik gewoon niet wat ik met je aanmoet...'

Hij bracht één hand omhoog en streek zacht het haar uit mijn gezicht. Wat toen volgde, was de vervulling van de droom die me de hele zomer had gekweld. Langzaam boog Reed zich naar voren en toen kuste hij me.

Met bonzend hart kuste ik hem terug en ik legde een hand op zijn gespierde schouder. Ik hield zo veel van hem, zoals alleen zeventienjarige meisjes kunnen liefhebben. Ik wilde hartjes en bloemen en lieve woordjes en beloften. Hij was de man van mijn dromen en hij kuste me.

Naderhand drukte hij zijn warme lippen tegen mijn wang en mijn voorhoofd en toen trok hij me dicht tegen zich aan. Zo bleven we zitten, naast het vuur, elkaar zwijgend vasthoudend, zonder een woord te zeggen. Ik had graag voor altijd zo willen blijven zitten, maar na een poosje drong het tot me door dat de zachte liefkozingen van zijn handen op mijn schouders en rug krachtiger werden, en breder en lager en meer naar de voorkant bewogen. Ik probeerde iets te bedenken om zijn vurigheid in te tomen zonder een klein kind te lijken, toen hij me ineens zachtjes lachend losliet.

'Net wat ik zei, soms is het makkelijk te vergeten hoe jong je nog bent. Sorry, hoor. Ik had je niet moeten zoenen.'

'Je hoeft geen sorry te zeggen,' zei ik terwijl ik naar hem opkeek en besefte dat hij niet alleen de knapste, liefste, geweldigste jongen was die ik ooit had gekend, maar dat hij zich ondanks zijn radeloze hartstocht als een heer had gedragen. 'Ik droom er de hele zomer al van met jou te zoenen.'

Hij lachte weer, schudde zijn hoofd en verknoeide het hele ogenblik toen grondig door verder weg te schuiven en een joint uit zijn zak te halen.

Dat ik versteld stond, was te zacht uitgedrukt.

'Dit zal ons helpen afkoelen,' zei hij en toen stak hij hem aan, nam een diepe hijs en hield zijn adem in terwijl hij hem aan me doorgaf.

Misschien was ik destijds naïef. Misschien zou het niet zo'n grote schok moeten zijn geweest, maar ik gebruikte geen drugs en ik had het van hem ook niet gedacht. Terwijl hij me die joint toestak, drong het langzaam tot me door dat alle goede dingen die ik over hem had gedacht niet waar waren. Hij was niet de geweldigste vent van de wereld. Hij was niet de man van mijn dromen. Eindelijk begreep ik waar Bobby de hele zomer op had gedoeld, dat Reed marihuana gebruikte.

Dit keer had ik geen afleidingsmanoeuvre nodig om me niet in de hoek te laten drukken. Ik schudde gewoon mijn hoofd en zei: 'Nee, bedankt'. Ik probeerde stoer te doen, maar even later sprongen de tranen me in de ogen. Intens verdrietig stond ik op en rende naar Bobby's truck, in de hoop dat Reed achter me aan zou komen om sorry te zeggen. Misschien zou hij zeggen dat het maar een grapje was, dat het een nepjoint was. Maar toen de zoete, scherpe geur van marihuana mijn neusgaten binnendrong, wist ik dat het geen grapje was. Ik keek om naar Reed, die op zijn zij was gaan liggen en met gebogen elleboog zijn hoofd steunde in zijn hand, terwijl hij starend in het vuur door bleef roken.

Op dat moment veranderde mijn droefheid in woede. Ik was boos op allemaal, op Bobby en Lydia omdat ze weg waren gegaan en het waarschijnlijk met elkaar hadden gedaan in een vieze, oude garage; op Haley omdat ze me verraden had en dronken was geworden en zich als een slet gedroeg; op Doug omdat hij me onder druk had gezet om te drinken, en op Reed omdat hij zijn ware aard had laten zien. En ik was boos op mezelf omdat ik zo'n dwaze optimist was geweest. Ik was er helemaal klaar mee, klom in de truck en sloeg het portier dicht. Daar bleef ik zitten tot iedereen klaar was om weg te gaan. Ondanks mijn boosheid moet ik op zeker ogenblik in slaap zijn gevallen.

Het volgende ogenblik lag ik dwars over de voorbank, stond het portier open en trok er iemand aan mijn voet. Ik opende mijn ogen en zag tot mijn verbazing Reed naast de truck staan, met zijn hand om mijn schoen. Ik ging rechtop zitten en ik wist meteen dat er een hele tijd voorbij was gegaan, want hij was zo stoned als een garnaal.

'Er is iets mis,' zei hij. Zijn oogleden waren zwaar en zijn lichaam zwaaide heen en weer.

'Wat?' snauwde ik nog steeds kwaad.

'Er is iets mis. Daarzo.'

Met knipperende ogen wees hij, en in de richting van het huis van de familie Schumann zag ik een rare rode gloed. Ik stapte uit de truck en bleef in de deuropening staan, me oprichtend om beter te kunnen kijken. Van daaruit was het duidelijk dat er inderdaad 'iets mis' was.

Het huis van de familie Schumann stond in lichterlaaie.

15

Het volgende uur beleefde ik in een waas. Terwijl Reed stoned bleef staan toekijken, begon ik naar de anderen te schreeuwen. Doug en Haley kwamen nog halfdronken en met hun kleren schots en scheef uit het donker aanrennen en Bobby en Lydia doken op uit de garage. Alle vier zagen ze op hetzelfde moment de brand en toen begonnen we allemaal als gekken naar de boerderij te rennen. 'Met de auto is het sneller!' schreeuwde Bobby en we sprongen allemaal achterin en hij reed langs de rand van het maïsveld, om eindelijk keihard remmend tot stilstand te komen in de achtertuin van de Schumanns.

Zoals veel Amish boerderijen bestond ook dit huis uit een reeks aanbouwen en uitbreidingen die allemaal op één hoek aan elkaar verbonden waren, waardoor een trapeffect ontstond. Uit wat we konden zien maakten we op dat het deel dat in brand stond het verst aan de buitenkant zat, de aanbouw die was gemaakt voor Lydia's grootouders toen ze nog leefden, een soort van schoonfamiliesuite die onder de Amish bekend staat als *Dawdi Haus*. Dat was een ongelooflijke opluchting want voor zover ik wist, woonde er op dit moment niemand in dat gedeelte.

Maar als we niet snel handelden, kon de brand zich uitbreiden naar de rest van het huis. We kwamen zo snel als we konden in beweging, Lydia bracht ons naar de waterbron en liet Bobby zien hoe hij moest pompen zodat het water door de slang stroomde. Ik belde om hulp vanuit het telefoonhok aan de achterkant en rende toen om het huis heen, elke deur proberend tot ik er eentje vond die openging. Schreeuwend rende ik naar binnen, met Lydia en Reed op mijn hielen. Met z'n drieën vonden we Lydia's zeven jaar oude broertje Caleb en haar zes jaar oude zusje Rebecca. We kregen ze door de voordeur veilig naar buiten op het gazon. De kinderen waren allebei in hun nachtkleding en ze stonden te bibberen in de hitte, terwijl ze met grote ogen toekeken hoe het *Dawdi Haus* in vlammen opging.

'Zijn ze er allemaal?' gilde ik boven het brullen van het vuur uit naar Lydia.

'Nee! Ik zie Ezra en mijn ouders niet!'

Toen hij dat hoorde, rende Reed weer naar binnen om hen te zoeken terwijl Lydia de andere twee kinderen meenam naar achteren om te helpen emmers water op het vuur te gooien. Toen in de verte brandweersirenes loeiden, rende ik naar de weg om hen aan te houden. Kennelijk dacht ik niet helder na, want tegen die tijd waren de vlammen zo hoog dat ze ze echt niet over het hoofd hadden kunnen zien.

Drie wagens waren uitgerukt en algauw krioelde het van de mannen en vrouwen in brandweeruniformen. We moesten achteruitgaan en uit de weg blijven terwijl zij hun werk deden. Pas toen besefte ik dat Reed niet meer naar buiten was gekomen. Lydia was in paniek en hield vol dat haar ouders en haar kleine broertje nog binnen waren. Ik raakte ook buiten mezelf. Ik gilde met haar mee om hulp en smeekte hun Reed te redden. Ik bad vurig voor zijn veiligheid.

Er gingen nog eens vijf minuten voorbij voordat hij eindelijk verscheen. Als een phoenix uit de as kwam hij het huis uit strompelen, met het bewusteloze lijfje van Lydia's driejarige broertje Ezra in zijn armen. Hij gaf het kind over aan een hulpverlener en viel toen voorover op zijn gezicht op het grasveld. Zijn hele rug en beide armen waren zwart en even dacht ik dat hij een jas aan had getrokken. Toen drong het tot me door dat wat ik zag helemaal geen jas was. Het was zijn huid.

Daarna herinnerde ik me niet veel, maar de brand werd uiteindelijk bedwongen en Reed en Ezra werden weggevoerd naar het ziekenhuis. Lydia's ouders waren niet tevoorschijn gekomen en onder veel gedempt gefluister werden Caleb en Rebecca met een paar van hun Amish nichtjes mee naar huis gestuurd. Lydia weigerde echter te vertrekken voordat haar ouders gevonden waren. De politie verscheen ten tonele en we moesten steeds opnieuw vertellen wat er gebeurd was. Niemand wist hoe de brand was ontstaan, maar de brandweer was er tenminste in geslaagd het laaiende vuur niet verder te laten uitbreiden dan tot de wasruimte die het grote huis aan het *Dawdi Haus* verbond.

Eindelijk werd in de vroege ochtenduren onze grootste angst bevestigd toen de verkoolde resten van Lydia's vader en moeder werden gevonden. Eerst begreep niemand waarom ze in het *Dawdi Haus* waren geweest, want hun slaapkamer bevond zich in het grote huis. Pas toen de politie vertelde dat er ter plaatse nog een lichaam was gevonden, werd het allemaal duidelijk. Dat derde lichaam was piepklein, het woog niet veel meer dan zes pond en was kennelijk nog maar een paar uur oud.

Eerst begreep ik het niet, maar later werd me uitgelegd dat mevrouw Schumann en haar echtgenoot die avond kennelijk naar het *Dawdi Haus* waren gegaan omdat de bevalling was begonnen. Zo deden de Amish het vaak, ze bevielen thuis met alleen een vroedvrouw erbij en vertelden soms niet eens aan de andere familieleden wat er aan de hand was tot de volgende morgen, als het kindje was geboren en netjes gewassen in zijn wiegje lag.

Later worstelde Lydia enorm met een schuldgevoel, omdat ze had moeten merken dat haar moeder weeën had gehad toen ze geen middag- en avondeten wilde en het grootste deel van de dag uit het zicht was gebleven, waarschijnlijk op bed had gelegen. Erger nog, toen Lydia die avond stiekem was weggelopen en door het maïsveld heen naar ons toe was gerend, had mevrouw Schumann waarschijnlijk met barensweeën in het *Dawdi Haus* gelegen, zodat de jongere kinderen niet gestoord werden door haar kreten van pijn.

Al met al was de hele toestand een afgrijselijke tragedie voor Lydia en haar familie. We vroegen ons allemaal af hoe de brand was ontstaan, door een omgevallen lamp, gemorste olie, misschien een lekkende propaantank. Wat we niet verwachtten, was wat de brandinspecteur uiteindelijk bekendmaakte nadat hij in een kluit gedroogd gras langs de achtermuur was getrapt. Te oordelen naar een paar kartonnen kokertjes die hij in de buurt vond, was de brand aangestoken door vonken uit een Romeinse kaars.

Wij die op het veld waren geweest toen het gebeurde, begrepen dat *wij* het huis in brand hadden gestoken, dat *wij* Lydia's ouders en haar pasgeboren broertje of zusje hadden gedood.

We probeerden niet te verbergen wat er was gebeurd, noch logen we of vertelden we smoesjes. We waren meteen eerlijk en zeiden dat wij daarstraks in het veld Romeinse kaarsen hadden afgeschoten. Nadat de agenten onze bekentenis hadden gehoord, gingen ze meteen aan het werk om te onderzoeken of het mogelijk was dat van zo'n grote afstand het huis in brand was gevlogen.

Toen ze in het veld kwamen, vonden ze bij de vuurkuil natuurlijk een berg lege bierblikjes, evenals resten van joints, een hasjpijp en wat vloei. Ook vonden ze de omhulsels van enkele tientallen afgeschoten Romeinse kaarsen en allerlei brandmerken in bomen en maïsstengels in de buurt, waarschijnlijk van de Romeinse kaarsen die zijdelings uit het vuur waren geschoten. Na verder onderzoek werden in de garage en achter de grote eikenboom sporen van seksuele activiteit gevonden. Later hoorden we dat toen Reeds kleren in het ziekenhuis van zijn lijf werden gesneden, een klein zakje marihuana in de zak was gevonden.

Ineens veranderde een tragisch ongeluk snel in een misdaadtoneel, om niet te zeggen een schandaal van gedenkwaardige afmetingen. Bobby, Lydia, Doug, Haley en ik werden gearresteerd. Samen met Reed, die nog een hele tijd in het ziekenhuis moest blijven, werden we beschuldigd van culpose brandstichting en dood door schuld. Toen Haley en ik als jeugdige delinquenten werden aangemerkt, werden de anderen ook nog eens beschuldigd van het aanzetten van minderjarigen tot misdaad.

Natuurlijk hadden onze ouders en hun advocaten de zaak spoedig onder controle. Een voor een werden we tegen de ochtend vrijgelaten. Gezien haar beperkte betrokkenheid en de verzachtende omstandigheden, trokken ze de aanklacht tegen Lydia in. De rest van ons had minder geluk. In de maanden daarna bestond ons leven uit een aaneenschakeling van getuigenverklaringen, mediabombardementen, processen en vonniswijzingen. Uiteindelijk hadden we elk ons eigen kruis te dragen.

Haley en ik werden allebei schuldig bevonden aan brandstichting en dood door schuld en werden veroordeeld tot een jaar huisarrest en een proeftijd van een jaar.

Bobby werd schuldig bevonden aan brandstichting, dood door schuld en aanzetten van minderjarigen tot misdaad, en werd veroordeeld tot zes maanden gevangenisstraf en een proeftijd van een jaar.

Doug werd schuldig bevonden aan brandstichting, dood door schuld, aanzetten van minderjarigen en openbare dronkenschap. Doug werd veroordeeld tot acht maanden gevangenisstraf en een proeftijd van een jaar.

Reed werd schuldig bevonden aan brandstichting, dood door schuld, aanzetten van minderjarigen en drugsgebruik, en werd veroordeeld tot één jaar gevangenisstraf en een proeftijd van drie jaar. De jury was hem, als oudste, het hardst gevallen.

Voor de rest van ons leven moesten we de wetenschap met ons meedragen dat ons gedrag de dood van drie onschuldige mensen tot gevolg had gehad. Daarboven was voor Haley en mij het ergste – erger nog dan het claustrofobische huisarrest, de vernedering van de proeftijd en de constante schending van onze privacy door de pers – de manier waarop onze klasgenoten op school reageerden. Eerst werden vanwege onze leeftijd onze namen niet vrijgegeven, maar geruchten verspreidden zich als een lopend vuurtje en algauw wist iedereen wie de twee minderjarigen van de Vijf van Dreiheit waren geweest. Daarna keerden mensen die we als vrienden en vriendinnen hadden beschouwd ons de rug toe.

Meisjes roddelden over ons. Jongens beschimpten ons, of liepen achter ons aan omdat ze dachten dat we enorme feestbeesten waren. De marihuanarokers deden zelfs pogingen om vriendschap te sluiten, wat grappig geweest zou zijn als het niet zo triest was. Op onze kluisjes werd *slet* gekalkt. Op onze tafels werden hasjpijpen neergelegd. Aan de antenne van onze auto's werden condooms geknoopt.

Zelfs de leraren die een jaar geleden zo hoog opgaven van mijn resultaten konden het amper verdragen me aan te kijken.

Iedereen ging uit van het ergste.

Niemand gaf ons het voordeel van de twijfel.

Door alles heen moest ik er aldoor aan denken hoe ik ervoor stond: een maagd die nooit had gerookt, gedronken of drugs gebruikt, en die van allerlei dingen beschuldigd werd door mensen die veel ergere dingen hadden gedaan. Hun oordeel was genadeloos.

We kregen huisarrest en mochten wel naar school en naar ons werk, maar verder niets. Mijn slaapkamer werd langzaam mijn gevangenis en tegelijkertijd mijn toevluchtsoord. Tegen het eind van het jaar besloot ik niet naar de diploma-uitreiking te gaan. In plaats daarvan ontving ik mijn diploma per post en huilde ik drie dagen lang.

Het enige wat me hielp om mijn gezond verstand niet te verliezen, waren de brieven die in een gestage stroom uit de Amish gemeenschap kwamen. Op de een of andere manier wisten zij hoe hard we het nodig hadden om te horen dat ze ons vergeven hadden, dat er voor ons gebeden werd, dat het goed kwam in het leven. Zelfs Lydia en haar broers en zus schreven, hoewel de brieven van de kleine Ezra niet veel meer waren dan wat gekrabbel. Uitgespuwd door onze eigen gemeenschap werden we in de armen gesloten door precies die gemeenschap die we onrecht hadden aangedaan. Toen mijn huisarrest afgelopen was, stapte ik zelfs in mijn auto en reed naar Dreiheit, om in het land van de familie Schumann te gaan staan en na te denken over alles wat er die rampzalige nacht was gebeurd. Ik wilde God vervloeken en Hem voorgoed de rug toekeren, maar midden in mijn pijn en woede kon ik niet vergeten hoeveel vriendelijkheid de Amish me in Zijn naam hadden betoond.

Uiteindelijk ben ik gewoon maar neergeknield en heb ik me overgegeven, God gevraagd om terug te komen in mijn leven, me te vullen met vrede en me weer heel te maken. Als ik dacht aan de Amish en hoe snel ze met vergeving waren gekomen, wist ik dat ik ook een paar mensen moest vergeven; zoals vrienden die me in de steek lieten en harteloze leraren en wrede onbekenden. Ik moest opdringerige verslaggevers vergeven, en onethische uitgevers van roddelbladen en kwaadsprekende buren. Toen ik me eindelijk openstelde en het allemaal losliet – alle haat, alle schaamte, alle wrok – begon die reusachtige, pijnlijke, lege plek vanbinnen meteen vol te lopen met iets anders, iets veel groters dan alle problemen die me in deze wereld konden overkomen.

Ik had mijn wrok aan God overgegeven en Hij had me Zijn vrede teruggegeven.

Toen de zon die dag onderging, had ik het geluid van voetstappen gehoord en mijn ogen opengedaan. Toen ik opkeek, zag ik een jonge Amish man met een baard mijn kant op komen, gevolgd door twee eveneens Amish kinderen, die kennelijk bezorgd waren omdat ik geknield lag te huilen. Toen ze dichterbij kwamen, herkenden ze me en ze stonden erop dat ik met hen mee naar huis ging. Geflankeerd door Lydia's jongere broer en zus, Caleb en Rebecca, aan de ene kant en de man van haar oudere zus, Nathaniel, aan de andere, nam ik hun uitnodiging aan en ging het huis binnen dat mede door mijn toedoen was afgebrand.

Hoewel het *Dawdi Haus* niet was herbouwd, zag de rest er hetzelfde uit. Alle sporen van de brand waren verdwenen, het washuis was gerepareerd, de rookschade aan het grote huis was hersteld. Binnen werd ik ontvangen door Lydia, die alleen haar armen om me heen sloeg en me lange tijd vasthield. We huilden allemaal, maar het waren goede tranen, tranen van genezing.

We zaten samen aan tafel en praatten bij over alles wat er in de afgelopen anderhalf jaar was gebeurd. Ik kwam te weten dat Lydia's oudste zus Grete, haar man Nathaniel en hun baby Tresa kort nadat er een begin was gemaakt met de reparaties in de boerderij waren getrokken en met hulp van Lydia de opvoeding van de jongere kinderen op zich hadden genomen. Geholpen door de hele Amish gemeenschap was het restant van deze familie erin geslaagd de scherven bij elkaar te rapen en door te gaan. Ik wist dat ze hun ouders misten, maar ondanks dat scheen het goed te gaan met de kinderen. Het belangrijkste was dat ze geen enkele haat tegen een van ons schenen te koesteren.

In de maanden die volgden op die genezende ontmoeting, begon ik steeds meer tijd door te brengen in Lancaster County. Haleys moeder gaf me de sleutel van haar huis zodat ik kon komen en gaan. Iets wat ik in die tijd veel vaker deed dan haar eigen dochter, die met rust gelaten wilde worden en haar pijn op andere manieren scheen te stillen. Ik vond daarentegen meer genezing en herstel door me te koesteren in de omarming van de Amish gemeenschap. Ik nam elke uitnodiging aan die mijn kant op kwam; voor maaltijden, familiebijeenkomsten, zelfs voor een Amish zangavond. Door alles heen won ik aan kracht en moed en het vertrouwen dat me op de middelbare school was ontroofd.

Toen mijn proeftijd afgelopen was, ging ik buiten de staat studeren, eindelijk klaar om een nieuwe start te maken.

Ik kwam van een koude kermis thuis.

Het probleem waar ik tegenaan liep, was dat zolang mensen me bleven herkennen het gewoon onmogelijk was om het verleden achter me te laten en door te gaan, hoe graag ik dat ook wilde. Er werd gefluisterd als ik langsliep. Ik kreeg af en toe een oneerbaar voorstel of een fluitconcert. Toch lukte het me er grotendeels boven te staan en mijn eerste en tweede jaar door te komen.

In de herfst van mijn derde jaar op de universiteit kondigden Bobby en Lydia hun verloving aan. Ik ging naar huis voor de bruiloft, een lieflijke, eenvoudige aangelegenheid in Dreiheit waarvan ik hoopte dat het voor hen beiden een nieuw begin inluidde. De receptie werd gehouden in de hal van hun kerk en ik maakte beleefd een praatje met een vrouw die naast me zat aan een van de tafels. Ze was buitengewoon hartelijk en vriendelijk en algauw zaten we te kletsen als onafscheidelijke vriendinnen, iets wat ik niet vaak doe met onbekenden.

Uiteindelijk stelde ze me de onvermijdelijke vraag hoe het voelde het om terug te zijn in Dreiheit, om te zien hoe mijn broer en Lydia in het huwelijksbootje stapten ondanks het verdriet in de nasleep van de brand. Gewoonlijk ontweek ik zulke vragen, zeker van mensen die ik niet kende. Maar ze was zo aardig, zo open, en mijn emoties zaten al hoog doordat ik weer in de stad was en mijn broer had zien trouwen.

Omdat ik iemand nodig had om in vertrouwen te nemen, gaf ik dit keer eerlijk antwoord op de vraag in plaats van hem uit de weg te gaan. Ik vertelde haar precies hoe het voelde, hoe bang ik was geweest dat Bobby eerder uit schuldgevoel met Lydia trouwde dan uit liefde. Ik sprak over de avond van de brand en hoe het door de pers compleet verdraaid was tot iets veel boosaardigers dan het eigenlijk was. Ik vertelde hoe ik daarna mijn leven weer op had willen pakken, maar dat er steeds iemand was die me eraan herinnerde, die me bestookte of verkeerde dingen van me dacht.

'Als de Amish niet op die manier gereageerd hadden,' zei ik haar, 'met genade en vergeving en liefde, had ik de afgelopen jaren nooit overleefd. Door de kwellingen die ik op school heb moeten ondergaan, had ik er waarschijnlijk een eind aan gemaakt als zij er niet waren geweest. De warmte die ik van de Amish gemeenschap heb gekregen, is het enige geweest wat me erdoorheen heeft geholpen.'

De avond liep goed af, Bobby en Lydia gingen op huwelijksreis en ik ging terug naar de universiteit.

Een week later stond ik in de schoolboekwinkel in de rij voor de kassa toen ik het nieuwe nummer zag liggen van een landelijk roddelblad. Op het omslag stond een foto van mijn gezicht en daaronder de woorden *Gered van zelfmoord door Amish*. Met bonzend hart kocht ik het nummer, rende naar buiten naar een eenzaam plekje achter een rij struiken en moest braken.

Later, alleen in de slaapkamer van mijn studentenhuis, ging ik op bed zitten en dwong mezelf het artikel te lezen. Ik wist al voordat ik begon dat het geschreven was door de vrouw die naast me had gezeten op de trouwreceptie. Ze had voornamelijk van mijn verhaal een meelevend stuk gemaakt over hoe moeilijk het is om door te gaan met je leven als je eenmaal veroordeeld bent voor een misdaad. Maar de citaten die ze had gebruikt, wekten de indruk dat ik iemand anders in de groep de schuld gaf van wat er was gebeurd, alsof ik de straf die ik had gekregen niet verdiend had, alsof ik niets verkeerds had gedaan. Erger nog, mijn opmerking dat ik 'er waarschijnlijk een eind aan had gemaakt', puur bij wijze van spreken, had ze letterlijk genomen. Kennelijk had ze na haar gesprek met mij verscheidene artsen en een psychiater geraadpleegd en het artikel stond vol opmerkingen over zelfmoord en dood en depressie.

De helft van de mensen op de campus had eerst niet geweten wie ik was, maar nu leken ze er allemaal van doordrongen. Na een week van meelevende blikken, hatelijke opmerkingen en een folder met de titel *Denkt u aan zelfmoord?* die anoniem onder mijn slaapkamerdeur werd geschoven, gaf ik het op.

Met het laatste restje waardigheid dat ik bij elkaar kon rapen, beende ik naar de administratie en schreef me uit.

Weer thuis, waar ik nog razender werd en me nog erger geschonden voelde, besloot ik het blad voor het gerecht te dagen wegens misleidende publicatie en het maken van een illegale geluidsopname. De auteur en de uitgever kwamen buiten de rechtszaal tot een schikking, maar het geld dat ik won hielp weinig om de aangerichte schade uit te wissen. Ik gebruikte het voor een groot deel om mijn ouders de gerechtelijke kosten terug te betalen die ze tijdens mijn strafproces hadden gemaakt. Dus ik kon weliswaar de rekening vereffenen, maar hield uiteindelijk slechts een paar duizend dollar over.

Op dat punt begon ik stappen te ondernemen om een nieuwe identiteit voor mezelf te creëren, een nieuw leven, ver weg van de tragedie en het verleden en de media die me sinds de brand zo hadden neergezet. Het jaar daarvoor had ik mijn haarkleur laten uitgroeien, maar nu verfde ik het blond, veranderde mijn naam en vroeg een nieuwe identiteitskaart aan.

Toen laadde ik met alleen die paar duizend dollar op mijn rekening mijn auto vol, nam afscheid van mijn ouders en reed naar Californië. Daar reed ik langs de kust omhoog tot ik een stadje vond dat me beviel en een fatsoenlijke baan. Na één week op de afdeling opsporing van personen van Kepler-West Finance, wist mijn collega Kiki dat ik op zoek was naar een goedkope flat en vroeg of ik in plaats daarvan een kamer in haar huis zou willen huren. We bespraken de details en ik trok bij haar in, en sindsdien had ik daar gewoond. Net als Norman wist Kiki dat ik gebroken had met mijn verleden, mijn naam had veranderd en opnieuw was begonnen. Maar anders dan Norman wist ze niet waarom en het strekte haar tot eer dat ze er niet één keer naar had gevraagd. Ze accepteerde me gewoon zoals ik was en werd mijn vriendin.

Op dat moment in mijn leven had ik die vriendin hard nodig. Nu lag Kiki in het ziekenhuis met twaalf hechtingen in haar voorhoofd en mijn zorgvuldig opgebouwde wereld stond op het punt aan flarden te worden geblazen. Toen ik Dreiheit bereikte en de weg insloeg die me naar de boerderij van de familie Schumann zou brengen, haalde ik diep adem om God te vragen me veilig te bewaren en bereidde me voor op wat komen ging.

16

Toen ik de boerderij naderde, had het me niet moeten verbazen dat er een busje met journalisten aan het eind van de oprit geparkeerd stond. Ik belde Lydia en vertelde het haar, en vroeg of we ergens anders konden afspreken.

Ze stelde voor naar het appartement van Bobby en haar te gaan en legde uit waar ik de verstopte sleutel kon vinden om mezelf binnen te laten.

'Ga jij eerst, dan wacht ik een poosje en daarna kom ik bij je. Als de verslaggevers me dan volgen, hebben ze niet door dat jij al binnen bent.'

Ik was maar één keer in hun appartement geweest, dus Lydia vertelde me hoe ik moest rijden en ik ging op weg. Gelukkig zag het er verlaten uit. Hun etagewoning bevond zich in het centrum van Dreiheit, twee straten van Main Street, in een klein complex van tien eenheden. Ik parkeerde mijn huurauto op de bijna lege parkeerplaats in een vak voor bezoekers en wandelde naar deur 108. De sleutel was verstopt in de buitenlamp, zoals Lydia had gezegd, dus ik kon erin. Intussen dacht ik aan de inbraak die hier eergisteravond had plaatsgevonden en ik vroeg me af of de indringer hier en de man die bij mij thuis in Californië had ingebroken een en dezelfde persoon waren. De rillingen liepen me over de rug bij de herinnering en ik moest mezelf erop wijzen dat hij nog in het ziekenhuis lag en gearresteerd was door de politie.

Eenmaal binnen controleerde ik met bonkend hart voorzichtig alle kamers om zeker te weten dat ik inderdaad alleen was. Voor alle zekerheid gluurde ik ook in alle kasten en onder de bedden. Daarbij zag ik wat Lydia had bedoeld toen ze zei dat het een beetje rommelig was, maar ik was er toch van onder de indruk hoe netjes en schoon het in het algemeen was. Bobby was als jongen een sloddervos geweest, dus wist ik zeker dat dit aan Lydia te danken was.

Het appartement was comfortabel maar klein, met een eenvoudig keukentje en een keukentafel, een woonkamer, één badkamer en twee slaapkamers. In de grote slaapkamer stond een wiegje en pas toen ik dat zag, herinnerde ik me dat Lydia zwanger was. Het arme kind. Moest ze dit allemaal meemaken op een moment dat ze het minst op ellende zat te wachten? Ik probeerde uit te rekenen hoe ver ze onderhand was, maar ik wist niet meer wanneer Bobby me had verteld dat ze in verwachting was. Vier maanden geleden? Zes maanden geleden? Wanneer ook precies, het was een aardig poosje geleden, dus ze moest binnenkort bevallen. Ik voelde me schuldig dat ik zo weinig van hun leven wist. Wat was ik voor een zus?

Erger nog, hun zoontje Isaac was mijn neefje en ik wist niet eens hoe oud hij was. Op een rij foto's die in de gang hingen, zag hij eruit als een jaar of zes, zeven. Nee, ik bedacht dat hij minstens acht moest zijn, want de laatste keer dat ik hem zag was zeven jaar geleden toen ik naar Dreiheit was gekomen om afscheid te nemen, vlak voordat ik naar Californië verhuisde. Destijds lag Isaac nog in de luiers, hij kon nog niet lopen. Zo te zien aan de foto's was hij opgegroeid tot een schattig jongetje.

Toen ik mijn zoektocht had voltooid en wist dat er geen boeven verstopt zaten, ging ik naar de woonkamer terug om op Lydia te wachten. Op de tv stonden nog meer foto's en ik liep erheen om ze te bekijken. De meeste waren spontane kiekjes, buiten in de natuur genomen: Isaac grijnzend hoog in een boom, Bobby zwaaiend op een jetski, Lydia die met Isaac aan de hand door een pompoenveld wandelt. Het waren prachtige beelden en ik was blij dat Lydia toen ze de Amish orde verliet, ook hun verbod op foto's achter zich had gelaten. Voor zover ik wist waren in geen van de plaatselijke Amish gemeenschappen foto's van mensen toegestaan, omdat ze vonden dat het tegen het Bijbelse gebod inging geen gesneden beeld te maken.

Ik pakte de laatste foto in de rij op, de foto die het meest recent leek. Het was een familieportret en door de herfstbladeren op de achtergrond vermoedde ik dat hij nog maar een paar maanden geleden was genomen. Op de foto glimlachten ze alle drie en ik kon een klein buikje onderscheiden onder Lydia's kastanjebruine corduroy trui. Isaac zat voor hen en zijn ondeugende grijns deed me sterk denken aan Bobby toen hij nog klein was. Afgezien van die grijns en het typerende kuiltje in zijn ene wang leek Isaac precies op Lydia, met dezelfde lange wimpers en fijne trekken.

Aan die foto te zien leken ze een gelukkig gezinnetje, ze lachten oprecht en hun houding leek liefdevol. Wie wist of dat een juiste voorstelling van zaken was of niet?

Ik zette de foto net weer op zijn plaats toen ik iets hoorde bij de voordeur. Hij zwaaide open en er stapte een lange man naar binnen. Nog schrikachtig van mijn aanvaring met de indringer met de bivakmuts wilde ik net gaan gillen toen Lydia achter hem naar binnen wandelde.

'Anna!' riep ze uit. Ze zette de tas neer die ze bij zich droeg en heupwiegde vlug door de kamer om me lang en heftig te omhelzen. Ik schrok van de vurigheid van haar begroeting – en van de omvang van haar zwangere buik die tussen ons in uitstak – maar ik nam haar in mijn armen en besefte dat ik oprecht blij was haar te zien.

De man die met haar meegekomen was, verdween zonder een woord te zeggen naar achteren en dat vond ik vreemd. Maar te oordelen naar zijn defensieve houding, begreep ik dat hij een soort lijfwacht moest zijn. Hij bleef een poosje weg en toen hij terugkwam, verklaarde hij dat de kust veilig was.

Lydia liet me los en terwijl we uit elkaar gingen, keek ik haar vragend aan.

'Laten we naar de keuken gaan, dan leg ik alles uit,' zei ze.

Ze pakte de tas op die ze had meegebracht en ging me voor naar de keukentafel in de bocht van een erker. Daar ging ik zitten en vroeg of de man die in de woonkamer was gebleven een vriend was.

'Nee, hij is beroeps,' antwoordde Lydia terwijl ze de tas op het aanrecht zette en begon uit te pakken. 'Ik geloof dat zoiets heel duur is, maar dit wordt betaald door meneer Wynn.'

Ik snapte niet waarom Haleys vader erbij betrokken was, maar ik was blij dat Lydia beschermd werd door iemand die kennelijk wist wat hij deed.

'En de Amish beschermingsbrigade dan?'

'De man die ons gisteren bewaakte, moest vandaag weer naar zijn werk en Caleb en Nathaniel moeten buiten met de koeien bezig zijn, niet in huis zitten met de vrouwen en kinderen. Meneer Wynn bood gisteravond bescherming aan, dus vanochtend heb ik hem eraan gehouden.'

'Ik begrijp het niet,' zei ik. 'Waarom meneer Wynn? Wat heeft hij ermee te maken?'

Lydia zuchtte diep terwijl ze doorging met uitpakken.

'Gisteravond heb ik Haley weer gebeld, om te vragen hoe het met haar ging en om te zeggen dat jij kwam. Haar vader was er toen ik belde. Toen ik hem vertelde dat jij aangevallen was, verklaarde hij dat dat samen met Dougs dood en Bobby's vermissing bij hem de indruk wekte dat iemand erop uit was om de Vijf van Dreiheit te pakken.'

'De Vijf van Dreiheit? Waarom?'

'We konden geen reden bedenken. Maar op dat moment besloot meneer Wynn voor de zekerheid een lijfwacht voor Haley in dienst te nemen, en omdat Bobby al had gezegd dat Isaac en ik in gevaar waren, stond meneer Wynn erop er voor ons ook eentje te nemen, waarschijnlijk omdat hij wist dat ik het niet kon betalen. Hij wist niet hoe hij je kon bereiken, maar hij zei dat hetzelfde aanbod voor jou gold als je kwam.'

'Dat is erg aardig van hem, maar voorlopig sla ik het af,' zei ik, terwijl ik probeerde mijn ontzetting te verbergen over Lydia's loslippigheid. Ze had Haleys vader niet moeten vertellen dat ik hierheen kwam en dat ik aangevallen was. Meneer Wynn was een beste man en een oude vriend, maar het was niet aan Lydia om mijn zaken aan anderen te vertellen. 'Je hebt toch verder aan niemand verteld dat ik kwam?'

'Alleen aan mijn zus, zodat ze een kamer klaar kon maken op de boerderij.'

Als haar zus het wist, wisten de kinderen het ook en algauw zou het bericht door de Amish geruchtenmolen verspreid worden en uiteindelijk in de hele stad bekend zijn. Heel fijn.

'Natuurlijk,' vervolgde Lydia, 'moest ik erop staan dat de lijfwacht geen wapens bij zich droeg. Er mogen geen wapens zijn op de boerderij, en als Bobby opduikt, wil ik niet dat hij per ongeluk doodgeschoten wordt.'

Ik gaf geen commentaar, maar ik was snugger genoeg om te weten dat de lijfwacht die nu in de woonkamer had postgevat, niet ongewapend was. Ik had geen veelzeggende bulten in zijn zij zien uitpuilen, maar ik was er zeker van dat hij ergens een wapen had, waarschijnlijk in een enkelholster.

'En Reed?' vroeg ik, terwijl mijn hart ineens vreemd tekeerging. 'Is hij gewaarschuwd? Is hem narigheid overkomen?'

'Ik neem aan van niet, anders hadden we het wel gehoord. Meneer Wynn zou hem gisteravond bellen nadat hij mij had gesproken. Reed kan in elk geval zijn eigen lijfwacht betalen als hij er een wil. Hij is een of andere hoge piet in Washington, zie je. Ik geloof dat hij erg succesvol is.' Lydia pakte een groot vierkant maïsbrood uit en keek me aan. 'Je wilt toch wel iets eten, *jah*?'

Met een om onverklaarbare redenen rood geworden hoofd knikte ik. Mijn eetlust was teruggekeerd sinds ik met meneer Carver in het restaurant had gezeten en nu besefte ik dat ik uitgehongerd was. Lydia opende de bakjes die ze had meegebracht en maakte twee borden klaar met een stevig uitziende rundvleesstoofschotel en een kleurige berg erwtjes en worteltjes.

'Je ziet er heel anders uit met dat lange, blonde haar,' zei Lydia terwijl ze me weer aankeek en een van de borden in de magnetron zette. 'Heel modieus, heel... hoe zeg je dat... sexy, *jah?*'

Ze giechelde om het woord 'sexy' en ik moest denken aan haar beschermde opvoeding. Ze was al jarenlang geen Amish meer, maar in veel opzichten was ze niets veranderd. Maar aan de andere kant, bedacht ik terwijl ik haar de knopjes van de magnetron zag indrukken, was ze in veel opzichten een gewone, moderne vrouw geworden.

'Bedankt,' antwoordde ik, 'ik heb het niet gedaan om sexy te zijn, alleen onherkenbaar. Ik moet er niet aan denken mijn gezicht weer overal in het nieuws te zien.'

'Ik weet het, ik weet het. De verslaggevers blijven respectvol van het land van mijn zus weg, maar door hun langeafstandscamera's die recht op het huis gericht waren, moesten we alle luiken dichtdoen uit angst dat we binnen gefotografeerd werden. De kinderen worden onrustig omdat ze niet naar buiten kunnen.'

'Naar buiten, ben je gek? Het is ijskoud!'

'*Jah*, maar daar zijn ze aan gewend. Ze vinden het prettig om zich warm aan te kleden en te ballen in de tuin.' Ze haalde een dampend bord uit de magnetron en zette het volgende erin.

'Hoe gaat het met de kinderen, Lydia?'

'*Gut*, dank je.'

'Hoe is het met Grete? Ik heb altijd met haar te doen gehad omdat ze een moeder moest zijn voor haar jongere broers en zusjes terwijl ze zelf amper volwassen was. Gaat het goed met Nathaniel en haar?'

'O, *jah*. Hard werken was Grete niet onbekend en ze heeft het goed gedaan met de kinderen. Nathaniel en zij zijn ook goede rentmeesters geweest voor het land en ze hebben de boerderij rendabel gehouden.'

'Dat is een opluchting. En met je broers en zusje is echt alles goed?'

Lydia dacht even na over mijn vraag.

'Ik denk dat Caleb de strenge hand van een echte vader wel had kunnen gebruiken, maar met Rebecca en Ezra gaat het goed.'

'Hebben Grete en Nathaniel nog meer kinderen van henzelf gekregen of hadden ze hun handen al vol aan de opvoeding van je broers en zusje?'

'Ze wilden er meer, maar Tresa is hun enige kind dat geboren is zonder de stoornis die in onze familie zit. Grete heeft nog drie keer een zwangerschap uitgedragen, maar de baby's stierven altijd kort na de geboorte. Dat is hier in de buurt niet ongewoon. God geeft en God neemt. Zoals je zei, ze had haar handen toch al vol.'

Lydia zette de verwarmde borden met eten op tafel en voegde er servetten en bestek bij. Intussen dacht ik aan het ongelooflijk hoge aantal genetische stoornissen dat onder de Amish voorkwam. Ik had begrepen dat het te maken had met het feit dat de Amish uit Lancaster County gewoonlijk binnen de gemeenschap trouwden, zodat hun genetische diversiteit met elke generatie beperkter werd, en gevoeliger voor genetische mutaties. Volgens Bobby werd er voortdurend vooruitgang geboekt in de preventie en behandeling van veel gewone Amish stoornissen, maar ik vroeg me af of er genezing gevonden kon worden voor de stoornis die ervoor zorgde dat Lydia's zus geen kinderen kon baren die in leven bleven. In elk geval had Lydia zich geen zorgen hoeven te maken. Door een man te trouwen die niet Amish was, had ze de koers van haar eigen genetische lot veranderd.

Ze kwam bij me aan tafel zitten en boog zwijgend haar hoofd. Ik dacht dat ze misschien wachtte tot ik gebeden had, maar even later zei ze zachtjes 'amen', deed haar ogen open en begon te eten.

'Amen,' echode ik, me dwaas voelend toen ik me herinnerde dat de Amish elke maaltijd begonnen met stil gebed.

Ik at de verrukkelijke stoofschotel terwijl Lydia me bijpraatte over de laatste ontwikkelingen met Bobby.

Beschaamd vertelde Lydia me dat ze vanmorgen Bobby's kantoor had gebeld om te vragen of zij iets van zijn verblijfplaats afwisten. Volgens de chef hadden ze Bobby na zijn schorsing dagenlang niet meer gezien.

'Schorsing?' vroeg ik en liet mijn vork haast uit mijn hand vallen.

'Ja, Anna. Ik was erg geschokt toen ik hoorde dat Bobby tweeenhalve week geleden moeilijkheden kreeg op zijn werk en voor drie weken geschorst is zonder salaris. Hij moet maandag weer beginnen, als hij tegen die tijd terecht is. Waarom hij het me niet heeft verteld, begrijp ik niet.'

'Zeiden ze waarom?'

'Nee,' antwoordde Lydia met tranen in haar ogen. 'Ze zeiden dat het iets tussen hem en doctor Updyke was. Ik was er gewoon kapot van dat ik hier niets van wist, al ben ik zijn vrouw.'

'Ik begrijp het niet,' zei ik. 'Vertel je me nu dat Bobby tweeënhalve week niet naar zijn werk is geweest en dat jij daar niets van hebt gemerkt?'

'Dat klopt. Als hij thuis was gebleven of op de bank was gaan liggen of iets met ons had ondernomen, dan had ik het geweten. Maar mijn man vertrok elke ochtend op dezelfde tijd als anders en kwam aan het eind van de dag op dezelfde tijd als anders thuis. Ik weet niet waar hij naartoe ging of wat hij de hele dag deed, maar de kantoorchef bezwoer me dat hij niet op zijn werk was geweest.' Lydia knipperde met haar ogen en er rolden twee tranen over haar wangen. 'Bobby houdt van me,' zei ze hartstochtelijk. 'Ik snap niet waarom hij zo vreemd deed, en waarom hij vond dat hij het me niet kon vertellen, maar ik vertrouw hem. Ik geloof in hem. Wat hij ook heeft gedaan, ik weet dat alles uiteindelijk duidelijk zal worden.'

We zaten zwijgend bij elkaar terwijl ik nadacht over wat ze had gezegd en ik voelde dat ik woedend werd op Bobby. Dat hij zijn vrouw niet vertelde dat hij was geschorst was één ding, maar bijna drie weken achter elkaar net doen of hij gewoon naar zijn werk ging, was een heel ander verhaal.

'Heb je de doctor al gesproken? Hij zou je kunnen vertellen waarom Bobby geschorst was.'

'Ik heb een paar keer gebeld, maar altijd had hij het druk of was hij er niet.'

Ik dacht aan de wegwerpmobiel die ik op het vliegveld had gekocht. Nadat ik het nummer in mijn eigen telefoon had gezet, gaf ik hem aan Lydia, die me uitbundig bedankte.

Ons gesprek hervattend vroeg ik Lydia waar ze dacht dat Bobby elke dag heen kon zijn gegaan, maar ze had geen idee.

'Sorry dat ik zo persoonlijk word,' zei ik, 'maar ik moet weten hoe jullie huwelijk ervoor stond. Waren jullie gelukkig? Loog Bobby vaak tegen je? Wetend wat je nu weet, geloof je nog steeds dat het onmogelijk is dat hij je gewoon verlaten heeft?'

Lydia zweeg lange tijd en mijn vragen moeten haar eetlust bedorven hebben, want ze duwde haar bord weg terwijl ze nadacht. Eindelijk gaf ze antwoord en ze vertelde me zo'n beetje wat ik al had verwacht. Volgens haar hielden Bobby en zij nog steeds innig van elkaar. Lydia hield vol dat ze gelukkig getrouwd was, dat Bobby het heerlijk vond om met Isaac op te trekken, dat hij het erg naar zijn zin had op zijn werk in het lab en dat ze er geen moment aan twijfelde dat Bobby voor altijd bij haar en Isaac zou blijven.

'Hij was dolblij met de nieuwe baby. Ik kan je niet zeggen hoe vaak hij 's nachts naast me in bed lag en mijn buik vasthield terwijl hij lieve woordjes fluisterde tegen ons kind. Een man die dat doet, is niet van plan om te vertrekken. Je moet dit van me geloven, Anna.'

'Goed,' antwoordde ik. 'Ik ga er verder vanuit dat alles wat je net gezegd hebt waar is. Maar als ik nog meer geheimen ontdek die Bobby voor je had, ben ik niet verbaasd... en dat zou jij ook niet moeten zijn.'

17

We waren net klaar met eten toen er aan de voordeur werd geklopt.

'Verwacht je iemand?' fluisterde ik.

Lydia schudde haar hoofd en stond op van tafel.

'Mevrouw?' zei de lijfwacht om de hoek van de keukendeur. 'Een vrouw van in de vijftig, blond haar, met een pakje?'

Ik zei tegen Lydia dat ik in de keuken zou blijven als zij wilde kijken wie het was. Ze knikte en volgde de lijfwacht de keuken uit. Ik luisterde toen ze de voordeur opendeed en praatte met iemand van wie de stem heel bekend klonk. Ingespannen luisterend stelde ik uiteindelijk vast dat het Melody Wynn was, Haleys moeder.

Ik vroeg me af waarom ze hier was en niet bij haar dochter in deze moeilijke tijd, maar Haley en haar moeder hadden een vreemde en ingewikkelde relatie waar ik nooit veel van begrepen had. Toen Haley geboren werd, had haar moeder haar loopbaan als plantenbiologe opgegeven om thuis te blijven bij haar kind, maar als je Haley moest geloven, was ze niet erg geschikt voor die rol. In plaats van haar kleine meisje te vertroetelen, besteedde Melody het grootste deel van haar tijd aan het vertroetelen van de planten in de enorme kas die ze in hun achtertuin had gebouwd. Haley voelde zich in haar kindertijd verwaarloosd en verloren – het arme, rijke meisje dat zelden veel aandacht van haar moeder kreeg. Anderzijds had haar vader veel bewonderende aandacht voor haar, bij die zeldzame gelegenheden dat hij erin slaagde op tijd thuis te zijn. Verloren tussen een moeder die lichamelijk aanwezig was, maar geestelijk niet, en een vader die geestelijk aanwezig was, maar lichamelijk niet, voedde Haley in wezen zichzelf op. Toen we elkaar voor het eerst ontmoetten, was ze het onafhankelijkste, meest zelfstandige kind dat ik ooit had gekend. Dat was een van de dingen die ik het leukst aan haar vond, al duurde het een poosje voordat ik begreep hoeveel pijn er achter die onafhankelijkheid zat.

In het jaar voordat we elkaar leerden kennen, waren haar ouders gescheiden om redenen die Haley lange tijd niet onthulde. Ik wist alleen dat haar vader de voogdij had gekregen over hun enig kind, dat haar moeder was verhuisd naar een klein plattelandshuisje in Dreiheit en dat ze weer fulltime was gaan werken bij een bedrijf dat landbouwonderzoek deed; een rol die haar veel beter paste dan die van fulltime moeder. Uiteindelijk vertrouwde Haley me toe dat haar moeder jarenlang losse verhoudingen had gehad en toen meneer Wynn erachter was gekomen, hij onmiddellijk een echtscheiding had aangevraagd.

Toen Haley en ik naar de middelbare school gingen, waren die wonden enigszins geheeld, maar ik vond wel dat Haley en haar moeder eerder vriendinnen waren dan moeder en kind. Melody was altijd heel hartelijk en vriendelijk tegen Haley, maar dat was ze eigenlijk tegen iedereen, haar deur stond altijd open. Als Haley en ik in het weekend op bezoek kwamen, voelde het eerder alsof we in een studentenhuis trokken met een hospita dan dat we echt bij iemands moeder logeerden. Het was rond die tijd dat Melody de gewoonte kreeg doorschijnende, wijde jurken te dragen en ze liet haar haar lang groeien. Heimelijk gaf ik haar de bijnaam 'de Zweefster', omdat ze iemand was die door de ruimte zweefde, opgaand in haar eigen wereldje, onbewust van de pijn van haar eigen kind.

In de woonkamer bestookte Melody Lydia nu met vragen over Bobby en ik had medelijden met haar. Lydia was zo'n eerlijk, oprecht iemand dat ik wist dat ze het moeilijk vond om niet op te biechten dat ik er was om onderzoek te doen naar zijn verdwijning, en dat ik zelfs in de keuken zat. Ik besloot het haar gemakkelijk te maken. Ik stond op en liep naar de voordeur, waar ik even bleef staan om langs de lijfwacht heen te kijken naar de moeder van mijn vroegere hartsvriendin. Melody droeg haar blonde haar nog steeds los en het golfde tot op haar schouders, in plaats van halverwege haar rug. Haar gezicht was iets ouder geworden, maar ze was nog steeds mooi.

'Weet je zeker dat ik nergens mee kan helpen?' vroeg Melody. 'Met Isaac of zo? Heeft hij geen oppas nodig, moet hij niet naar school worden gebracht?'

'Nee, dank u. Isaac blijft thuis van school tot we weten wat er aan de hand is.'

'En je werk bij de bruidswinkel?'

'Ik ben pas voor volgende week woensdag ingeroosterd, dus ik wacht maar af wat er gebeurt.'

'Nou ja, ik hoor het wel als...' Melody's stem brak af toen ze mij in het oog kreeg. 'O, sorry. Ik wist niet dat je bezoek had. Ik zal je niet ophouden.'

'Melody,' zei ik terwijl ik een stap naar voren deed. 'Ik ben het, Annalise. Nou ja, tegenwoordig word ik Anna genoemd.'

Eerst keek Melody verward en toen verrast. Met een gilletje rende ze op me af en sloot me net zo vurig in haar armen als Lydia daarstraks had gedaan. Een paar minuten lang ging ze erover door hoe mijn uiterlijk was veranderd. Ik zei dat zij integendeel geen dag ouder was geworden, dat ze nog steeds even verbluffend mooi was als altijd.

Melody herhaalde tegenover mij een groot deel van de vragen die ze aan Lydia had gesteld en ze sprak haar bezorgdheid uit over Bobby en haar verdriet om Doug. Op mijn beurt vroeg ik naar Haley en hoe het met haar ging.

'Ik heb geen idee,' antwoordde Melody treurig. 'Toen ze haar man niet kon vinden belde ze me aldoor om hulp, maar toen hij dood bleek te zijn wilde ze alleen haar vader. Ik weet niet waarom me dat nog verbaast. Ik heb er vroeger nooit voor haar mogen zijn. Ik mocht niet eens met haar mee naar het rouwcentrum.'

Lydia en ik keken elkaar aan en we wisten geen van beiden wat we moesten zeggen. Ik had Haley in geen jaren gesproken, dus ik was niet in een positie om commentaar te leveren. Melody scheen ons onbehagen te voelen, want ze veranderde alweer van onderwerp en vroeg me hoelang ik in de stad bleef en waar ik logeerde.

'Anna komt bij mij, op de boerderij van mijn familie,' vertelde Lydia.

Melody kneep haar ogen halfdicht en boog zich naar me toe. Met gedempte stem vroeg ze: 'Je weet toch wel dat de Amish hun slaapkamers niet verwarmen?' Dat wist ik inderdaad, al was ik het vergeten tot ze me eraan herinnerde. 'Als het daar te koud voor je wordt, dan zeg je het maar. Bij mij is altijd plaats op de bank. Misschien kan Haley ook wel komen. Dan wordt het net als vroeger.'

Ik bedankte haar voor het aanbod en bedacht wat een vreemde gedachte dat was. Als vroeger? Haleys man was dood! Mijn broer werd vermist en werd door de politie gezocht om ondervraagd te worden in verband met zijn dood! Maar de Zweefster dacht dat we gezellig bij elkaar konden gaan zitten om muesli te eten en over leuke jongens te babbelen.

'Dank je. Ik zal het in gedachten houden,' antwoordde ik, maar ik betwijfelde of ik gebruik zou maken van haar aanbod, al moest ik flanellen pyjama's met thermosokken dragen in bed. Ik vond niet alleen dat ik omwille van de veiligheid dicht bij Lydia in de buurt moest blijven, maar ik wist ook dat Bobby waarschijnlijk naar de boerderij zou komen als hij uit zichzelf opdook.

Melody moest weg, maar terwijl we afscheid namen, vroeg ik haar alsjeblieft aan niemand te vertellen dat ik in de stad was.

'Ik weet dat de pers er uiteindelijk achter zal komen,' legde ik uit, 'maar ik wil het zo lang mogelijk stilhouden.'

'Mag ik het dan tenminste aan Haley vertellen? Ze zal je graag willen zien.'

'Lydia heeft haar al verteld dat ik kwam. Maar als je haar spreekt, zeg dan dat ik vandaag op weg hierheen naar haar huis gereden ben, maar dat er zo veel nieuwsbusjes geparkeerd stonden dat ik ben omgedraaid en vertrokken. Ik hoop dat we een manier kunnen vinden om bij elkaar te komen zonder dat de media erbij zijn.'

Melody legde een hand om mijn pols en keek me diep in de ogen.

'Doe dat alsjeblieft, Anna. Ook al wil Haley haar moeder niet in de buurt hebben, ze heeft haar vriendinnen nodig. Het duurt nog een paar dagen voordat Doug begraven wordt, dus bel haar voor die tijd en vind een manier om af te spreken, oké?'

'Goed,' beloofde ik en met een laatste omhelzing en een groet was Melody verdwenen.

Toen Lydia de deur achter haar dichtdeed, zei ik dat ik nu graag de boodschappen op hun antwoordapparaat wilde afluisteren, als ze er geen bezwaar tegen had.

'Ach, het apparaat!' riep ze uit. Ze was kennelijk vergeten dat de boodschappen zich waarschijnlijk sinds haar vertrek woensdagavond hadden opgestapeld. Ze snelde naar het ding, dat op een hoektafel in de woonkamer stond, en zag tot haar schrik dat ze tweeëntwintig berichten had. 'Ik kan het niet opbrengen. Alsjeblieft, Anna, doe jij het en vertel me wat je hebt gehoord. Tenzij het de stem van mijn man is die me vertelt waar hij is, wil ik het niet weten.'

Blij dat ik alleen gelaten werd, zei ik dat het goed was.

'Gut. Doe jij dit. Ik zal de vaat wassen en de spullen inpakken die Isaac en ik nodig hebben.'

Ik vroeg of ze me wat warme kleren kon lenen, vooral truien, en ze zei dat het geen punt was.

Ik pakte mijn opsporingsformulieren en mijn laptop, ging zitten en bekeek hun apparaat. De lijfwacht vatte post bij de deur, binnen gehoorafstand. Met een ongemakkelijk gevoel vroeg ik me af of het bij zijn taakomschrijving hoorde om onze gesprekken af te luisteren en onze activiteiten gade te slaan – en verslag uit te brengen aan de man die betaalde voor zijn diensten. Ik kon me niet indenken waarom meneer Wynn dat zou willen, maar voor alle zekerheid trok ik de stekker uit het stopcontact en nam het apparaat mee naar de afzondering van Isaacs slaapkamer. Ik deed de deur achter me dicht en stopte de stekker in het stopcontact. Gezeten op het bed van mijn neefje luisterde ik naar de boodschappen die de afgelopen dagen binnen waren gekomen.

De eerste boodschap van enig belang was van Doug op woensdagavond om 18.58 uur: 'Hoi Bobby, met Doug. Bel me zo snel mogelijk. Ik ben nog op kantoor, maar bel me mobiel, niet via de vaste lijn, oké?'

Een tweede boodschap van Doug verscheen om 20.40 uur. Deze was erg verontrustend en klonk nog dringender dan de eerste: 'Bobby, weer met Doug. Hoor es, man, we moeten praten. Ik heb die eh... info die je wilde, en ook een paar dingen die je niet had verwacht. Bel me meteen terug op mijn mobiel zodra je dit bericht krijgt. Ik zit nu in de auto en ben op weg naar het bouwterrein in Exton. Je weet waar dat is, hè? Ik denk er over een kwartiertje te zijn, dus als je me niet mobiel kunt bereiken, kom dan daar naar me toe. We moeten echt meteen praten.'

De volgende was een boodschap die om 23.58 uur die avond was gekomen. Het was Haley en ze klonk dronken: 'Bobby? Met Haley. Man, ik heb gezien wat je deed toen je wegging. Ik weet niet of je dom bent of gestoord, maar je zorgt maar dat die motor terug is voordat Doug thuiskomt, anders vermoordt hij je.'

De telefoon maakte een paar bonkende geluiden en toen sprak ze weer: 'Maar als Doug nu bij je is en jullie zijn met z'n tweeën een ritje aan het maken of zo, dan vermoord ik jullie allebei. Hebben jullie enig idee hoe laat het is?' Daarna eindigde het bericht en uit de reeks geluiden die volgden, bleek dat ze moeite had de telefoon op te hangen.

Tien minuten later belde Melody om te zeggen dat Haley probeerde Bobby op te sporen en haar om hulp had gevraagd omdat ze in Dreiheit woonde. 'Bobby, kun je haar bellen als je thuiskomt? Ze wil ik dat ik naar jullie toe ga om op de deur te bonken, maar ik heb mijn nachtgoed al aan, dus dat ga ik niet doen. Bel je haar zo gauw je dit hoort? Maakt niet uit hoe laat, bel maar.' Daarna volgde Haley weer, de volgende ochtend. Nu klonk ze nuchter en katterig, en heel, heel boos. Ze was op zoek naar Doug of Bobby en wilde weten waar de motor was en waarom haar man niet thuis was gekomen. In het uur daarna belde ze nog twee keer, elke keer een beetje minder boos en een beetje meer bezorgd.

Om 10.12 uur 's morgens belde Melody en zei dat Haley gek werd omdat ze Doug en Bobby niet kon bereiken: 'Ze wil nog steeds dat ik naar je huis ga om op de deur te bonken, maar ik geloof niet dat er iemand thuis is. Bobby of Lydia, als een van jullie thuiskomt, willen jullie me dan alsjeblieft bellen? Haley is buiten zichzelf.'

Om 12.15 uur 's middags op dezelfde dag was er een kort bericht van een man met een diepe stem: 'Met de politie van Exton. Ik ben op zoek naar ene meneer Robert Jensen. Wilt u alstublieft zo gauw mogelijk contact met ons opnemen?' Vervolgens liet de man zijn naam en telefoonnummer achter.

Om 14.45 uur had de politie van Dreiheit ook gebeld op zoek naar Bobby en gevraagd of hij of zijn vrouw zo gauw mogelijk terug wilde bellen. Daarna was er een aantal berichten van verschillende verslaggevers en een paar bemoeizuchtige vrienden die wilden weten wat er aan de hand was, maar verder niets van belang.

Er waren helemaal geen gesprekken binnengekomen van Bobby.

Lydia kwam twee keer binnen terwijl ik aan het werk was, de eerste keer om wat kleren van Isaac te pakken, de tweede keer om te kijken hoelang het nog ging duren omdat ze voor het donker terug wilde naar de boerderij, vooral omdat het nu elk moment kon gaan sneeuwen. Met een blik op mijn horloge zag ik tot mijn schrik dat het al bijna half vier in de middag was, en in januari zou het in Pennsylvania waarschijnlijk binnen een uur donker zijn.

Voordat we uit elkaar gingen, wilde ik nog één keer de gebeurtenissen van woensdagavond vanuit haar gezichtspunt reconstrueren. Lydia zei dat Isaac en zij rond zes uur waren weggegaan om te oefenen met het koor en even na negen uur terug waren gekomen. Toen ontdekten ze dat in hun afwezigheid Bobby langs was geweest om iets te eten en een briefje achtergelaten had waarin stond dat hij moest overwerken. En kennelijk nadat hij weer was vertrokken, was er ingebroken door iemand anders, iemand die had rondgesnuffeld maar slechts één ding had meegenomen, de envelop met informatie waar ik te vinden was.

Slechts een paar minuten nadat Lydia en Isaac thuis waren gekomen en dit alles hadden ontdekt, belde Bobby om te vertellen dat ze in gevaar waren en onmiddellijk moesten vertrekken. Ze had gedaan wat hij gezegd had en was snel naar de boerderij van haar zus gereden. Gisteren had ze haar broer Caleb gestuurd om het slot van de deur te repareren en haar blik met belangrijke papieren op te halen, maar zelf was ze pas vanmiddag toen ze mij ontmoette naar het appartement teruggekeerd. Ze had geen contact gezocht met de politie over de inbraak, noch Bobby als vermist opgegeven. Toen ik vroeg waarom niet, raakte ze in de war en zei dat het pas in haar was opgekomen nu ik me met de zaak bezighield.

'Zelfs niet toen je hoorde van Dougs dood?' vroeg ik. 'Stel dat degene die hier heeft ingebroken dezelfde was als die Doug heeft gedood? De politie moet gewaarschuwd worden.'

Toen ik dat zei, legde Lydia haar hoofd in haar handen.

'Ik denk niet zoals jij, Anna,' huilde ze. 'Zo veel kwaad om ons heen, zo veel verwarrende dingen. Ik neem gewoon aan dat Bobby me alles zal uitleggen als hij eindelijk thuiskomt. Ik dacht dat dit nu wel voorbij zou zijn.'

Ze was zo van streek en berouwvol dat ik niet verder aandrong. Ik opperde dat ze op weg naar huis bij het politiebureau in

Dreiheit langs zou gaan om Bobby als vermist op te geven. Tegen beter weten in, omdat ik wist dat het zo hoorde, gaf ik haar ook de raad de band met berichten mee te nemen.

'Als je klaar bent om naar de boerderij te komen,' zei Lydia toen we weggingen, 'bel me dan op de mobiele telefoon die je me hebt gegeven, dan zal ik je laten weten of de verslaggevers weg zijn.'

'Weet je zeker dat het niet te veel gevraagd is van je zus en de rest van de familie?'

'Natuurlijk niet, Anna. Mijn familie is jouw familie.'

Toen de lijfwacht had gecontroleerd of er buiten geen journalisten of boeven op de loer lagen, liepen we naar de parkeerplaats en toen we afscheid namen, schonk ik Lydia mijn meest bemoedigende glimlach.

'Houd vol,' zei ik. 'We zitten op het moment misschien met een hoop vragen, maar ik beloof je dat ik me erin vastbijt tot ik hem gevonden heb.'

Lydia kreeg tranen in haar ogen.

'Ik ben gewoon zo ontzettend bezorgd,' fluisterde ze. 'Dank je, Anna. Dank je wel dat je er bent.'

Ik gaf geen antwoord maar knikte alleen, want ik wist dat ik ook ging huilen zodra ik iets probeerde te zeggen.

18

~ Stéphanie ~

7 juni 1812

Ondanks de wind, die vlagen van warmer weer uit het zuiden aanvoert, heb ik de gewoonte aangenomen elke middag rond te wandelen over het terrein van het paleis. De dokter zegt dat deze inspanning kan bijdragen tot een gezondere zwangerschap, een gemakkelijkere geboorte en een flinker kind. Omdat dit een zeer onconventionele denktrant is, ben ik deze onderneming met enige angst en beven begonnen, maar de laatste tijd ben ik er enorm naar uit gaan zien. Nu maken mijn bedienden me elke dag, nadat ik me van mijn ochtendlijke plichten heb gekweten, het middagmaal heb genuttigd en een dutje heb gedaan, klaar voor een wandeling in de buitenlucht, ofschoon ze hun twijfels hebben en deze inspanning enigszins meewarig aanzien.

---

20 juni 1812

Het advies van de dokter is juist gebleken, want ik voel me veel gezonder dan toen ik van prinses Amelie in de zevende maand was. Die keer ben ik voornamelijk in bed gebleven, volgens de normale conventies, en ik heb me tot het eind toe ziek gevoeld. Dit keer echter merk ik dat ik elke dag sterker word, ondanks de uitpuilende buik die uit de plooien van mijn japonnen vooruitsteekt.

Mijn vertrouwen in de raad van de dokter is gestegen door de veelvuldige keren dat ik de vrouw van een van onze pachtboeren zag, een knappe jonge vrouw die ook een kind schijnt te verwachten en misschien in dezelfde maand als ik. Ik heb haar talrijke keren gezien op mijn wandelingen en altijd is ze aan het werk, hoewel ook haar buik tussen de plooien van haar veel eenvoudiger jurk uitsteekt. Ze hangt de was op, ze voert de kippen, ze draagt zelfs gereedschappen voor haar boerenman en dat alles met een peuter die vaak op haar heup troont! Met de bewijzen van haar kennelijk krachtige gezondheid en mijn eigen goede gemoedsgesteldheid, geloof ik nu van harte dat frisse lucht en hard werken gezond kunnen zijn voor een vrouw die een kind verwacht.

---

3 juli 1812

Tegen alle fatsoen en conventie in heb ik deze jonge boerenvrouw aangesproken, die ik nu dagelijks zie op mijn middagwandelingen over het terrein. Haar naam is Priscilla en ze is een Amish vrouw van vierentwintig, die met haar familie tien jaar geleden uit de Palts hierheen is verhuisd. Van dichtbij is haar gezicht blank en mooi, maar haar handen zijn eeltig door het harde werken en lijken op die van een veel oudere vrouw. Zoals ik vermoedde, zal haar kind rond dezelfde tijd geboren worden als mijn kind en ze bevestigt dat ook zij een zekere verwantschap met mij heeft gevoeld toen ze mij met mijn uitpuilende middel over het terrein zag wandelen. Hoewel ik weet dat het afgekeurd wordt door het paleis en zelfs door mijn eigen bedienden, ben ik van plan deze buitengewoon aardige jonge vrouw nogmaals te bezoeken.

19

~ Anna ~

Mijn volgende halte was het laboratorium waar Bobby werkte. Die hele schorsing was erg verontrustend, vooral omdat hij zo goed zijn best had gedaan om het voor zijn vrouw te verbergen. Mijn broer was zo goed in zijn werk en zo'n intelligente en aardige vent dat ik me niet kon voorstellen wat hij had gedaan om zo veel problemen te krijgen op zijn werkplek. Niettemin was ik vastbesloten erachter te komen, zelfs als die informatie vertrouwelijk was.

Het was lang geleden dat ik de parkeerplaats van Wynn Industries Research Extension opdraaide, of zoals het plaatselijk bekend stond: het WIRE. Het hoofdgebouw in Hidden Springs was gigantisch groot, maar hun filiaal hier in Dreiheit was helemaal niet zo indrukwekkend. Het gebouw waarin het was gehuisvest, was zo vierkant en onopvallend dat het me aan de buitenkant altijd aan een supermarkt deed denken. Binnen was echter een ander verhaal. Ik had de kantoren maar een paar keer gezien, maar ze waren echt indrukwekkend, vol met allerlei soorten vreemde en fascinerende apparaten en mannen en vrouwen die in witte laboratoriumjassen gebogen stonden over microscopen of in de weer waren met testbuisjes en bekerglazen. Vele jaren geleden, voor de brand, had Bobby ervan gedroomd arts te worden en op zo'n plek te werken. Tot op de dag van vandaag zei hij dat de zomer dat hij hier stagiair was geweest, de mooiste periode van zijn arbeidsleven was geweest. Na de brand, toen hij zijn grootste droom had opgegeven, was hij er toch in geslaagd een goed leven voor zichzelf op te bouwen, een leven waarin hij toch nog op medisch gebied werkzaam was en Amish bloedmonsters verzamelde voor het genetisch onderzoek van het lab.

Het gebouw stond een paar straten van het centrum van Dreiheit en een eindje van de weg af. Het werd aan de ene kant geflankeerd door een verzekeringsmaatschappij en aan de andere kant door een garage. Ik reed de halflege parkeerplaats op en ging door de hoofdingang naar binnen. Aan de receptiebalie in de hal vroeg ik naar de chef, maar ik kreeg te horen dat hij al naar huis was. Toen vroeg ik naar doctor Updyke, maar ze lieten me weten dat hij al bijna wegging en geen tijd had om mij te ontvangen.

'Is er dan iemand met bevoegdheid die ik kan spreken?' vroeg ik. Mijn stem trok de aandacht van een andere vrouw die langs me heen liep. Ze aarzelde en draaide zich naar me om.

'Het spijt me. U zult morgen terug moeten komen,' zei de receptioniste.

Achter haar wierp de andere vrouw me een scherpe blik toe en wees met haar hoofd naar de deur.

'Goed, dan doe ik dat,' antwoordde ik en wandelde de deur uit.

Buiten ging ik in mijn auto zitten en hield het gebouw in de gaten tot die andere vrouw door een zijdeur naar buiten kwam, gekleed in een warme jas. Weer ving ze mijn blik en toen begon ze in de richting van de garage te lopen. Ik wachtte nog even voordat ik uit de auto stapte en achter haar aan liep.

'Het kwam door je haar,' zei ze toen ik haar had ingehaald. 'Ik herkende je eerst niet vanwege je haar. Hoe gaat het met je, Annalise?' Op mijn vragende blik voegde ze eraan toe: 'Je herinnert je mij waarschijnlijk niet, maar ik werkte aan de balie toen je broer hier nog maar stagiair was.'

'O, ja,' zei ik, de herinnering kwam vaag bij me terug.

'Ik neem aan dat je daarvoor bent gekomen? Om naar de schorsing van je broer te vragen? Het gerucht gaat dat Lydia het niet eens wist.'

'Wat kun je me erover vertellen?'

Het begon te sneeuwen toen we naar het eind van de straat wandelden. Ze legde uit dat Bobby's schorsing een schok was geweest voor iedereen. Daarvóór was hij een modelmedewerker die nooit de minste moeilijkheden had en buitengewoon populair was bij de artsen en het personeel. Ze zei dat hun niet was verteld wat er gebeurd was of waarom hij geschorst was, alleen dat doctor Updyke zelf de knoop had doorgehakt en het scheen te gaan over een kwestie tussen hen.

'Werkt Bobby nauw samen met de doctor?' vroeg ik. Ik wist dat hij de man graag mocht en zijn werk respecteerde, maar ik had de indruk dat Bobby in de eerste plaats met patiënten werkte.

'Niet echt. Bobby handelt alle bloedafnames af, zowel van interne patiënten als van poliklinische patiënten, dus meestal zit hij voor zijn werk in het kleine lab aan de voorkant of is hij onderweg. Maar hij is bevriend met de doctor, zou ik zeggen. Bobby houdt ervan zijn verstand te gebruiken, om over geneeskunde en onderzoek en dat soort dingen te praten. Ik heb geen idee wat er gebeurd is, maar ik heb begrepen dat hij maandag weer op het werk wordt verwacht. Maar dat zal nu wel niet gebeuren, nu hij vermist is.'

'Wat zijn de roddels over zijn schorsing?'

'De mensen zeggen van alles, van een veiligheidsovertreding tot een probleem met papierwerk. Het enige wat ikzelf kan bedenken waardoor hij zo ernstig in de problemen heeft kunnen komen, is een verwisseling van de bloedmonsters. Maar goed, iedereen slaat er maar een slag naar en doctor Updyke wil er niets over zeggen.'

We waren bij de hoek van de straat gekomen en mijn metgezellin draaide om en begon terug te lopen naar het kantoor. Ik wist dat ik niet veel tijd meer had om alle vragen te stellen die door mijn hoofd speelden. Voordat ik kon bedenken wat mijn volgende vraag was, sprak ze.

'Hoe gaat het met Lydia? Ze zeggen dat ze vandaag hierheen

heeft gebeld om hem te zoeken en dat ze er toen voor het eerst van hoorde.'

In plaats van haar antwoord te geven, reageerde ik met een tegenvraag.

'Zou het ongebruikelijk voor hem zijn om haar zoiets niet te vertellen?'

'Ik weet niet wat je bedoelt.'

'Heb je wel eens gemerkt of Bobby het type is dat soms geheimen heeft voor Lydia?' Ik dacht aan de geheimzinnige persoon die geld opgenomen had in Las Vegas, en wat ik eigenlijk wilde weten was of ze dacht dat hij een verhouding kon hebben gehad. Maar ik wilde haar niet op dat idee brengen, dus ik stelde mijn vraag verbloemd.

'Dat is toch zeker een grapje? Lieverd, die man is de volmaakte echtgenoot. Hij zal zich wel te erg hebben geschaamd om het haar te vertellen en hij zal niet gewild hebben dat ze zich zorgen maakte over het misgelopen salaris.'

'Dat klinkt logisch.'

Toen we de parkeerplaats naderden, aarzelde ze en wees naar een zwarte Cadillac die vanaf de achterkant van het gebouw aan kwam rijden. 'Dat is doctor Updyke. Ik moet gaan. Ik wil geen moeilijkheden krijgen.'

Voordat de auto halverwege de voorkant van het gebouw was, was ze naar de deur gedraafd en uit het zicht verdwenen.

Terwijl de auto langzaam dichterbij kwam, ging ik ervoor staan en wuifde met beide handen tot hij stilstond. In plaats van om te lopen naar de bestuurderskant, tikte ik op het raampje aan de passagierskant. Ik was vastbesloten om koste wat kost dit gesprek te voeren.

'Kan ik u helpen?' vroeg de man in de auto nadat hij het raampje had laten zakken.

Vlug stak ik mijn hand naar binnen, trok het slot omhoog en opende het portier. Voordat hij me kon tegenhouden, zat ik naast hem en stak mijn hand uit.

'Anna Jensen, meneer. Bobby's zus. Ik moet u onmiddellijk spreken.'

'Klaarblijkelijk.'

'Neem me niet kwalijk dat ik zo opdringerig ben, maar de situatie is wanhopig.'

'Tja, ik moet over precies tien minuten mijn zoon van zijn zwemles ophalen. Maar u mag gerust meerijden. Daarna kan ik u hier weer afzetten.'

'Prima,' zei ik terwijl ik mijn veiligheidsgordel vastgespte. Toen hij de parkeerplaats afreed en de weg opdraaide, vroeg hij of dit met Bobby's schorsing te maken had.

'Ja, meneer. Ik weet niet of u het hebt gehoord, maar twee dagen geleden is Bobby verdwenen. Ik ben naar hem op zoek en ik hoop dat u me iets meer kunt vertellen over wat er met hem aan de hand was hier op het werk. Dat zou me enig idee kunnen geven van waar hij zou kunnen zijn.'

Doctor Updyke haalde een hand over zijn golvende peper-en-zoutkleurige haar. Ik merkte dat hij zorgvuldig zijn antwoord formuleerde.

'Helaas is de aard van zijn schorsing vertrouwelijk, maar ik verzeker u dat het niets te maken heeft met zijn verdwijning.'

Hij reed de hoofdweg op in de richting van de middelbare school. Het begon harder te sneeuwen en onwillekeurig bewonderde ik de schoonheid van het landschap. Terwijl we langs huizen en boerderijen reden, verviel ik in de oude gewoonte om te kijken of er elektrische leidingen en gordijnen waren, de twee duidelijke tekenen om te zien of er een Amish gezin woonde of niet. Als een huis geen van beide had, en vooral als er donkergroene zonneschermen of rolgordijnen voor het raam hingen, dan was de kans groot dat het een Amish huis was.

'Doctor Updyke, mag ik openhartig zijn?'

'U hebt mijn auto al gekaapt. Openhartigheid lijkt me een gegeven.'

'Ik weet dat er op het WIRE veel topgeheim onderzoek wordt

gedaan op hoog niveau. Bestaat de kans dat Bobby ontvoerd is vanwege iets waar hij op het werk bij was betrokken? Werkte hij soms toevallig aan een project dat hem in die zin in gevaar had kunnen brengen?' Ik zat hardop te denken, maar in aanmerking genomen wat er op het spel stond in de voorhoede van de medische wetenschap, leek het me een richting die het uitzoeken waard was.

'Ik denk dat u te veel films hebt gezien, mevrouw Jensen. Het is waar dat we een ultramodern laboratorium hebben en we zijn betrokken bij enkele zeer spannende onderzoeksprojecten, maar geloof me, niemand van ons raakt erdoor in gevaar.'

'Er valt veel geld te verdienen op het gebied van DNA.'

'In de toekomst wel,' antwoordde hij. 'Voorlopig is het in de eerste plaats vooral een grote puzzel die we met z'n allen proberen op te lossen.'

Ik vroeg naar de algemene aard van hun werk en hoewel hij geen details noemde, legde doctor Updyke tamelijk diepgaand uit wat de doelstellingen waren van het lab en de mogelijkheden die in de toekomst bestonden voor zowel Wynn Industries als op het DNA-onderzoek in het algemeen. Tegen de tijd dat we bij de school waren, snapte ik waarom Bobby deze man zo boeiend vond. Toen ik een tiener was, beschouwde ik hem als een droge wetenschapper. Als volwassene was ik nu, hoewel ik niet alles begreep wat hij zei, onder de indruk van de helderheid van zijn doelstellingen en het enthousiasme waarmee hij de succesvolle resultaten beschreef.

Toen we naast de vlaggenmast tot stilstand kwamen, maakte een jongen zich los uit een groep tieners en rende naar de auto. Zijn adem maakte wolkjes in de koude lucht. Hij opende het achterportier, gooide zijn rugzak naar binnen en liet zich zwaar op de bank neerploffen, waarna hij het portier dichtsloeg.

'Hoi, pap. Ik had een één tien op de honderd meter borstslag!'

Doctor Updyke verraste me door zijn arm over de rug van de zitting te zwaaien. Ik dacht dat hij zijn zoon een klap ging geven, maar hun handen raakten elkaar in een high-five.

'Dat is geweldig, jongen. Als je dat zaterdag kunt herhalen, ben je goed in vorm.'

'Dat zei de coach ook.'

Met een knik naar mij en zonder een spoor van nieuwsgierigheid naar wie ik was of waarom ik in de auto zat, haalde de jongen een paar oortjes uit zijn zak, deed ze in en zette een iPod aan. Ik keek glimlachend naar zijn vader, die me een knipoog gaf en straalde van ouderlijke trots.

'Sorry. Ik geloof dat we onze topzwemmer even wat manieren moeten bijbrengen.'

'Dat geeft niet. Ik ben ook van zijn leeftijd geweest.'

'O, dat weet ik nog,' zei de doctor terwijl we de weg weer opdraaiden vanwaar we gekomen waren. 'Ik denk dat je een jaar of zeventien was toen we elkaar leerden kennen. Op het lab noemden we jou en Haley Wynn de Giechelende Tweeling.'

Doordat hij Haley noemde, moest ik aan Doug denken.

'Doctor Updyke, denkt u dat er verband kan zijn tussen Bobby's verdwijning en de dood van Doug Brown?'

'Ik zou het niet weten. Gezien hun connectie zal het wel mogelijk zijn.'

'Welke connectie… dat ze voor verschillende takken van hetzelfde bedrijf werken? Of allebei bij de Vijf van Dreiheit hoorden?'

Hij haalde zijn schouders op.

'Ik bedoelde gewoon hun vriendschapsband. Wie weet wat hun beiden overkomen kan zijn?'

'Ik zou het kunnen uitzoeken als u me wilt vertellen waarom Bobby geschorst was.'

'Onmogelijk,' zei hij resoluut.

We reden een poosje onbehaaglijk zwijgend verder tot hij van de hoofdweg afsloeg en langzaam door de straat naar het lab reed. De sneeuw bleef nu liggen en deze weinig bereden weg was al met een grijswitte laag bedekt.

'Kunt u dan op z'n minst de aard van Bobby's overtreding beschrijven?'

'Nee, het spijt me.'

'Hoor es, of u vertelt me de waarheid, of ik zal alle geruchten moeten natrekken die op kantoor rondgaan. U mag kiezen.'

Dokter Updyke zette zijn richtingaanwijzer aan en draaide de parkeerplaats op, waar op dat moment maar enkele auto's stonden. Nu de zon onder de horizon was gezakt, zag het hele tafereel er nogal griezelig uit.

We stopten vlak achter mijn huurauto, maar ik wachtte nog even met uitstappen, met één hand op de portierkruk. Ik keek de doctor verwachtingsvol aan en eindelijk sprak hij. Met een blik op zijn zoon dempte hij zijn stem.

'Goed. Ik betrapte je broer toen hij probeerde toegang te krijgen tot vertrouwelijke informatie. We hebben heel duidelijke regels en een beleid dat tot op de letter moet worden gevolgd. Hij overtrad de regel en dus had ik geen keus, ik moest het beleid uitvoeren. Meer kan ik je niet vertellen.'

'Enig idee waarom hij dat deed?'

De doctor aarzelde en keek weer naar zijn zoon, wie ons hele gesprek ontging. Ik dacht dat doctor Updyke mijn vraag zou beantwoorden, maar hij schudde simpelweg zijn hoofd.

'Ik heb geen idee,' zei hij terwijl hij me recht aankeek en voor het eerst tijdens de hele autorit had ik de uitgesproken indruk dat hij loog.

Ik wist ook zonder twijfel dat ons gesprek voorlopig afgelopen was. Ik bedankte hem hartelijk en schreef nog gauw even mijn naam en mobiele telefoonnummer op een stukje papier.

'Als u nog iets te binnen schiet,' zei ik terwijl ik het hem gaf, 'of als u andere gedachten krijgt over dit onderwerp, aarzelt u dan alstublieft niet om te bellen.'

Daarop stapte ik vlug over van zijn warme luxe voertuig in mijn koude huurautootje. Ik keek zijn achterlichten na toen hij wegreed en onwillekeurig dacht ik dat het papiertje met mijn telefoonnummer waarschijnlijk rechtstreeks de vuilnisbak in ging. Hij was niet van plan weer met me te praten.

Zorgvuldig sloot ik de portieren af, startte de motor en bleef even zitten om te besluiten waar ik nu heen zou gaan. Ik zette de koplampen aan, die de sneeuw verlichtten die viel tussen mij en de lelijke bleke bakstenen van het gebouw voor me. Als je ernaar keek, had je geen idee dat er binnen zulk hoogstaand onderzoekswerk werd gedaan. Ondanks wat de brave doctor had gezegd, twijfelde ik er niet aan dat ontvoering of zelfs moord mogelijk was in een hoogtechnologische bedrijfstak als DNA-onderzoek. Ik wou maar dat ik meer afwist van het gebied in het algemeen. Voor de eerste keer in mijn leven voelde ik me schuldig dat ik me altijd voor de stem van mijn broer had afgesloten als hij maar doorleuterde over zijn werk.

Het leek me nuttig om met iemand te gaan praten die goed geïnformeerd was over DNA-onderzoek, alleen om te verifiëren wat doctor Updyke me had verteld en om de mening van iemand anders te vragen over de mogelijkheid dat Bobby's verdwijning iets met zijn werk te maken had.

Even overwoog ik Reed Thornton in Washington te bellen. Omdat hij medisch ethicus was en werkzaam op het gebied van DNA, zou hij me alles kunnen vertellen wat ik wilde weten. Ik zette de auto in de versnelling, reed mijn parkeervak uit en zette koers in de richting van de hoofdweg. Hoe graag ik zijn stem ook weer wilde horen, ik wist dat ik hem niet moest bellen. Ik had te veel jaren nodig gehad om hem te leren vergeten. Als ik nu met hem ging praten, was ik net een alcoholist die na vele jaren droogstaan ineens weer een borrel achteroverslaat.

20

Het begon steeds harder te sneeuwen en hoewel ik had gehoopt vandaag meer voor elkaar te krijgen, wilde ik niet in het donker over gladde wegen rijden, vooral ook omdat ik het totaal niet meer gewend was. Terwijl ik het stuur met beide handen vastklemde, besefte ik dat ik al zeven jaar lang geen sneeuw had gezien. Ondanks de reden dat ik hier was en alles wat ik had doorstaan om hier te komen, stond ik mezelf een paar rustige minuten toe om de schoonheid van het sneeuwlandschap in me op te nemen. Lancaster County in de winter was net een ansichtkaart. Misschien kwam het door de omvang van de Amish boerderijen; klein uit noodzaak omdat hun godsdienst beperkingen oplegde aan de soorten landbouwwerktuigen die ze mochten gebruiken. Wat het ook was dat het zo schilderachtig maakte, de aanblik van de glooiende heuvels en uitgebouwde huizen was met sneeuw erbij nog mooier.

Het was in elk geval niet erg druk op de weg en dat was maar goed ook, want ik reed ver onder de maximumsnelheid. De koplampen van de auto die vlak achter me reed waren te fel en zo te zien aan de blauwige tint waarschijnlijk van halogeen. Ik kantelde mijn achteruitkijkspiegel een beetje om niet verblind te worden en reed door, met mijn handen stevig om het stuur geklemd.

Toen ik nog een kleine kilometer van de boerderij was, stopte ik op een drukke parkeerplaats van een ijzerhandel, waar ze goede zaken deden met sneeuwschoppen en strooizout. In de afzondering van mijn auto moest ik vlug een paar telefoontjes plegen, maar ik wilde niet bellen onder het rijden.

Gezeten op de parkeerplaats, terwijl dik ingepakte mensen de winkel in en uit snelden, haalde ik diep adem en koos het nummer van Kiki's mobiele telefoon. Als alles volgens plan verlopen was, zou ze nu uit het ziekenhuis zijn en veilig weggestopt bij haar moeder thuis.

Toen Kiki opnam, voelde ik een golf van emotie, een mengeling van schuldgevoel en verdriet en opluchting. Op haar beurt klonk haar stem vreemd gespannen, maar ik wist niet of dat kwam door alles wat ze had doorstaan of doordat ze boos op me was.

Tijdens het gesprek werd duidelijk dat het het laatste was. Ik vroeg haar de aanval vanuit haar perspectief te beschrijven en dat deed ze, maar toen ik mijn verhaal wilde vertellen, snoerde ze me de mond en zei dat rechercheur Hernandez haar alles al had verteld. Van de Beauharnais-robijnen had ze ook nog nooit gehoord.

'Hij heeft me eigenlijk een hele hoop verteld,' zei ze en terwijl ik wachtte tot ze verder sprak, was de spanning die door de telefoonlijn heen kwam te snijden.

'Ga door, Kiki. Wat wil je zeggen?'

Ze liet me wachten terwijl ze haar moeder de kamer uit stuurde. Weer aan de lijn kon ik de pijn in haar stem horen.

'Hoor es, Anna, ik weet dat ik veel van je verleden niet weet en dat heb ik altijd prima gevonden. Ik dacht dat je een ex-man met losse handjes had of dat je getuigd had in een grote rechtszaak of zoiets. Ik dacht altijd dat je me eens voldoende zou vertrouwen om me je grote geheim te vertellen. Maar nu ik weet dat je een ex-gevangene bent... ik weet het niet. Ik weet niet wat ik moet denken.'

Ik deed mijn ogen dicht, kneep in mijn neusbrug en probeerde het juiste antwoord te formuleren.

'Ten eerste is het waar dat ik schuldig ben gevonden aan een misdrijf. Maar ik was destijds pas zeventien jaar. Huisarrest gevolgd door een proeftijd maakt me nog geen ex-gevangene.'

Ze klonk niet overtuigd en ik was woest op rechercheur Hernandez omdat hij haar zijn vooroordeel had doorgegeven. Hoe dieper ik nadacht over haar reactie, hoe bozer ik werd. Kiki kende me. Ze wist wat ze aan me had. Was ze werkelijk bereid dat alles opzij te zetten op grond van de kwaadaardige verdachtmakingen van één persoon? 'Weet je wat?' zei ik ten slotte. 'Ik wil hier niet meer over praten. Als je het hele verhaal wilt weten, stel ik voor dat je een paar nummers van *Time* of *Newsweek* op de kop tikt van augustus tot en met december 1997. Geloof me, in die hele periode stond er minstens één keer per maand iets over ons in.'

'Dat meen je niet.'

'Jazeker wel. Zie maar dat je aan de nummers van die tijdschriften komt en lees wat de pers erover te zeggen had. En als je dan de waarheid wilt horen, kun je me bellen!' Ik wist dat mijn stem hardvochtig klonk en ik matigde mijn toon enigszins. 'Ik houd van je, Kiki, en je bent een van de beste vriendinnen die ik ooit heb gehad. Maar als je onze vriendschap wilt weggooien op basis van de versie van één man over gebeurtenissen die elf jaar geleden hebben plaatsgevonden, dan ben je niet de vriendin die ik dacht dat je was. Bel me maar als je mijn kant van het verhaal wilt horen.'

Met bevende handen beëindigde ik het gesprek.

Terwijl ik daar op de parkeerplaats zat en probeerde kalm te worden, moest ik almaar denken aan hoe iemands hele wereld in een paar minuten kan veranderen. Na Bobby's verdwijning en dit ene incident met de indringer begon mijn hele leven in te storten. Of Kiki en ik de kloof tussen ons konden overbruggen en huisgenoten konden blijven, stond nog te bezien.

Ik had zin om rechercheur Hernandez te bellen om te vragen hoe het ervoor stond met zijn onderzoek, maar ik vertrouwde mezelf op dit moment niet. Ik zou dingen kunnen zeggen waar ik spijt van kreeg. Ik belde Lydia op de telefoon die ik voor haar had gekocht en vertelde haar dat ik spoedig op de boerderij zou zijn, tenzij die nog omringd was door verslaggevers.

'Nee, ze zijn allemaal weg. Ik denk dat de sneeuw hen heeft afgeschrikt.'

'Mooi. Ik heb meer te doen, maar het zal tot morgen moeten wachten.'

Ze zei dat de lijfwacht voor de nacht was vertrokken toen de mannen waren thuisgekomen van het melken. De vrouwen stonden op het punt de avondmaaltijd op tafel te zetten, dus ik was precies op tijd. We beëindigden het gesprek en ik reed de parkeerplaats af, vlak achter een Amish paard en rijtuig.

Het was al glad op de weg en ik nam niet eens de moeite het te passeren; ik was blij dat ik een excuus had om langzaam te rijden. Achter ons vormde zich een rij auto's, maar algauw werd ik opnieuw gestoord door felle koplampen in mijn achteruitkijkspiegel. Toen ik de spiegel wilde kantelen, besefte ik dat het dezelfde lampen leken waar ik daarstraks last van had gehad: te fel en met een blauwige tint.

Werd ik gevolgd?

Het kon toeval zijn, maar ik dacht niet dat er veel auto's op de weg waren met halogeenverlichting. Als het niet gesneeuwd had of als ik meer zelfvertrouwen had gehad op de weg, had ik een paar manoeuvres kunnen maken om te kijken of de auto bij me bleef. Nu had ik niet veel meer keus dan door te rijden naar mijn bestemming. Daar was ik tenminste omringd door mensen en waarschijnlijk veilig.

De auto achter me sloeg een zijweg in toen ik een straat van de boerderij verwijderd was, wat ik geruststellend vond. Bij de boerderij sloeg ik de lange, bestrate oprijlaan in en reed naar het huis dat zo'n cruciale rol in mijn verleden had gespeeld.

In het donker was moeilijk te zien of er veel veranderd was, maar daar zag het niet naar uit. Afgezien van het feit dat het *Dawdi Haus* weg was, was het nog steeds een verzameling van keurige, witte gebouwtjes, waarvan sommige op de hoeken met elkaar verbonden waren. Het was donker op het erf, maar in het licht van mijn koplampen ving ik voordat ik de motor afzette een glimp op van een grote houten schommel, een lange waslijn en een vierkante lap grond waar in de zomer een groentetuin moest zijn.

De voordeur ging open toen ik uit de auto stapte en er kwam een Amish man naar buiten, gevolgd door Lydia, die een zaklantaarn in haar hand had.

'Anna, we zijn zo blij dat je er bent,' zei ze terwijl ze naar me toe schommelde om me weer te omhelzen.

Toen ze dichterbij kwamen, drong het tot me door dat de 'Amish man' een jaar of negentien was, en dat hij Caleb moest zijn, Lydia's jongere broer. Hij was echt groot geworden. Hij was een kop groter dan ik en de zwarte vilthoed die hij ophad, deed hem nog langer lijken. Hij was fris geschoren, een teken dat hij nog niet getrouwd was. Als Amish mannen trouwden, wist ik, lieten ze hun baard groeien, maar hun bovenlip bleven ze scheren, want snorren waren verboden.

'Welkom, Anna,' zei hij met diepe stem en stak zijn hand naar me uit.

'Caleb, ben jij dat? Niet te geloven. De laatste keer dat ik je zag, kwam je amper tot mijn schouder.'

Hij was een heel knappe jongeman, met een fonkeling in zijn ogen en een verweerde gelaatskleur die getuigde van elke dag urenlang boerenwerk, ook in de winter.

'Jah. Het is een hele tijd geleden.'

Ik opende de kofferbak van mijn huurauto en hij haalde mijn koffer eruit, zo makkelijk alsof hij helemaal niets woog. Met z'n drieën sjokten we naar binnen, waar ik werd begroet met meer omhelzingen en handdrukken en glimlachende gezichten.

Buiten had mijn neus die oude, vertrouwde geur van mest opgesnoven, maar binnen rook het verrukkelijk, een mengeling van gebraden vlees, vers brood en appel met kaneel. Een voor een werd ik door de hele familie begroet: Lydia's zwager Nathaniel, die nog steeds een rond brilletje droeg en een woeste baard had; haar oudste zus Grete, die nu als moeder optrad voor de oudere kinderen; Rebecca, die een knappe jonge vrouw was geworden; Ezra, die een jaar of vijftien leek en Tresa, de dochter van Nathaniel en Grete, een leuk kind met de traditionele witte *Kapp* en blauwe jurk. De laatste was Isaac, mijn neefje. Hij fluisterde iets tegen zijn moeder en ze knikte. 'Ja, dit is je tante. Maar niet fluisteren in gezelschap. Dat is niet netjes.'

Beleefd kwam Isaac naar voren en stak zijn hand uit. Ik voelde een golf van emotie die zo sterk was dat ik er bijna van moest huilen. Dit was nota bene mijn neefje, de zoon van mijn broer, en ik had hem niet meer gezien sinds hij een baby was. Nu was hij acht jaar oud. Ineens leken de jaren die sindsdien waren verstreken – de jaren waarin ik zo goed mijn best had gedaan om een nieuw en afgezonderd leven op te bouwen – verkeerd, dwaasheid bijna, alsof ik uit het oog verloren had wat echt belangrijk was in het leven. Slikkend gaf ik hem een hand, maar toen vroeg ik of ik hem ook een knuffel mocht geven. Hij knikte blozend en ik sloot hem even in mijn armen. Ik had hem graag langer vast willen houden, maar ik wilde hem niet in verlegenheid brengen.

'Je hebt het gezicht van je moeder en de glimlach van je vader,' zei ik toen ik hem losliet. Als je een jongen 'mooi' kon noemen, dan was hij dat, met fijne trekken en schitterende lange wimpers. Hij was ook lang voor zijn leeftijd, met Bobby's scheve grijns en een kuiltje in zijn wang. Zonder twijfel zouden de meisjes over een jaar of vijf, zes om hem heen draaien als vliegen om een strooptaart.

Ik was blij dat het in de keuken gezellig en warm was, en niet te vergeten goed verlicht dankzij een grote lamp die boven de brede tafel hing. Tegen de muur stond een houtfornuis dat de hele ruimte verwarmde, daarnaast was een zitgedeelte dat verlicht werd door een vloerlamp die verbonden was met een propaantank onder zijn ronde, houten voet.

Na de enthousiaste ontvangst keerde iedereen terug naar wat ze hadden gedaan toen ik arriveerde. De vrouwen waren bezig

148

met het eten en toen ik mijn jas had opgehangen aan de haak bij de deur bood ik mijn hulp aan. Grete zei dat het eten onder controle was, maar dat Isaac wel wat hulp kon gebruiken bij het opruimen van een berg houten blokken waar hij op de grond naast het houtfornuis mee had zitten spelen. Met genoegen liet ik me naast hem op de grond ploffen. Terwijl we bezig waren, begon zijn verlegenheid te verdwijnen en hoe spraakzamer hij werd, hoe meer hij me aan Bobby deed denken. Afgezien van een paar rare uitdrukkingen die naar ik aannam hun wortels vonden in het Pennsylvania Dutch, had hij totaal niet het zangerige accent van zijn moeder, maar klonk hij als een gemiddeld Amerikaans kind.

Toen de avondmaaltijd werd opgediend, waren alle blokken opgeruimd en was mijn neefje volledig op zijn gemak bij mij. Aan tafel wilde Isaac beslist dat ik naast hem zat en dat deed me goed. Misschien bespeurde hij op die speciale manier van kinderen dat ik er behoefte aan had om een band met hem te smeden, ondanks de jaren die we al verloren hadden.

Ik stond versteld van de hoeveelheid voedsel die in schalen op tafel werd gezet: varkenskarbonaden in zuurkool, zelfgebakken brood, noedels in boter en een verscheidenheid aan groenten die de familie waarschijnlijk zelf had gekweekt en ingemaakt. Na een stil gebed vielen we allemaal aan en zelfs de vrouwen schepten gulle porties boter op voor hun brood. Ik was vergeten hoe stevig de Amish aten, vooral de mannen, die de hele dag buiten aan het werk waren geweest en een flinke eetlust hadden opgebouwd. Niemand van de familie had overgewicht, maar ik had mijn twijfels over hun cholesterolgehalte.

De maaltijd verliep zo plezierig dat ik mezelf halverwege toestond gewoon maar stil te zitten en alles in me op te nemen. Hoe kon ik vergeten zijn hoe het was om in een Amish keuken te zitten en te luisteren naar de vriendelijke scherts, de beleefdheid van de kinderen, de charmante plagerijen tussen man en vrouw?

Ik moest almaar denken aan de dag na de brand, toen ik verteerd werd door angst en schuld en woede en verdriet om alles wat er de avond tevoren was gebeurd, om niet te spreken van de onzekerheid over de afloop in juridische zin. Mijn gebeden tijdens en kort na de brand – of God Lydia's ouders wilde sparen en Reed wilde bewaren terwijl hij hen zocht in het brandende huis – waren vurig en oprecht, maar de volgende dag had ik vastgesteld dat God wellicht niet barmhartig genoeg was om die gebeden te verhoren. En met Reed die in het ziekenhuis lag te lijden aan zijn derdegraads verbrandingen en Lydia's ouders die allebei omgekomen waren, samen met hun pasgeboren baby, begon ik zelfs helemaal aan het bestaan van God te twijfelen.

Ik herinnerde me levendig de volgende dag, toen Bobby en ik eindelijk vrijgelaten werden. Terwijl we geflankeerd door onze ouders en hun advocaat het politiebureau uit wandelden, moesten we spitsroeden lopen door een peloton fotografen en verslaggevers die vragen riepen en foto's maakten. Op het parkeerterrein hadden we een persoonlijke ontmoeting met een groepje Amish mannen die naast de auto van mijn ouders hadden staan wachten. Ik dacht dat ze gekomen waren om ons te veroordelen en beschuldigingen toe te roepen, maar toen we bij hen kwamen, vroegen ze tot mijn grote ontzetting of de pers ons even alleen wilde laten. Ze wachtten zwijgend tot de media zich een voor een terugtrokken; een van de weinige keren in de hele beproeving dat de pers zich waardig had gedragen.

'We zijn gekomen om jullie te laten weten dat we jullie vergeven,' zei een van de Amish mannen ten slotte. Hij keek van Bobby naar mij. 'De dood van de familie Schumann is een verschrikkelijke tragedie, maar we koesteren geen haat. Namens de familie van de slachtoffers en de hele gemeenschap bieden wij jullie onze vergeving aan.'

'Laat het ons alsjeblieft weten als jullie iets nodig hebben of zo,' voegde een ander eraan toe.

We waren ontroerd en verrast, maar het was pas de eerste van vele keren dat we in de maanden daarna zoiets zouden meemaken. Toen ik eindelijk het lef had om een oudere Amish vriendin te vragen hoe ze ons zo volledig en onmiddellijk hadden kunnen vergeven, haalde ze een tekst aan uit Matteüs, waarin staat dat onze hemelse Vader ons zal vergeven als wij anderen hun misstappen vergeven. Ik wist dat het niet zo eenvoudig was, maar het was in elk geval een begin.

Ook al zag het grote publiek de Vijf van Dreiheit als een stelletje amorele monsters, de Amish gemeenschap sloot ons telkens weer in de armen. Ze zaten bij al onze processen in de rechtszaal en vroegen de rechters zelfs om een milde straf. Ik had niet begrepen waar ze die edelmoedigheid van geest vandaan haalden, maar ik dacht steeds dat Christus Zelf die dingen ook had gedaan als Hij erbij was geweest. Toen ik Gods liefde op die manier in werking zag, werd de muur afgebroken die de brand in mijn hart had opgericht en werd ik uiteindelijk teruggeleid naar Hem, terug naar mijn geloof. Ik wijdde mijn leven in stilte opnieuw aan Hem en sindsdien was mijn vernieuwde geloof gestaag gegroeid.

Volgens Lydia had voor veel Amish hun manier van leven meer te maken met het bewaren van hun cultuur en erfgoed dan met echt geloof. Ik was daar niet zo zeker van. Bij de Amish die ons zo oprecht hadden aanvaard, zag ik in hun handelingen niets minder dan het levende bewijs dat de Heilige Geest leefde in hun harten. Ik mocht dan niet begrijpen dat ze bereid waren om zo te leven als ze deden, maar ik respecteerde het en ik wist dat ze steeds weer wandelende, pratende voorbeelden waren van de liefde van Christus. Jaren later, na de schietpartij op de Amish school, zou het hele land geschokt zijn dat de Amish de moordenaar en zijn nabestaanden meteen en volkomen vergeving schonken. Mij had het echter totaal niet verbaasd. Ik wist dat ze daartoe in staat waren, omdat ik het zelf had meegemaakt. Nu zat ik hier in de keuken van het huis dat deels door mijn schuld was afgebrand en ik deelde de maaltijd met de kinderen van het echtpaar dat mede door mij was omgekomen. Als dat geen waar voorbeeld was van de Amish genade, dan wist ik het niet meer.

'Prop je niet zo vol, Ezra,' vermaande Grete haar jongere broer toen hij voor de derde keer noedels opschepte. 'Er is ook nog cake.'

'Mogen we ook sneeuwijs maken, *jah*?' vroeg Ezra.

'Alstublieft?' vroeg Isaac. 'Ik heb de... v-vierkanten... buiten gelegd, zoals u had gezegd.'

'De vierkanten?' vroeg Lydia, met een plotseling bezorgde blik op haar zoon. 'Bedoel je de bakplaten?'

'Ja. Ik heb ze buiten gelegd, dan kunnen ze vollopen met... w-witte kou.'

Lydia en Grete wisselden een blik die ik niet begreep. Iedereen aan tafel zweeg vreemd onbehaaglijk; behalve Isaac, die zijn hand uitstak om nog een stuk brood te pakken. Daarbij gooide hij zijn glas melk om.

'*Schushlich!*' zei Nathaniel, terwijl hij vlug opstond om een handdoek te pakken.

Grete en hij wisselden een paar zinnen in Pennsylvania Dutch, wat ik niet verstond. Maar uit hun toon en lichaamstaal maakte ik op dat zij probeerde hem te kalmeren en zei dat hij niet zo'n drukte moest maken om gemorste melk. Lydia en zij ruimden het op en met een diepe zucht ging Nathaniel zitten om verder te eten. Ik kende Nathaniel niet zo goed, maar zijn reactie verbaasde me. Ik dacht dat hij makkelijker was.

'Hoe maak je dan sneeuwijs?' vroeg ik om de ongemakkelijke stilte die volgde op te vullen.

'Je neemt schone sneeuw en voegt er melk en vanille en suiker bij,' legde Lydia met een gedwongen glimlach uit. 'Heb je dat nog nooit gedaan?'

'Misschien wel, als kind. Nu ik erover nadenk, zijn jullie degenen die het Bobby en mij hebben leren maken toen we nog klein waren.'

Zodra ik Bobby's naam noemde, viel iedereen aan tafel weer stil. Nu scheen zelfs Isaac de spanning op te merken.

'Tante Anna, weet u waar mijn papa is?' vroeg hij me ineens.

'Niet precies, maar ik heb een paar goede ideeën waar ik naar hem kan zoeken.'

'Maar het is maar goed dat papa hier vanavond niet is, hè, anders at hij al het sneeuwijs op, *jah*?' voegde Lydia eraan toe, met een glimlach naar Isaac en op een gedwongen luchtige toon. De rest van de maaltijd verliep zonder incidenten en algauw waren de oudere mannen dik ingepakt naar de schuren gegaan om voor bedtijd de koeien te verzorgen en waren de vrouwen bij de gootsteen bezig de afwas met de hand te doen. Weer lieten ze me niet helpen en in zekere zin was ik daar dankbaar voor. Hun bewegingen waren doelmatig, voortgekomen uit jarenlang avond aan avond hetzelfde programma afdraaien. Ik kon met een vaatwasser omgaan, maar het was lang geleden dat ik met de hand had afgewassen, dus ik was blij dat ik geen kans liep mezelf voor schut te zetten. Isaac en ik ruimden de tafel af en veegden hem schoon. Daarna gingen we naar het zitgedeelte waar hij me vroeg hem voor te lezen. Ik deed het met plezier, maar door de warme keuken, de zware maaltijd en mijn slaapgebrek van de afgelopen nacht kon ik na een paar prentenboeken mijn ogen haast niet meer open houden.

Toen de mannen terugkwamen met twee bakplaten vol sneeuw, werd verder voorlezen me bespaard. Tegen de tijd dat het ijs gemaakt was en verorberd, was ik absoluut aan mijn bed toe.

De rest gelukkig ook. Toen de klok negen sloeg, las Nathaniel hardop voor uit een Duits gebedenboek en toen deelde Grete zaklantaarns uit. Lydia bracht me naar boven naar de kamer waar ik zou slapen, waar het niet warmer kon zijn dan vijf graden. Caleb had mijn koffer al op een stoel in een hoek gezet en toen Lydia de petroleumlamp op het nachtkastje aan had gestoken, wees ze naar de stapel truien die ze voor me op het bed had gelegd, zei welterusten en excuseerde zich om zich in de kamer naast mij bij Isaac te voegen.

Bij het lamplicht en het licht van de zaklantaarn zocht ik tussen mijn kleren naar iets comfortabels om in te slapen. Daarbij viel het me in dat ik zonder stopcontact de batterijen van mijn telefoon en mijn laptop 's nachts niet kon opladen, zoals ik altijd deed. Ik zette ze allebei uit, in de hoop dat de stroom meeging tot ik de kans kreeg om elektriciteit te krijgen. Met een berg kleren ging ik naar de badkamer onderaan de trap om mijn tanden te poetsen en me te verkleden. Ik was dankbaar dat de Amish in deze gemeenschap tenminste inpandig sanitair mochten hebben, zolang ze maar water betrokken uit een bron of een vergaarbak en niet van de gemeentelijke watervoorziening. Eindelijk kwam ik weer boven en kroop in bed, blies de lamp uit en trok het zware dek op tot mijn kin. Hoewel ik mijn adem in wolkjes voor me zag, lukte het me bijna meteen om in slaap te vallen.

Ik verroerde me niet meer tot middernacht, toen ik wakker werd van een geluid. Geschrokken schoot ik overeind in bed en probeerde me in het duister te oriënteren.

21

Het geluid kwam van buiten, een klikkend geluid als van een slot of een grendel. Langzaam tilde ik het groene rolgordijn op dat het raam verduisterde en gluurde met ingehouden adem naar buiten.

Het sneeuwde niet meer en de wolken hadden plaatsgemaakt voor een kristalheldere nachtlucht. Te midden van fonkelende sterren bescheen de halve maan het winterlandschap, de grond was bedekt met een deken van maagdelijk witte sneeuw. Mijn oog viel op een beweging en daar zag ik iemand uit de schaduw van het huis stappen en wegrennen door het veld. Het was een man, jong en fit aan zijn bewegingen te zien, gekleed in een leren jas en spijkerbroek. Op zijn hoofd had hij een donkere gebreide muts met oorflappen die loshingen aan de zijkant, de koordjes waaiden achter hem aan onder het rennen.

Ik pakte de zaklantaarn van het nachtkastje en sloop naar de kamer naast de mijne waar Lydia sliep. Isaac en zij waren tenminste allebei in veiligheid en lagen heerlijk te slapen in het litsjumeaux. Ik schudde aan Lydia's schouder, oppassend niet in haar ogen te schijnen met de lantaarn. Toen ze helemaal wakker was en aanspreekbaar, legde ik uit wat ik had gezien.

'We moeten kijken of iedereen in orde is,' zei ik ademloos.

Haar reactie was merkwaardig, want ze leek eerder geërgerd dan bang. Ze ging rechtop zitten, zwaaide haar benen uit bed, trok haar slippers aan, pakte haar eigen zaklantaarn en knipte hem aan. Terwijl ze opstond en dapper voorop ging de kamer uit en de trap af, werd de reden van haar irritatie snel duidelijk. Ze liep rechtstreeks naar Calebs kamer, die leeg was, hoewel het er sterk naar aftershave rook. Onder het bed was een hoek van een hut-koffer zichtbaar en Lydia trok hem tevoorschijn en maakte hem open. Er zaten verscheidene opgevouwen spijkerbroeken in, een paar truien en een geschenkdoos met mannendeodorant en eau de toilette.

'Droeg de man die je zag soms toevallig een leren jack en een spijkerbroek?'

'Ja, en een gebreide muts met oorflappen.'

'*Jah*, dat was geen vreemde, dat was Caleb. Hij is hem vast en zeker gesmeerd om zijn *Englische* vrienden of zijn stadse vrien-dinnetje te zien.'

Ik richtte me op en blies langzaam mijn adem uit. Natuurlijk. Caleb zat in zijn *rumschpringe* en het was vrijdagavond. In gedach-ten zag ik de bewegingen weer voor me van de man die door de sneeuw rende, en het drong tot me door dat hij het inderdaad was geweest. Lydia duwde de koffer weer onder het bed en we gingen weer naar boven. Haar bewegingen waren boos en schielijk.

'Je mag niet al te boos op hem zijn,' fluisterde ik terwijl ik haar volgde. 'Jij deed het ook toen je die leeftijd had.'

Ze wachtte tot we in mijn slaapkamer waren met de deur dicht voordat ze antwoord gaf.

'Dit is iets anders!' siste ze. 'Ik heb hem nadrukkelijk gevraagd niet uit huis weg te glippen totdat Bobby terug was of we wisten wat er aan de hand was. Hij hoort ons te bewaken, en niet weg te lopen om bij andere mensen te zijn. Hij is zo onverantwoorde-lijk! Altijd ligt hij dwars, hij verzet zich tegen elke regel en ieder verzoek.'

Ze beende heen en weer onder het praten en ik merkte dat ze haar hart moest luchten. Ik ging op het bed zitten en trok een deken over mijn schoot om niet te bibberen.

'In elk geval is Nathaniel hier nog,' fluisterde ik met een ge-baar naar de muur. Grete en hij sliepen twee kamers verder, maar zelfs van die afstand konden we hem horen snurken. 'Niks aan de hand.'

'Daar gaat het niet om, Anna,' zei Lydia en ze hield eindelijk op met ijsberen om naast me op het bed te komen zitten. 'Het is met Caleb gewoon zo... ingewikkeld.'

Ik trok de deken op tot mijn kin, onze adem vormde wolkjes als we spraken.

'Als hij ruziemaakt, gebruikt hij mij als voorbeeld,' vervolgde Lydia hoofdschuddend. 'Omdat ik de Orde had verlaten, kon ik gezien worden als een zeer slechte invloed op mijn jongere familieleden. Hij weet niet in wat voor positie hij me plaatst als hij dingen zegt als "ik ga doen wat Lydia ook deed" of "ik snap niet wat er zo fout aan is om het pad te kiezen dat Lydia koos". Als hij dat te vaak doet, mag ik hier straks niet meer komen van de bisschoppen. Ach, ik ben nu zo boos op hem dat ik wel kan gillen!'

Ik klopte op haar hand en wenste dat ik iets kon bedenken om te zeggen waar ze van opknapte.

'Heb je tegen hem gezegd dat hij moet ophouden zo over je te praten?'

'Jah, maar het maakt niets uit. Hij is ongevoelig en in het heetst van de strijd zegt hij wat hij wil. Bovendien begrijpt hij niet hoe verschillend zijn motieven zijn van de mijne toen ik zijn leeftijd had en besloot me af te scheiden.'

'Wil hij zich niet laten dopen uit liefde voor zijn Englischer?' vroeg ik.

'Wat bedoel je?'

'Net zoals jij voor Bobby.'

Lydia keek me aan in het flauwe schijnsel van onze zaklantaarns, haar wenkbrauwen waren gefronst.

'Denk je dat ik dat heb gedaan? Dat ik de Amish Orde verliet omdat ik verliefd was op je broer?'

'Niet dan?'

Langzaam schudde ze haar hoofd, me verbaasd aankijkend.

'Nee, Anna, zo was het helemaal niet,' zei ze ernstig. Ze draaide zich helemaal naar me toe. 'Ik had al voordat Bobby en ik zelfs maar verkering hadden besloten me niet te laten dopen.'

'O ja? Waarom?'

Ze bleef haar hoofd schudden, alsof ze de verbazing over mijn onbegrip niet van zich af kon zetten.

'Dat is moeilijk uit te leggen. Wist je dat de *Ordnung* Bijbelstudie verbiedt? De bisschoppen zeggen dat een mens daar trots van wordt, omdat hij er speciale kennis van zou kunnen krijgen.'

'Dat wist ik niet,' zei ik. De *Ordnung* was een reeks ongeschreven regels die de Amish gemeenschap moest volgen.

'Misschien was het de rebel in mij, Anna, maar toen ik te horen kreeg dat ik mijn Bijbel niet mocht bestuderen, wilde ik het juist nog liever. Toen ik zeventien was, begon ik hem in het geheim te lezen. In plaats van me alles door de bisschoppen te laten vertellen, bestudeerde ik de Bijbel zodat ik voor mezelf kon beslissen wat ik geloofde. Veel dingen die ik las, riepen natuurlijk verwarring op, omdat ze in tegenspraak waren met wat ik in de kerk had geleerd.'

'Zoals wat?'

'Zoals dat de *Ordnung* zegt dat het trots is om zeker te zijn van je verlossing, dus ze moeten zich altijd afvragen of ze naar de hemel zullen gaan. Voor hun dood zullen ze het nooit weten en ze mogen zich nooit goed genoeg voelen in de ogen van God. Maar toen kwam ik bijvoorbeeld in Johannes 1 teksten tegen waarin staat dat hij dit alles heeft geschreven "omdat u moet weten dat u eeuwig leven hebt". Ik stelde vast dat de Amish het mis hadden in deze kwestie. Lang voordat ik iets met Bobby kreeg, ging ik naar de bisschoppen en haalde die tekst aan en vroeg hun waarom ik deze verzekering niet mocht hebben als God het me in Zijn Heilige Woord Zelf heeft beloofd. Ze weigerden mijn vraag te beantwoorden, maar wilden alleen mijn "ongehoorzaamheid" aanpakken omdat ik in het geheim de Bijbel had bestudeerd. Op dat moment wist ik dat, als ik degene moest zijn die de Bijbel me opdroeg te zijn, ik het Amish geloof moest verlaten en een kerk zoeken die meer bereid was me voor mezelf te laten denken. Toen Bobby en ik verkering kregen, had ik het nog niet bekendgemaakt, maar ik wist al dat ik me niet Amish ging laten dopen.'

'Ik had geen idee, Lydia. Ik denk dat ik er door het tijdstip gewoon van ben uitgegaan dat je uit liefde vertrok.'

'Geeft niet. Het kan die schijn hebben gehad. Toen mijn ouders stierven bij de brand, hield ik mijn beslissing zo lang mogelijk stil omdat ik nog niet uit huis wilde. Ik wist dat ik nog een jaar of twee moest blijven om met mijn broers en zusje te helpen. Maar toen ik eenentwintig werd, heb ik na veel aandrang om me te laten dopen mijn besluit bekendgemaakt en toen moest ik natuurlijk het huis uit. Het was heel moeilijk, het moeilijkste wat ik ooit heb gedaan. Maar algauw kwam Bobby weer in mijn leven en hij hield nog steeds van me en ik van hem, dus dat hielp me om sterk te blijven. Kort daarna zijn we getrouwd en ik heb er nooit spijt van gehad.'

Ze had tranen in haar ogen en ik vroeg me af of ze begon te twijfelen of Bobby wel de echtgenoot was geweest die ze gedacht had, nu we wisten dat hij geheimen voor haar had gehad.

'Mijn broer Caleb,' zei ze, haar ogen afvegend, 'doet dit niet uit verlangen om God te leren kennen. Hij doet het uit verlangen naar vrijheid en onafhankelijkheid. Ik ben bang dat hij te maken heeft iets wat zijn wil heeft overgenomen en hem koppig en zwak tegelijk heeft gemaakt.'

Ik dacht over haar opmerking na en vroeg me af wat ze bedoelde.

'Vroeger,' vervolgde ze, 'toen de wereld eenvoudiger in elkaar zat, was *rumschpringe* misschien een goed idee. Tienerstreken door de vingers zien is één ding, maar tegenwoordig is het dom om kinderen in volledige afzondering van de wereld op te voeden en vervolgens de blik af te wenden als ze die wereld in gaan. De verlokking van drugs, seks en wilde feesten... Je weet toch nog hoe het was.'

'O, ja,' zei ik, denkend aan de enkele *rumschpringe*feesten die we die rampzalige zomer hadden bezocht. Wat gewoonlijk begon als een gezellige bijeenkomst met een beetje muziek bij iemand op het veld, ontaardde altijd als iemand met een paar vaatjes bier aan kwam zetten. Het leek wel of de Amish tieners vaak het wildste waren. Ze werden gevaarlijk dronken, zonderden zich af in paartjes en iedereen rookte. We leerden vroeg naar die feesten toe te gaan en niet te lang te blijven. Ondanks Haleys relatie met Doug en mijn verliefdheid op Reed, vonden Haley en ik het vooral leuk om te gaan zodat we met leuke Amish jongens konden flirten, die voor ons zoiets als verboden vruchten waren. Hoewel bijna iedereen zich op die feestjes kleedde als gewone Amerikaanse tieners, herkenden we de Amish altijd aan hun witte voorhoofd, het gevolg van elke dag een hoed dragen als ze op het land werkten.

'*Ach*, mijn hart breekt om Caleb. Wie weet wat hij daarbuiten uitspookt?'

We zwegen allebei een poosje.

'Nou ja,' zei ik ten slotte, de stilte verbrekend, 'toen jij zo oud was als Caleb, dacht iedereen na de brand ook dat je je met een wild stelletje feestbeesten had ingelaten, terwijl ons vriendengroepje meestal nogal tam was. Het indirecte bewijs van die avond stelde de dingen veel erger voor dan ze waren. Misschien doet je broer op dit moment ook wel iets onschuldigs.'

'Misschien.'

'Ben je bang voor drugs?'

'*Jah.*'

'Heb je bewijzen?'

'Ik weet het niet. Vorige maand zag Bobby Caleb bij de Quarry,' zei ze. De Quarry lag in het oudere, meer vervallen deel van de stad, een plek waar vaak drugsdealers kwamen.

'Nee, toch?' zei ik terwijl de rillingen me over de rug liepen. Niet alleen begreep ik nu haar bezorgdheid om Caleb, ik begon me ook af te vragen of dit iets te maken had met Bobby's verdwijning.

Tien jaar geleden had een drugsbende uit Philadelphia voet aan de grond gekregen bij de Amish jeugd in deze streek. Hoe-

160

wel de politie behoorlijk hard had opgetreden, moest ik me wel afvragen of de bende weer in actie was gekomen – en of Bobby er op de een of andere manier bij betrokken was in een poging om Caleb te helpen. Het was net iets voor mijn broer om eerst te handelen, zonder om zijn eigen veiligheid te denken. Natuurlijk zei ik dat niet tegen Lydia, maar misschien dacht zij hetzelfde. We beëindigden ons gesprek en Lydia ging naar haar kamer terug om weer te gaan slapen. Voordat ik mijn zaklantaarn uitknipte om hetzelfde te doen, pakte ik een pen en mijn opsporingsformulier en schreef op de achterkant van het laatste blad. Vlug krabbelde ik een lijst neer die almaar langer leek te worden. De kop luidde: *Redenen waarom Bobby verdwenen kan zijn*, en er stonden tot nu toe vier punten onder:

Iets te maken met de robijnen, wat dat ook waren.

Iets te maken met de Vijf van Dreiheit, al kon ik me niet voorstellen waarom.

Iets te maken met zijn werk. Bobby had een lage positie op hoogtechnologisch gebied en hij was momenteel geschorst, een feit dat hij voor zijn vrouw had verzwegen.

Iets te maken met Caleb en drugsgebruik. Dat ging ik natuurlijk niet aan Lydia vertellen, maar als mijn onderzoek morgenavond nog geen duidelijke vorderingen had gemaakt in een andere richting, wilde ik Caleb volgen om te zien waar hij midden in de nacht heen ging.

Ik voelde me zekerder nu mijn gedachten op papier stonden. Huiverend van de kou knipte ik de zaklantaarn uit, draaide me naar de muur toe en probeerde weer te gaan slapen. Sommige dingen begreep ik niet van het Amish geloof, want ik kon me niet voorstellen hoe slapen in deze temperatuur hen dichter bij God bracht – tenzij het was doordat ze de hele tijd moesten bidden om warmer weer.

Het lukte me weer om in slaap te vallen en de rest van de nacht door te slapen. Maar toen ik de volgende morgen wakker werd, was het nog kouder in de kamer en ik begon bang te worden dat ik ziek werd van te veel van zulke nachten achter elkaar. Ik besloot Melody Wynn te bellen. Niet om naar haar toe te verhuizen, maar om te vragen of ik vanmorgen lang genoeg van haar gastvrijheid gebruik mocht maken om een douche te nemen in een verwarmde badkamer. Nadat ik mijn haar in een paardenstaart had gebonden, pakte ik mijn spullen en ging naar beneden naar de keuken.

Daar was het verrukkelijk warm door het houtfornuis en het koken. Alle jaloezieën waren omhoog getrokken en de zon die buiten op de sneeuw weerkaatste, baadde de ruimte in een schitterend licht. Ik had verwacht de hele familie aan te treffen, maar de keuken was leeg. Bij de gootsteen leek het of iemand halverwege was opgehouden met afwassen.

Ineens ging de deur aan de verste kant van het zitgedeelte open en Grete kwam binnenwandelen. Ze had een klein, vierkant voorwerp in haar handen, maar zodra ze me zag, hapte ze naar adem en verstopte ze het vlug achter haar rug.

'Je laat me schrikken!' zei ze gedwongen lachend. Maar haar ogen glimlachten niet mee.

'Sorry.'

Ze bleef merkwaardig roerloos staan en uit beleefdheid draaide ik me eindelijk om en liep naar de nis om mijn spullen bij de deur zetten. Uit mijn ooghoek zag ik hoe ze datgene wat ze achter haar rug had verstopt vlug in een grote keramische pot verborg. Daarna liep ze naar de gootsteen, dompelde haar handen in het sop en ging verder waar ze gebleven was. Hoewel ik popelde om te zien wat er in de pot zat, durfde ik niet te kijken. Daarom liep ik naar het houtfornuis en ging ervoor staan om mijn handen te warmen.

'Waar is iedereen?'

'Isaac wilde gaan sleeën voordat de sneeuw smelt, dus Lydia en Tresa zijn met hem naar de heuvel aan de achterkant gegaan,' zei Grete terwijl ze een bord afspoelde en haar handen afdroogde.

Vriendelijk vertelde ze dat ze een bord voor me warm gehouden had op de kachél. Het was pas iets over acht, maar ik begreep meteen dat de rest van de familie al uren op was en allang had .gegeten. Ze bracht het bord naar de tafel en zette het naast een schoon bestek. Ik moest beslist gaan zitten om te ontbijten. Ik ging zitten, maar toen ik het volle bord bekeek dat voor me stond, vroeg ik me af hoe ik ruimte in mijn maag moest vinden voor nog meer eten terwijl ik nog vol zat van gisteravond. Om niet onbeleefd te zijn, deed ik mijn uiterste best en proefde van de ham en eieren en zachte, witte bolletjes om de indruk te wekken dat ik meer gegeten had dan het geval was.

Grete keerde terug naar haar werk aan de gootsteen en werkte zich snel door de taak heen met dezelfde doelmatige bewegingen die ik gisteravond had gadegeslagen. Denkend aan datgene wat er in de pot zat, vroeg ik of alles goed was met haar. Ze keek me aan, haar schouders zakten en ze blies gefrustreerd haar adem uit.

'Het spijt me dat ik vanmorgen een beetje afwezig ben. Ik weet niet waarom het me zo dwars zit, in aanmerking genomen dat het de laatste tijd elk weekend gebeurt.'

'Wat gebeurt er dan?'

'Caleb,' zei ze op dezelfde gefrustreerde toon als Lydia vannacht. 'Hoe langer hij in zijn *rumschpringe* blijft, hoe meer *agasinish* hij wordt. Hij is gisteravond uitgegaan en dat is best. Het was vrijdag. Maar nu zitten we op zaterdagochtend met koeien die gemolken moeten worden en een wagen die gerepareerd moet worden en stallen die uitgemest moeten worden, en waar is Caleb? Wie weet? Hij is vannacht niet thuisgekomen.'

Ik zette grote ogen op.

'Bedoel je dat hij verdwenen is?'

'Nee, hij is niet verdwenen. Ik weet precies waar hij is. Hij is aan de haal met zijn vrienden die een baan in de stad hebben en het weekend vrij zijn. Die jongens hebben een hoop tijd en geld om zich in de nesten te werken, maar Calebs werk is hier op de boerderij, bij Nathaniel, ook op zaterdag. Omdat Caleb er niet is, moesten Rebecca en Ezra vanmorgen zijn werk er ook nog bij doen. We zijn allemaal *feraikled* op hem.'

'En wanneer duikt hij meestal op?'

'O, we zien hem waarschijnlijk morgen wel weer op de zang-avond, waar hij alle meisjes voor zich inneemt en iedereen aan het lachen maakt en zich gedraagt alsof hij niet het hele weekend zijn werk en zijn familie in de steek heeft gelaten.'

Ik nam een laatste hap van mijn ontbijt en dacht aan het ver-driet dat het leven Grete had toebedeeld. Om op zo'n jonge leef-tijd met een heel gezin te worden opgezadeld moest verpletterend zijn, zelfs met zo veel steun uit de gemeenschap. Naar mijn idee was ze veel te hard voor zichzelf als ze Calebs gedrag zag als een gevolg van iets wat zij en haar man al dan niet hadden gedaan. Ik kon het niet tegen haar zeggen, maar volgens mij had Grete haar werk meer dan goed gedaan als die kinderen, na het verlies dat ze met z'n allen op zo'n jonge leeftijd hadden geleden, nette, gezonde, goed aangepaste mensen werden die God en elkaar lief-hadden, of ze nu uiteindelijk Amish bleven of niet.

'Wind je niet op over een beetje opstandigheid,' zei ik. 'God kan zelfs het hardste hart verzachten, maar op Zijn tijd natuur-lijk.'

'Natuurlijk.'

Met een knik en een glimlach richtte Grete haar aandacht op iets in de bijkeuken. Ik maakte van de gelegenheid gebruik om met mijn bord naar de vuilnisbak te lopen en vlug de restanten van mijn maaltijd weg te gooien voordat ze kon zien hoe vreselijk weinig ik had gegeten. Ik bracht mijn bord en glas naar de goot-steen, waste en spoelde ze goed af en daarna droogde ik ze af en ruimde ze op.

Terwijl ik de handgemaakte kasten bewonderde, merkte ik de tikkende klok boven het fornuis op, die me eraan herinnerde dat ik op moest schieten. Ik moest aldoor denken aan die pot, maar Grete ging vast de keuken niet uit voordat ik weg was.

'Ik voel me schuldig omdat ik steeds alleen maar aan de maaltijd verschijn en dan weer vertrek,' zei ik, 'maar ik moet echt gaan. Ik heb zo veel te doen dat ik waarschijnlijk niet voor vanavond terug ben. Als het sneeuwt, ben ik misschien niet eens op tijd voor het avondeten.'

'Ga maar, hoor. Vind Bobby alsjeblieft snel. Wij zijn hier als je ons nodig hebt.'

Ik bedankte haar en nam even de tijd om uit het raam aan de voorkant naar de weg te kijken.

'Ik zie dat de jaloezieën omhoog zijn en de kinderen buiten spelen, dus ik mag aannemen dat er vandaag geen verslaggevers en fotografen zijn?'

'Nog niet tenminste.'

'Dan is dit een goed moment om de aftocht te blazen,' zei ik en ik bedankte Grete nogmaals voor het ontbijt en de gastvrijheid.

Ze wuifde mijn dank weg en begon me de deur uit te jagen, dus ik trok mijn jas aan, deed mijn sjaal om, pakte mijn spullen en vertrok. Buiten kon ik ergens in de verte de kinderen horen schreeuwen. Ik stopte alles in de auto, maar voordat ik instapte, liep ik in de richting van het geluid om Lydia te laten weten dat ik wegging.

Wat ik zag toen ik de hoek van het washuis omsloeg, verwarmde mijn hart. Een knus tafereel van een jonge moeder en haar zoon en nichtje die een heuveltje oprenden, op verschillende 'voertuigen' klommen en erop naar beneden gleden in de papperige sneeuw, een poging die eerder komisch was dan geslaagd. Tresa, die gekleed was in haar zwarte Amish cape, gebruikte een soort wagentje, maar op de plaats van de wielen zaten ijzers die op ski's leken. Isaac, in een spijkerbroek en ski-jack, had een felgekleurde plastic slee uit de winkel, zo eentje die Bobby en ik het fijnst vonden toen we klein waren.

Mijn glimlach verflauwde een beetje toen ik de lijfwacht in de buurt zag staan, want zijn aanwezigheid herinnerde me weer aan de situatie waarin we ons bevonden. Met die gedachte zwaaide ik vlug naar Lydia en riep dat ik later van me zou laten horen. Ze zwaaide terug en ik liep naar mijn auto en reed weg, terwijl ik bedacht hoe makkelijk het was om op te gaan in de kalme vredigheid van een Amish huishouden. Alles had zo dringend geleken, maar na één nacht bij deze familie begon ik al het gevoel te krijgen of ik alle tijd van de wereld had en dat geen probleem te groot was voor God.

Maar intussen kon het geen kwaad om weer aan de slag te gaan om mijn broer te zoeken.

22

~ Stéphanie ~

21 juli 1812

Ik heb een zo verlokkelijke lekkernij ontdekt dat het bestaan ervan alleen al een zonde moet zijn: kleine appeltaartjes die Priscilla schnitzpasteitjes noemt. Toen ik haar vandaag op het land zag terwijl ik mijn ronde liep, bood ze me verlegen een mandje met deze delicatesse aan. Eén hap en ik was in verrukking. Ik heb het recept gevraagd om aan de chef-koks in het paleis te geven, maar ze beweert dat ze het eenvoudig van haar moeder had geleerd zonder na te denken over hoeveelheden of baktijden. Ik vroeg hoe ze appeltaart kon maken in juli, ruim voor de appeloogst en ze legde uit dat schnitzpasteitjes gemaakt worden van gedroogde appels, geen verse.

Omdat ik zeker weet dat ik haar weer zal zien, vroeg ik haar er in de toekomst meer te maken, maar ook weer niet zo vaak dat ik nog zwaarder word dan dit kind in mijn schoot mij al maakt. Ikzelf, mijn bediende, Priscilla, haar peuter Francis en Priscilla's verlegen echtgenoot Samuel aten met elkaar de hele mand leeg. De volgende keer zal ik er minstens een bewaren om aan de chef-kok te geven, in de hoop dat hij het bij benadering na kan maken.

---

30 juli 1812

Bij voortduring word ik door mijn wandelingen verkwikt en verrukt, versterkt door de lichamelijke inspanning en zeer gerustgesteld door mijn

*dagelijkse ontmoetingen met Priscilla. Ik geloof heus dat we een oprechte
vriendschap hebben gesloten en het zal me verdriet doen deze vriendschap
ten einde te zien komen als mijn kind eenmaal geboren is. Misschien is
het maar beter ook, want het fatsoen zou onder geen enkele omstandig-
heid toestaan dat de vrouw van de hertog en de vrouw van een pachtboer,
een Amish vrouw nog wel, elkaar ontmoetten.*

---

5 augustus 1812

*Toen ik Priscilla vandaag sprak, heb ik mijn diepe spijt uitgedrukt over
het feit dat er een einde aan onze vriendschap zal komen als onze respec-
tievelijke kinderen geboren zijn. Ze begreep zeker waarom onze relatie
beëindigd moet worden, maar ze bood me enige hoop door me onder het
oog te brengen dat de familie van mijn man haar volk in het verleden grote
vriendelijkheid heeft betoond. In het bijzonder sprak ze erover hoe de
grootvader van mijn echtgenoot, de destijds regerende hertog, nog maar elf
jaar geleden de oude, onrechtvaardige wetten had afgeschaft die de plaatselijke Amish gemeenschap zo veel verdriet en lijden hadden aangedaan.
Vanwege zijn vriendelijke daden, zei Priscilla, was haar familie hierheen
verhuisd naar het vruchtbare land van Baden om pachtboeren te worden,
waar ze voorspoed genoten en zich hadden voortgeplant. Stellig, zei ze,
zou het de kleinzoon van een man die zo verdraagzaam stond tegenover
haar godsdienst behagen zijn vrouw zo'n kleine dagelijkse ontmoeting toe
te staan als ik op deze wandelingen heb gevonden.*

*Ik wees haar erop dat het mijn eigen echtgenoot was die vorige maand
nog een van die oude, afgeschafte wetten opnieuw had ingesteld, toen hij
de vrijstelling van militaire dienst voor de mannen uit haar gemeenschap
ophief.*

*Ze stemde met mij in en beiden waren we een tijd lang terneergeslagen,
tot ze opperde dat we elk bleven bidden dat mijn man Karl mocht groeien*

168

in de rol van welwillende vorst en het leiderschap van zijn grootvader mocht volgen. En dat de mannen in haar gemeenschap niet gedwongen werden de wapens op te nemen terwijl hun godsdienst dat zo streng verbiedt. Ik voegde eraan toe dat mijn vurigste gebeden zouden zijn voor de voortzetting van onze vriendschap en de gelegenheid om deze dagelijkse wandelingen vol te houden, al had ik niet langer mijn zwangerschap en het doktersvoorschrift als excuus.

23

~ Anna ~

Door alle uitstapjes die ik als tiener naar het huis van Haleys moeder had gemaakt, had ik nu geen moeite het te vinden. Officieel woonde Melody in een buurt, maar haar oprijlaan begon waar de weg eindigde en liep met een bocht totaal uit het zicht achter een dichte groep bomen, zodat het huis niet vanaf de straat te zien was, zelfs nu in de winter de takken kaal waren. Ik sloeg de kronkelende oprijlaan in, blij dat de sneeuw al brij geworden was, en nam al rijdend alles in me op. Het verbaasde me dat ze zo'n groot deel van het land had laten verwilderen in de jaren sinds ik hier was geweest. Diepe bossen drongen aan alle kanten op en hoewel er langs de voorkant van het huis een keurige rij struiken stond, leek het er voor het overige niet op dat ze de diverse soorten vegetatie die eens de tuin hadden gesierd had gesnoeid of bijgehouden.

Het plattelandshuisje zelf was klein maar gezellig, met twee slaapkamers en een badkamer. Ik parkeerde de auto, pakte mijn spullen en liep naar de voordeur. Melody ontving me met een hartelijke omhelzing en toen we elkaar loslieten, moest ik het uitzicht op de tuin wel opmerken, dat zichtbaar was door de middengang die naar de woonkamer voerde.

'Wauw,' zei ik terwijl ik naar die kamer toe liep, waar de ramen een panoramisch uitzicht op de tuin boden. Midden in de tuin stond een reusachtige wilde appelboom, die ze geplant had toen Haley en ik tieners waren. Het maakte dat ik me oud voelde, want hij was hoog en breed geworden en had een prachtige vorm. De takken spreidden zich volmaakt uit naar alle kanten. 'Niet te geloven hoe die boom gegroeid is. Ik herinner me nog dat hij niet veel groter was dan ik.'

'Ik weet het. Ik heb er een hoop compost voor gebruikt en natuurlijk heeft de volle kleigrond precies de juiste pH-graad voor wilde appels.'

Ze wees me nog een paar andere nieuwe aanwinsten die ze aan de tuin had toegevoegd, waaronder een vijvertje met een fontein. Ik was bang dat ze van wal zou steken met een uitgebreide bespreking van haar verschillende planten en struiken, maar ze stelde alleen voor dat ik ging douchen.

Ik deed wat ze zei, pakte een handdoek uit de kast in de gang en ging naar de badkamer. Toen ik de deur opendeed, werd ik omhuld door golven van hitte zoals in een sauna. Verrukkelijk.

Ik zou het heerlijk hebben gevonden om me te goed te doen aan een lange, uitgebreide douchebeurt, maar dat leek me onbeleefd, dus ik douchte en kleedde me aan zo vlug als ik kon en zette het kacheltje uit zodra ik klaar was. Nadat ik met mijn handdoek de condens van het glas had geveegd, deed ik makeup op en borstelde mijn haar. Toen ik eindelijk de badkamer uit kwam, voelde ik me als herboren.

'Niet te geloven, hoe komt iemand erop,' zei Melody toen ik door de gang aan kwam lopen en even dacht ik dat ze het tegen mij had. Toen ze doorpraatte, begreep ik dat ze aan de telefoon zat. 'Werkelijk, mensen kunnen zo stom zijn!'

Ze was in de keuken, dus ik liep op mijn tenen door de gang, met de bedoeling met een zwaai te bedanken en duidelijk te maken dat ik vertrok. Maar voordat ik bij haar was, sprak ze weer.

'Je bent toch niet meteen een moordenaar als je een goede levensverzekering hebt voor je man!'

Ik verstarde en begreep dat ze met Haley praatte.

'Zeg maar dat je geen commentaar geeft, tenzij ze met een officiële beschuldiging komen. En neem een advocaat in de arm. Vraag je vader de beste die er is te nemen.'

Ik stond in tweestrijd – moest ik blijven staan en meeluisteren of naar de badkamer teruggaan en doen alsof ik niets gehoord had – toen ze ineens het gesprek beëindigde.

171

'Wat? Tuurlijk, goed. Houd me op de hoogte. Dag.'

Ze hing op en alles was stil. Ik wachtte tien tellen en liep toen door naar de keukendeur.

'Zeg, hartelijk bedankt voor de douche,' zei ik nonchalant. 'Ik moet weer eens gaan.'

'Wacht even,' antwoordde ze. 'Ik sprak Haley net. Je zult het niet geloven, maar ze wordt verdacht van moord op haar man.'

Ik kwam binnen en ze herhaalde hun telefoongesprek. Kennelijk was de politie te weten gekomen dat pas vorig jaar een levensverzekering van een miljoen dollar voor Doug was afgesloten – en Haley had de fout gemaakt om hem binnen een uur nadat ze van zijn dood had gehoord te willen verzilveren.

'Binnen een uur?' vroeg ik. 'Geen wonder dat de politie argwaan kreeg.'

'Tja, ach, Haley zal Doug niet dood gewenst hebben, maar ik weet zeker dat die polis het eerste lichtpuntje was dat in haar opkwam.'

Ik had zo'n idee dat het waar was; Haley was dol op geld.

'Het is haar eigen schuld,' vervolgde Melody toen ik bij haar aan tafel kwam zitten. 'Eerlijk gezegd geloof ik helemaal niet dat Doug vermoord is. Ik denk dat zijn val een ongeluk was. Maar Haley bleef zo'n drukte maken over die motor en toen Bobby verdwenen was zei ze almaar: "Let op of het geen moord was. Ik denk dat het moord is geweest." Toen de politie in die richting begon te zoeken, bleek ze een van hun grootste verdachten te zijn. Als ze haar mond dicht had gehouden, had ze niet in die positie gezeten.'

'Is ze in staat van beschuldiging gesteld?'

'Nee. En als ik Orin een beetje ken, zorgt hij er wel voor dat het niet gebeurt. Die man zou hemel en aarde bewegen om zijn dochter te beschermen. Ik twijfel er niet aan dat hij voor de middag een paar topadvocaten heeft ingeschakeld.'

Dat had ze goed.

'Over Orin gesproken,' zei ik, in de hoop dat het niet stijlloos van me was om op zo'n moeilijk moment van onderwerp te veranderen, 'zou ik je een paar vragen mogen stellen over Wynn Industries, in het bijzonder over de uitbreiding hier in Dreiheit, het WIRE?'

Ze leek te schrikken van mijn verzoek, maar ze knikte.

'Natuurlijk. Wat wil je weten?'

Ik vertelde haar over Bobby's schorsing en mijn gesprek van gisteravond met doctor Updyke.

'Dit is maar een van de volkomen verschillende optics die ik onderzoek,' legde ik uit, 'maar ik ben benieuwd of Bobby's verdwijning verband zou kunnen houden met iets wat gaande is op het lab, misschien met doctor Updyke zelf. Weet je iets af van het onderzoek dat daar plaatsvindt? Bestaat de kans dat Bobby ontvoerd kan zijn, of zelfs vermoord, om iets wat hij wist, of iets wat hij heeft gedaan wat op de een of andere manier verband houdt met het lab?' Ze staarde me uitdrukkingsloos aan, dus ik voegde eraan toe: 'Zoals: zijn de geheimen van WIRE een mensenleven waard? Ik weet niets over de wereld van het DNA-onderzoek.'

Melody liep naar de broodtrommel en haalde een cake tevoorschijn. Voordat ik het kon afslaan, had ze al twee stukken afgesneden en een ervan op een papieren servetje voor me neergelegd.

'Eens kijken,' begon ze terwijl ze weer aan tafel kwam zitten. 'Wat kan ik je vertellen? De wereld van DNA-onderzoek, zoals jij het noemt, draait om potentieel. Met wat er tot nu toe ontdekt is – en dan bedoel ik over de hele wereld, niet alleen bij het WIRE – hebben wetenschappers genoeg informatie om te kunnen zien waar ze uiteindelijk zullen komen, maar niet genoeg informatie om er al te zijn. Snap je?'

'Niet echt.'

'Oké, dan zal ik specifieker zijn. Door menselijke genen en de aard van DNA te bestuderen, weten de wetenschappers dat ze eens in staat zullen zijn om een reusachtig aantal kwalen te genezen zonder pillen of chirurgie, maar met gentherapie. Het lichaam zal zichzelf genezen. Ze weten dat het mogelijk zal zijn, ze hebben alleen de techniek nog niet in huis om het te doen.'

'Zijn ze daarmee bezig op het WIRE? Genen manipuleren?'

'Dat lijkt me wel, onder andere. Wetenschappers zijn dol op de Amish in Lancaster County, omdat de meesten afstammen van dezelfde kleine groep voorouders. Voeg daarbij het feit dat haast nooit iemand van buitenaf zich tot de Amish leefwijze bekeert en dus is het heel zeldzaam dat er nieuwe genen in de mix worden gebracht. Ten gevolge daarvan kunnen onderzoekers het Amish DNA makkelijker bestuderen dan de genen van een gemiddeld mens. Hetzelfde geldt voor IJsland, in bepaalde Joodse sekten, en eigenlijk overal waar de voortplanting in wezen is afgesloten voor buitenstaanders. Dat wordt het "foundereffect" genoemd, en wetenschappers vinden het nuttig omdat het bij een hele gemeenschap met heel gelijksoortig DNA veel makkelijker te zien is welke genen problemen veroorzaken.'

Melody brak een paar stukjes van haar cake en legde ze ter illustratie op tafel.

'Laten we zeggen dat deze vijf mensen allemaal Amish zijn, dus hun DNA is heel gelijksoortig. Laten we nu zeggen dat deze geboren is met taaislijmziekte. Simpel gezegd, om het gen te bepalen dat verantwoordelijk is voor taaislijmziekte, hoeven ze alleen maar het DNA van alle vijf te vergelijken om te zien welk gen radicaal verschilt in deze persoon van de andere vier, wat op een mutatie zou duiden. Of in plaats van dat er een gemuteerd gen aanwezig is in deze ene, is er misschien een belangrijk gen dat de andere vier hebben en dat deze persoon mist, wat ook problemen kan veroorzaken. Door Amish DNA te bestuderen en te vergelijken, hebben de onderzoekers stuk voor stuk een enorm aantal genen kunnen isoleren die verband houden met genetische stoornissen. Het vinden van het gen is altijd de eerste stap naar het creëren van een medische behandeling.'

'En als doctor Updyke de volgende stap heeft ontdekt om een medische behandeling te creëren? Misschien heeft hij een grote doorbraak gemaakt waar niemand nog van afweet? Zou dat niet waardevol zijn?'

Melody propte achter elkaar de vijf stukken in haar mond. 'Het zit een beetje ingewikkelder,' antwoordde ze na kauwen en slikken. 'Onderzoekers kenden al gentherapie. Het moeilijkste is om het veranderde gen het lichaam binnen te krijgen en op de juiste plaats te laten doen wat het doen moet. Het ene experiment was geslaagder dan het andere, maar het zal nog jaren duren voordat ze alles uitgevogeld hebben. Er zijn te veel variabelen en er is meer dan één antwoord. Elke ontdekking is één klein stukje van een enorme puzzel, dus hij kan niets ontdekt hebben wat op zichzelf waard is om er iemands leven voor op het spel te zetten. In de toekomst zal DNA inderdaad een heel lucratief terrein worden. Op dit moment zullen instituten als het WIRE alleen maar geld kosten. Wat het uiteindelijk oplevert, zal de kosten wel waard zijn, maar ik kan op dit moment niets bedenken wat het waard is om iemand voor te ontvoeren of te vermoorden.'

Ik dacht na over haar woorden en wilde ik dat er meer verstand van had.

'Kijk bijvoorbeeld eens naar mijn vakgebied,' vervolgde ze. 'Veel vriendinnen van mij hebben een fortuin verdiend met het manipuleren van het DNA van planten, omdat dat eenvoudiger is en veel verder gevorderd dan de studie van de mens. Van tomaten die langer goed blijven, tot perziken die geuriger zijn, tot aardappels die toegevoegd calcium bevatten, waar ook maar vraag naar is, dat wordt in de plantenbiologie gedaan.'

'En wanneer komt jouw fortuin binnenrollen?' vroeg ik plagend.

'Waarschijnlijk nog lang niet, maar dat is niet belangrijk. Ik werk op het gebied van eetbare vaccinaties.' Vervolgens legde ze uit dat zij en haar collegaonderzoekers van het bedrijf waar ze werkte, zochten naar een manier om de vaccins in het DNA van planten te voegen.

'Een van de problemen in de Derde Wereld is vaccins gekoeld te houden tot ze geïnjecteerd kunnen worden. Zaden zijn veel makkelijker te vervoeren, om niet te zeggen veel minder duur. Als we het tetanusvaccin bijvoorbeeld in rijst kunnen krijgen, of het kinkhoestvaccin in bananen, dan kunnen we hele bevolkingen inenten door hun gewoon de zaden te sturen, die ze dan opkweken en consumeren. Die wetenschap is zeer veelbelovend, maar we hebben nog een lange weg te gaan.'

Ik schudde verwonderd mijn hoofd. Het was duidelijk dat naarmate de wetenschap de geheimen van DNA ontsluierde, steeds meer onmogelijke dingen mogelijk zouden worden.

'Heb je enig idee waarom Bobby geheime informatie wilde inzien?'

Het duurde zo lang tot Melody antwoord gaf, dat ik even dacht dat ze me niet had gehoord. Maar toen kwam ze met een heel stel suggesties.

'Misschien wilde hij iemand chanteren en had hij diens medische informatie daarvoor nodig. Misschien wilde hij een bepaald medicijn kopen, maar had hij de contactinformatie nodig van de groothandelaar. Ach, misschien heeft hij een aardig meisje ontmoet dat patiënt was en wilde hij haar telefoonnummer hebben.'

'Om zijn vrouw mee te bedriegen?'

'Misschien.'

'Sorry, maar ik ben ervan overtuigd dat hij echt van Lydia houdt. Bovendien geloof ik gewoon niet dat hij zo iemand is.'

Zodra de woorden uit mijn mond waren, had ik er spijt van. Melody had Orin Wynn bedrogen, dus zij was 'zo iemand'. Onze blikken kruisten elkaar en ik zag dat zij hetzelfde dacht.

Warmte golfde naar mijn gezicht. Vlug bracht ik het gesprek terug op doctor Updyke en vroeg Melody of ze hem persoonlijk kende en wat ze van hem vond.

'Ik weet dat hij zeer gezien is op zijn vakgebied, maar is het een goeie vent? Ik kreeg gisteravond even een vreemd gevoel bij hem.'

Melody haalde haar schouders op.

'Elke geniale onderzoeker die ik ken straalt iets vreemds uit,' zei ze. 'Ik zou er niet te veel waarde aan hechten. Laat ik het ondubbelzinnig zeggen: Harold Updyke zou nooit zijn illustere loopbaan op het spel zetten door iets te doen wat de grenzen van de wet overschrijdt. DNA-onderzoek wordt zo sterk gereguleerd door de regering dat dat trouwens niet ongestraft kan. Geloof me, Anna. Er zijn te veel regeltjes, te veel waakhonden. Je wedt op het verkeerde paard.'

'Misschien heb je gelijk.'

'Het was allemaal nogal vaag totdat in 1999 een man stierf bij een gentherapie-experiment. Sindsdien zit de regering er dicht bovenop.'

'Echt?'

'Absoluut. Vraag maar aan je oude vriend Reed Thornton. Hij zal je hetzelfde vertellen.'

24

In een sombere stemming verliet ik Melody's huis. Ik was boos op mezelf omdat alleen al het noemen van Reeds naam mijn hart nog op hol bracht. Er moest toch een uiterste houdbaarheidsdatum zitten op de verlangens van het hart, een verjaringswet op voorbije liefdes.

Met een diepe zucht reed ik Melody's oprijlaan af naar de hoofdweg. De volgende halte in mijn onderzoek was een reis terug naar Exton, om te zien of ik wat forensisch rekenwerk kon uitvoeren op de computer die Bobby in de nacht van zijn verdwijning in het internetcafé had gebruikt. Ik zette de radio aan en maakte me op voor de rit, maar hij stond zo zacht dat het extra nieuwsbericht me bijna was ontgaan. Ik dacht de naam Doug Brown te horen vallen, dus ik draaide het volume hoger en luisterde. Mijn mond viel open en ik geloofde mijn oren niet.

Volgens de verslaggever was een motorfiets die aan Doug Brown toebehoorde in puin gereden en gevonden langs Dreiheit Pike in Lancaster County. Instanties geloofden dat het dezelfde motor was die op woensdag gestolen was door Robert 'Bobby' Jensen, die nog steeds gezocht werd voor ondervraging inzake de dood van meneer Brown.

Ik reed zo hard als ik kon naar de snelweg. Ik was niet zeker van de exacte plek waar de motor gevonden was, maar ik was vastbesloten om hem te vinden en zo vaak als nodig was over de weg heen en weer te rijden.

Toen ik daar aankwam, bleek dat er geen twijfel over de plek bestond. Aan weerskanten van de weg stonden politiewagens en een aantal nieuwsbusjes. Met afgewend gezicht reed ik langzaam langs een groep journalisten heen en het drong tot me door dat ze daarom vanmorgen niet bij de boerderij waren geweest. Ze hadden allemaal hier gezeten, waar het echte nieuws plaatsvond. Ondanks het risico moest ik een kijkje nemen. Ik stopte aan het uiterste eind van de rij, parkeerde en stapte uit.

Er stonden een paar mensen bij de vangrail, dus ik ging bij hen staan en probeerde te kijken als een nieuwsgierige toeschouwer. De weg maakte een ruime bocht met een steile daling. Naar beneden kijkend zag ik een aantal politiemensen die op de helling ergens mee bezig waren. Ik begreep dat ze maten opnamen en toen zag ik hem: de geplette en gemangelde motor.

Ik slikte en weigerde te huilen. Maar het was een schokkende aanblik. Als Bobby op die motor had gezeten toen hij verongelukte, was hij stellig dood of op z'n minst zwaargewond. Als hij dood was, waar was zijn lichaam dan? Als hij nog leefde, hoe was hij er dan in geslaagd weg te komen? Anderzijds, was dit soms een val? Had hij het willen laten lijken op een motorongeluk, maar was hij ongedeerd weggewandeld? Ik wist het gewoon niet, maar forensisch onderzoek – zoals naar de aanwezigheid van bloed – moest tenminste een van die vragen beantwoorden.

Ik haalde een hand door mijn haar en keek verder de heuvel af, waar ik een boerderij zag. Als Bobby het ongeluk overleefd had, was hij verstandig genoeg geweest om daarheen te gaan om hulp. Het antwoord was me duidelijk, maar geen van de agenten scheen het bouwsel in de buurt zelfs maar te hebben opgemerkt. Met bonzend hart besloot ik er zelf heen te lopen, al zou ik gezien worden door de verslaggevers. Ik kende mijn broer en ik wist dat hij, als hij dat ongeluk had overleefd, daarheen was gegaan.

Van waar ik stond was de heuvel te steil om naar beneden te klimmen, dus ik liep naar de andere kant van de rij geparkeerde auto's, achter de groep journalisten en langs de meeste nieuwsgierige toeschouwers. Onder het lopen draaide mijn maag om toen ik het punt van de klap zag, een betonnen keermuur met brede, zwarte sporen precies ter breedte van motorbanden.

Een meter of zeven daarachter was het wat vlakker en er leek zelfs een pad naar beneden te lopen. Met mijn ogen naar de grond gericht, liep ik langs een lange man in een antracietgrijze jas en begon de heuvel af te dalen.

'Dat zou ik niet doen als ik jou was,' riep hij me na.

'Het lukt wel,' antwoordde ik zonder op te kijken. Als hij een verslaggever was, wilde ik niet dat hij mijn gezicht goed kon zien.

'Vast wel,' hield hij vol, 'maar onderaan staat een agent die je meteen weer terugstuurt naar boven. Dat deed hij bij mij ook.'

'Ik waag het erop,' antwoordde ik en ik wenste dat hij me met rust liet.

'Ga je gang, Annalise. Je was altijd al koppig.'

Misschien kwam het door de manier waarop hij mijn naam uitsprak. Misschien door de diepe klank van zijn stem. Waar het ook door kwam, ik wist onmiddellijk dat hij geen journalist was.

Het was Reed Thornton.

Verbijsterd draaide ik me om en zag hem boven aan het pad staan, met zijn handen in zijn zakken.

'Reed?'

Hij knikte en er brak een glimlach door op zijn knappe gezicht.

'Ik wist dat jij het was,' zei hij zacht terwijl hij me tegemoet kwam. 'Je ziet er heel anders uit, maar toch precies hetzelfde, als je snapt wat ik bedoel.'

'Reed?' vroeg ik weer. Ik voelde me een dwaas, maar er kwam niets anders in me op. Wat deed hij hier?

Toen hij bij me was, spreidde hij zijn armen en ik gleed er zo makkelijk in alsof ik er hoorde. Hij was langer dan ik me herinnerde en de jaren waren hem niet aan te zien. Ook hij was anders, maar precies hetzelfde. Ongelooflijk.

'Hoe gaat het met je?' fluisterde hij in mijn haar, terwijl hij me langer vast bleef houden dan nodig was.

'Goed,' antwoordde ik terwijl ik me losmaakte. 'Ik ben hier om Bobby te zoeken. En jij?'

'Lang verhaal. Ik trakteer op een laat ontbijt en dan zal ik het je vertellen.'

Ik keek langs het pad op de helling naar beneden naar de boerderij en zei dat ik het tegoed moest houden.

'Hoor es, ik weet dat je naar beneden wilt om onderzoek te doen, Annalise, maar we moeten eerst praten.'

Zijn gezichtsuitdrukking was zo intens dat ik ten slotte instemde.

'Maar ik hoef echt niets te eten. De hele dag al proberen mensen me te voeren.'

Hij lachte terwijl hij zijn hoofd schuin hield en ik besefte dat de beweging zo vertrouwd was dat ik hem uit mijn hoofd kende. Wie hield ik voor de gek? Ik had ervan gedroomd. Ernaar verlangd.

Hem gemist.

Samen klommen we naar de top van de heuvel en toen voerde Reed me mee naar zijn auto. Ergens had ik spijt van mijn besluit, omdat ik echt zo gauw mogelijk met de politie over de boerderij wilde praten. Alsof hij gedachten kon lezen, pakte Reed mijn elleboog en terwijl we naar de auto liepen, trok hij me een beetje dichter tegen zich aan en sprak zacht in mijn oor.

'Geloof me, die agenten weten wat ze doen.'

Hij bleef mijn elleboog vasthouden tot hij me naar de passagierskant van zijn auto had gebracht, een prachtige donkergrijze Lexus.

Ik liet me op de zachte leren zitting zakken en keek toe hoe hij het portier sloot en omliep naar de bestuurderskant. Het hele tafereel was zo surrealistisch, zo bizar, dat ik me even afvroeg of ik sliep en dit maar een droom was.

'Ik word nu trouwens Anna genoemd,' zei ik tegen hem toen hij instapte en de motor startte.

'O ja. Dat had ik gehoord. Goed, Anna. Ik heb ook niet veel trek. Laten we dan maar een eindje gaan rijden.'

Hij reed langs de geparkeerde auto's en de mensen terwijl ik me vooroverboog om mijn gezicht af te schermen en deed alsof ik iets zocht in mijn tas. Toen de kust veilig was, leunde ik achterover en bestudeerde het profiel van mijn metgezel. Zijn zwarte haar was korter dan vroeger, maar nog steeds steil en een beetje springerig. Hij had een vastberaden kaaklijn en zijn ogen waren fonkelend blauw onder dichte wimpers.

Verbazingwekkend genoeg was hij nog knapper dan in mijn herinnering. Ik vroeg me af wat hij van mij vond.

'Ik zou graag met je willen bijpraten,' zei hij met een blik in mijn richting, 'maar voordat we dat doen, moet ik je eerst vertellen wat er aan de hand is. Gisteravond heb ik Haley gesproken en ze zei dat je op Lydia's verzoek in de stad was om je broer te zoeken.'

'Ja, hij is zo'n beetje van de aardbodem verdwenen. Weet je daar iets van? Heeft iemand het op de Vijf van Dreiheit gemunt?'

Mijn vraag scheen hem te verbazen.

'Waarom denk je dat?'

'Nou, Doug is dood, Bobby wordt vermist, ik ben aangevallen, Haley wordt beschermd door een lijfwacht. Het lijkt er echt op. Is er bij jou niks gebeurd?'

'Jawel. Er is ingebroken in mijn flat, maar daar kom ik zo op. Ben je aangevallen?'

Ik vertelde over de inbreker met de bivakmuts en zijn vreemde vraag om robijnen. Reed had nooit van 'Beauharnais-robijnen' gehoord, maar hij was heel bezorgd voor mijn veiligheid, en boos dat iemand een wapen tegen mijn hoofd had gezet. Ik vroeg me af of dat wilde zeggen dat hij nog een beetje om me gaf of dat zijn bezorgdheid algemener was, zoals van de ene oude vriend voor de andere.

'Ik weet niet wat het hiermee te maken heeft, maar ik zal het verhaal van mijn kant vertellen,' zei hij.

'Goed.'

Reed sloeg van de snelweg af een schilderachtige kronkelweg in. De sneeuw was bijna helemaal gesmolten op het wegdek, maar lag nog in grote vlakken op de slapende velden en schiep een nieuw schitterend wintertoneel.

'Eergisteren, donderdag rond twaalf uur 's middags om precies te zijn, kwam ik na een reis thuis, waar ik ontdekte dat er ingebroken was in mijn flat. Een glazen paneel in de achterdeur was verbrijzeld, zodat ze bij het slot konden en van binnenuit de knop konden omdraaien. Er waren geen bezittingen verdwenen en het enige spoor van de inbraak was het kapotgeslagen glas. Ik snapte niet wat er gebeurd was. Toch belde ik de politie, maar pas nadat ze hun rapport hadden opgesteld en vertrokken waren, luisterde ik mijn antwoordapparaat af. Er was een bericht van Doug van de avond daarvoor, over een fax die hij net had gestuurd. Maar het bakje van het apparaat was leeg en toen besefte ik wat de oorzaak was van de inbraak: Dougs fax. Ik keek nauwlettend en er lagen een paar piepkleine glasscherfjes op de grond voor het apparaat. Kennelijk had degene die had ingebroken ze meegesleept.'

'Wat deed je toen?'

'Ik drukte de geheugentoets in en printte de fax opnieuw. Wie het papier gestolen heeft, was niet bepaald een handige techneut. Hij wist kennelijk niet dat ik hem opnieuw uit het apparaat kon halen.'

'Wat stond er in de fax?'

Hij sloeg weer af en we reden nu over een weg die tussen twee Amish boerderijen door liep, een reeks witte uitbouwen die aan weerskanten opdoemden.

'Eerst moet je Dougs telefoonbericht horen, het bericht dat me liet weten dat er überhaupt een fax was. Ik heb het opgenomen.'

Met zijn handen in zwarte leren handschoenen reikte Reed in zijn jaszak en haalde een digitale bandrecorder tevoorschijn. Hij hield hem omhoog, drukte op *afspelen* en meteen klonk de stem van Doug Brown in de auto.

'Hoi, Reed. Met Doug. Moet je horen, kerel. Ik zat nog even te denken over de fax die ik net gestuurd heb en ik wil duidelijk

zijn. Je vraagt je natuurlijk af waarom ik mijn eigen bedrijf verraad.' Er viel een lange stilte en toen vervolgde hij: 'Je zult het
wel begrijpen als je de dossiers leest, vooral die laatste. Na alles
wat ze die avond al hadden meegemaakt… en toen moesten ze
ook nog zo lijden en sterven? Sinds ik dat stukje heb gelezen, zit
ik aldoor na te denken over mijn eigen leven, voor wat het ook
waard is.'

Nogmaals zweeg Doug, maar toen hij sprak, was het met vaste
stem: 'Hoor es, ik moet voor één keer doen wat juist is, al kost
het me mijn baan… misschien mijn huwelijk… en waarschijnlijk
mijn vriendschap met Bobby, die hier zelf tot over zijn oren in zit.
Maar goed, ik sla door. Ik wilde het gewoon even uitleggen. Het
was fantastisch om je te zien op die conferentie. Je doet geweldig
werk. Bel me zodra je dit hebt gehoord. Dag.'

De opname eindigde met een piep en toen was het stil in de
auto.

'De fax is woensdagavond om zeven uur verstuurd vanuit
Dougs kantoor in het hoofdgebouw van Wynn Industries in Hidden Springs,' zei Reed uiteindelijk. 'Ongeveer tien minuten later
volgde zijn telefoontje. Volgens de lijkschouwer van Exton kan
Doug om half negen dezelfde avond al gedood zijn, wat mij een
geval lijkt van oorzaak en gevolg. Hij verraadde zijn bedrijf met
een fax en een telefoontje en nog geen twee uur later is hij dood
en is de fax stiekem onderschept. Degene die hem gedood heeft,
wist kennelijk niets van het telefoontje, anders had hij dat ook
wel gewist.'

Met wijd opengesperde ogen vroeg ik Reed nogmaals wat er
in de fax stond dat een moord waard was. Zonder antwoord te
geven, reikte hij tussen onze twee stoelen in en haalde een map
tevoorschijn, die hij aan me gaf. Met ingehouden adem maakte ik
hem open en bekeek de bladzijden die erin zaten.

De eerste was een fax met het logo van Wynn Industries erop.
In het vakje *opmerkingen* had Doug iets geschreven:

Reed,
Naar aanleiding van ons recente gesprek ten aanzien van onrechtmati-
ge gentherapie heb je hier het positieve bewijs dat het vlak onder onze
eigen neus gebeurde. Praat eerst met mij voordat je in actie komt!
Doug

Daarachter zaten klaarblijkelijk bladzijden uit oude medische dossiers. Zo te zien aan de lettersoort was de tekst geschreven op een typemachine en de eerste was gedateerd maart 1991. Doug had pijltjes getrokken naar de datum, de naam van de patiënt en de allereerste zin van de aantekeningen van de arts: *Pasgeborene met syndroom van Wolfe-Kraus. Heb ingeschreven voor studie.*

De rest van die bladzijde en de volgende twee waren gewoon gedateerde alinea's geschreven door een arts die een reeks praktijkbezoeken van de pasgeborene beschreef die in de jaren daarna hadden plaatsgevonden. Ik liet mijn blik erover glijden en het kwam me voor dat de patiënt een stoornis had en een behandeling onderging die matig succes had. Maar het effect van de behandeling scheen af te nemen, want het moest om de paar maanden herhaald worden en daar was de arts klaarblijkelijk niet blij mee. In de laatste alinea, die was omcirkeld, stond:

Patiënt is teruggetrokken uit studie wegens godsdienstige bezwaren van Amish ouders, die aangeven dat ze in conflict komen met 'knoeien met Gods wil' in de kwestie van hun kind (d.w.z. als God wilde dat deze behandeling werkte, hoefden we het niet steeds opnieuw te doen). Ouders zijn ingelicht over de effecten van beëindiging, bv. dat WKS*-symptomen met volle kracht zullen terugkeren. Patiënt ontslagen met ingang van vandaag, 12 november 1994. Alle gegevens van dit studieobject zijn bijgesloten in overzichtsrapporten. Dossier gesloten, H.U., arts.*

'H.U., is dat Harold Updyke?'
'Ja.'

'Ik begrijp het niet helemaal. Wat is het syndroom van Wolfe-Kraus? Welke studie bedoelt hij?'

'WKS is een zeldzame genetische aandoening, waar enkele Amish in de streek door gekweld worden. Aan het eind van de jaren tachtig isoleerde dokter Updyke het ontbrekende gen dat de stoornis veroorzaakt, en van 1991 tot 1994 voerde hij een door de regering goedgekeurde studie uit om verschillende behandelopties onder de loep te nemen.'

'Behandelopties. Knoeien met genen, bedoel je.'

'Ja. Voor de studie die in het dossier beschreven is, gebruikte hij dezelfde techniek waar French Anderson een jaar eerder mee begonnen was om SCID te behandelen.'

'French Anderson? SCID?' vroeg ik hoofdschuddend. Het ging me allemaal een beetje te snel.

'Sorry. French was ook een hoge piet op het gebied van DNA-onderzoek. In 1990 behandelde hij enkele kinderen die aan deze erfelijke, aangeboren afwijking van het immuunsysteem leden, door cellen bij de patiënten te verwijderen, ze in het lab op kweek te zetten, de ontbrekende genen in de cellen in te brengen en ze dan terug te brengen in het lichaam van de patiënt.'

'Wordt dat bedoeld met gentherapie?'

'Ja, dat is de meest voorkomende aanpak, een ontbrekend of onbruikbaar gen te vervangen door een normaal, door het in het genoom in te brengen op een niet-specifieke locatie. Genetici kunnen ook besluiten genen te verwisselen door homologe recombinatie of selectieve omgekeerde mutatie. Of ze kunnen het punt bijstellen waarop een abnormaal gen wordt afgesloten.'

'Oké. Ik begrijp ongeveer tien procent van wat je net hebt gezegd.'

'Sorry. In gewone taal: het moeilijkste van genmanipulatie is de genen terug te zetten in het lichaam en te zorgen dat ze naar de juiste plaats gaan en doen wat ze moeten doen als ze daar eenmaal zijn. Het is een heel ingewikkeld proces.'

Ik herkende in zijn woorden wat Melody had gezegd.

'En was de studie die doctor Updyke in dit dossier beschreef een succes of een mislukking?'

'Een beetje van allebei, denk ik. Het was een stap in de juiste richting, maar het was geen remedie. Tegen het eind van dat jaar is de studie beëindigd. Volgens de regering was dat de laatste goedgekeurde studie die doctor Updyke heeft uitgevoerd. En nu moet je verder lezen.'

Ik keek uit het raam naar de bochtige weg voor ons en voelde dat ik een beetje wagenziek begon te worden. Dat zei ik tegen Reed en ik vroeg of hij even kon stoppen voordat ik verder las. 'Natuurlijk. Hier was ik trouwens naar op zoek,' zei hij terwijl hij richting aangaf en een grindweg insloeg. Die voerde door een akker op iemands land. Aan het einde van de weg zette hij de auto stil, maar liet de motor draaien omwille van de verwarming.

In de hoop dat het niet erg was dat we op verboden terrein waren, richtte ik mijn aandacht weer op de bladzijden die voor me lagen en begon aan het volgende patiëntendossier. Dit was gedateerd januari 1995 en begon hetzelfde als het vorige, met de aantekening: *Pasgeborene met syndroom van Wolfe-Kraus*. Dit keer was er echter geen sprake van een studie. Uit de reeks aantekeningen die volgde, was af te leiden dat het kind een soort behandeling had gekregen en in de drie maanden daarna een aantal keren was gezien. Maar anders dan in het eerste dossier waren er hele alinea's uit dit rapport onleesbaar gemaakt, zodat het moeilijk te zeggen was wat er allemaal was gedaan. Bijna aan het eind werd opgemerkt dat het kind een 'significante tumor op de hypofyse' had. Onderaan de bladzijde had Doug de laatste zin omcirkeld: *Tumor bleek fataal. Dossier gesloten op 6 april 1995, H.U., arts.*

'Veroorzaakt WKS tumoren?' vroeg ik aan Reed.

'Nee,' zei hij, aandachtig naar de horizon kijkend. 'Maar gentherapie soms wel.'

Ik haalde diep adem en deed mijn best het te begrijpen.

'Dus je denkt dat dit dossier aantoont dat doctor Updyke opnieuw gentherapie probeerde op een andere patiënt, hoewel de studie was beëindigd?'

'Ja.'

'Wat is daar mis mee?'

'Tenzij onderdeel van een door het regeringsagentschap goedgekeurde proefneming, is gentherapie onethisch en niet te vergeten illegaal.'

'Dus waarom dan proberen de wet te omzeilen? Waarom niet gewoon een nieuwe studie doen?'

Reed haalde zijn schouders op.

'Om tal van redenen. De aanvraag is een slopend proces. Als je het aan het regeringsagentschap voorlegt, kun je lang wachten op goedkeuring – *als* de studie die je voorstelt tenminste goedgekeurd wordt. Alle resultaten moeten gemeld worden, er moet tonnen papierwerk worden gedaan, enzovoort, enzovoort. Op alle sterfgevallen moet zorgvuldig autopsie worden uitgevoerd. Bij DNA-onderzoek zijn proefnemingen op mensen zo streng gereguleerd dat elke keer als een onderzoeker een behandeling wil wijzigen, ze praktisch helemaal overnieuw kunnen beginnen. Ik vermoed dat doctor Updyke de eerste keer de regels heeft gevolgd en toen besloot dat het makkelijker was om het voortaan in het geniep te doen. Eerlijk gezegd deden een heleboel onderzoekers het op die manier. Pas in 1999 trad het regeringsagentschap met harde hand op en zelfs toen werd het pas menens nadat een jonge man was gestorven aan een gentherapiebehandeling waarbij alle regels overschreden waren.'

'Ja, daar had Melody het over.'

Buiten streek een vlucht vogels neer in de akker naast ons en ze begonnen in de grond te pikken.

'Dus die zware regelgeving voor proefnemingen op mensen bij DNA-onderzoek is niet verkeerd?' vroeg ik.

'Integendeel,' antwoordde Reed nadrukkelijk. 'Het is absoluut noodzakelijk en van vitaal belang. We mogen nooit de implicaties van genmanipulatie onderschatten, vooral niet als gemodificeerde genen in de geslachtscellen terechtkomen. Goedgekeurde studies zijn knap lastig, maar gezien de gevolgen de moeite waard.'

Het begon weer technisch te worden, dus in plaats van te vragen wat geslachtscellen waren, keek ik weer naar het dossier en de onleesbaar gemaakte woorden.

'Ik vraag me af of het mogelijk is om onleesbaar gemaakte tekst terug te halen.'

'Dat weten we gauw genoeg,' antwoordde Reed. 'Op dit moment is de FBI ermee aan het werk.'

Ik hapte naar adem en sloeg mijn hand voor mijn mond. 'Heb je dit overgegeven aan de FBI?' vroeg ik. Hoe was Bobby erbij betrokken en zou hij uiteindelijk in de gevangenis terechtkomen als hij ooit gevonden werd? Misschien had hij daarom wel willen verdwijnen, omdat hij de gedachte aan een nieuwe veroordeling en gevangenisstraf niet kon verdragen.

'Lees verder,' zei Reed, met een gebaar naar de papieren op mijn schoot.

Ik deed wat hij zei en zag dat er nog twee patiëntendossiers waren. Eentje was heel kort, met maar één notitie dat prenataal onderzoek op WKS was uitgevoerd op een eenentwintigjarige zwangere vrouw, die in het verleden twee baby's aan de stoornis had verloren. De foetus die ze nu droeg, was echter negatief getest. Aan het einde van die notitie stond de zin: *Patiënte geeft aan dat haar moeder, op de leeftijd van veertig jaar, ook zwanger is en in augustus uitgerekend is. Voor haar heb ik eveneens onderzoek aanbevolen, in het bijzonder gezien haar leeftijd. Dossier gesloten op 21 december 1996, H.U., arts.*

'Leg eens uit,' zei ik met een blik op Reed. 'Hoe werkt die stoornis? Die vrouw heeft al twee baby's aan WKS verloren, maar haar derde kind schijnt het niet te hebben. Hoe komt dat?'

'Heb je op school bij biologie nooit een erfelijkheidsdiagram hoeven maken? Weet je nog, die kleine kaartjes waarop dominante genen stonden en de kans van het nageslacht van twee mensen om blauwe ogen of een grote neus of zoiets te erven? Het heeft met statistiek te maken. Als een kind met WKS geboren wordt, moeten beide ouders dragers zijn geweest. Zelfs dan is de kans maar vijfentwintig procent dat hun nageslacht de stoornis krijgt, maar dat is best hoog als je bedenkt dat het één op vier is.'

'Ik snap wat je bedoelt.'

'Lees verder.'

Ik sloeg de volgende bladzijde op, die kennelijk het dossier was van de moeder van het meisje. De veertigjarige vrouw was voor onderzoek gekomen, maar zij had geen goed nieuws gekregen, want de foetus was positief getest op WKS. Hoewel ook in dit dossier delen onleesbaar waren gemaakt, leek het erop dat dit keer een andere behandelingsaanpak was gebruikt. De foetus was behandeld in plaats van te wachten tot het kind geboren was. Maar het was niet gelukt, want de laatste alinea luidde: *Thuisbevalling om 21.35 uur, baby van mannelijk geslacht dood verklaard om 22.15 uur.* De rest van de bladzijde was onleesbaar gemaakt en er waren geen andere bladzijden.

'Wat stoorde Doug zo in dit dossier?'

'Kijk eens naar de naam en de datum.'

Ik keek naar de bovenkant van de pagina en zag dat de zwangere vrouw in kwestie, degene van wie de baby WKS had en kort na de geboorte was gestorven, vermeld stond als *Katherine Schumann-Beiler.*

'Katherine Schumann... is dat Kate Schumann? Lydia's moeder?' riep ik uit. Ik sloeg een bladzijde terug om de naam van de vorige patiënte te controleren en het klopte. De eenentwintigjarige van wie de foetus negatief was getest stond vermeld als *Grete Stoltzfus-Schumann.* Dat moest zijn geweest toen ze zwanger was van Tresa. Ik sloeg de bladzijde weer om en mijn ogen gleden over alle gegevens in het dossier van haar moeder tot ik bij de belangrijkste kwam: volgens de laatste alinea was de baby van Gretes moeder geboren en gestorven op 16 augustus 1997, de avond van de brand.

De avond die ons leven voor altijd had veranderd.

25

Eerst was ik met stomheid geslagen. Ik moest het verwerken, nadenken, lopen, in *beweging* komen.

'Mag ik hier even rondlopen?' vroeg ik bijna hyperventilerend. 'Ik heb frisse lucht nodig. Ik moet het verwerken.'

'Ik zie niet in waarom niet. Het is gewoon een akker.'

Zonder te wachten of hij meeging, stapte ik uit en begon te rennen. Ik rende de grindweg terug zoals we gekomen waren, terwijl het bloed ritmisch door mijn aderen bonsde als een trom. Toen ik bij de weg kwam, keerde ik om, minderde vaart en holde de hele weg terug naar de auto. Toen ik er was, had Reed de motor afgezet en hij stond in de zon tegen de motorkap geleund met zijn rug naar me toe. Hij praatte in een mobiele telefoon en aan zijn toon en de woorden te horen die ik opving, was het een persoonlijk gesprek, niet zakelijk.

Ik liep naar hem toe en toen hij me zag, sprak hij weer in de telefoon.

'Sorry, Heather. Ik moet gaan. Ik bel je later. Jij ook.'

Toen hij had opgehangen, sprak ik.

'Ten eerste betekent dit dat we geen drie mensen hebben gedood, maar twee. Niet dat het veel verschil maakt, maar in zekere zin wel. Hier althans.'

Ik legde een hand op mijn hart, de pijn van schuld en verlies werd een heel klein beetje minder toen het tot me doordrong dat mijn daden van die avond niet hadden geleid tot de dood van een pasgeboren baby. Toen de brand begon, was die baby al dood – al urenlang zelfs.

'Ja, ik weet wat je bedoelt. Maar zoals Doug door de telefoon zei, aan de andere kant maakt dit het erger. De Schumanns hadden diezelfde avond al het hartverscheurende sterven van hun baby meegemaakt. En nadat ze dat hadden doorstaan, zijn ze zelf levend verbrand. Je wordt er beroerd van. Geen wonder dat Doug zich gedwongen zag me die gegevens toe te sturen.'

Reed had gelijk. Ongeacht de precieze volgorde van de gebeurtenissen werden er aan het eind van de nacht drie verkoolde lichamen gevonden in de resten, ook al was een van hen al overleden voordat het gebeurde.

'Ik heb een heleboel vragen,' zei ik terwijl ik voor de auto heen en weer liep. 'Ten eerste, wat heeft dit met Bobby te maken? Die dossiers zijn oud. Het enige verband tussen hem en die behandelingen is dat hij stage liep bij het WIRE in de zomer dat Kate Schumann patiënt was. Ik weet dat Bobby slim is, maar je kunt me niet wijsmaken dat zijn werk hier op zo'n hoog niveau was.'

'Nee, natuurlijk niet. Ik was die zomer de hoogste stagiair in rang en zelfs mijn werk was op nogal laag niveau. Ik had tenminste nog te maken met virusoverbrengers. Bobby's werk was tamelijk eenvoudig. Lab schoonmaken, instrumenten steriliseren, dat soort dingen.'

'Dus wat heeft dit met hem te maken?'

'Weet ik niet. Ik vermoed dat doctor Updyke doorging met illegale proefnemingen op mensen, en misschien zijn ze daar vandaag de dag nog mee bezig en helpt Bobby er in een bepaalde hoedanigheid bij. Je weet hoe je broer de geniale doctor Updyke altijd heeft bewonderd. Misschien is Doug erachter gekomen van die oude experimenten en heeft hij Bobby gebeld om actuele informatie te vragen over wat daar gaande is.'

'Eigenlijk,' verbeterde ik hem toen ik dacht aan de telefonische boodschap van die avond van Doug aan Bobby, 'is Bobby degene die Doug om informatie had gevraagd. Er staat een bericht van Doug op Bobby's antwoordapparaat. Hij zei zoiets als: "Ik heb de info waar je om gevraagd hebt en ook een paar dingen die je niet had verwacht.'

'Misschien was dat wat hij niet had verwacht de oorzaak van het probleem. En in plaats van de doctor uit zijn hol te jagen, handelde Bobby om hem te beschermen.'

'Hem te beschermen. Door Doug te doden?'

'Daar zou het best op kunnen lijken.'

Ik ging met mijn handen in mijn zij voor hem staan. 'Denk je dat Bobby Doug vermoord heeft om doctor Updyke te beschermen?'

Reed keek me met zijn felblauwe ogen doordringend aan. 'Helaas is het een mogelijkheid. Sorry, Anna, maar het is een logische conclusie als je alle feiten in aanmerking neemt. We weten zeker dat Updyke het niet zelf heeft gedaan. Hij was die avond op een symposium in Pittsburg, waar hij een gehoor van een paar honderd mensen toesprak.'

Ik beende nog een poosje heen en weer terwijl mijn gedachten draaiden om de mogelijke gebeurtenissen van afgelopen woensdagavond.

'In zijn telefoontje aan jou zei Doug dat hij zijn bedrijf verraadde en dat hem dat waarschijnlijk zijn huwelijk en zijn baan ging kosten.'

'Ja, dat zei hij.'

'Waarom zou Bobby dan de moordenaar zijn? Hij mag dan een grote fan van Updyke zijn, maar hij heeft geen bijzonder belang bij Wynn Industries, behalve als laagbetaalde werknemer. Een groot medisch schandaal op het WIRE zou voor Updyke persoonlijk natuurlijk een ramp zijn, maar Wynn Industries in zijn geheel zou er veel erger door geschaad worden. Het bedrijf zou een fortuin kwijt kunnen raken, om niet te spreken van zijn goede naam, wat de waarde nog verder zou verlagen. Het rimpeleffect zou hun uiteindelijk miljoenen kunnen kosten; miljarden zelfs. Dus wie zal zeggen dat Orin Wynn Doug niet heeft vermoord? Dat lijkt mij een veel logischer conclusie, vooral omdat Orins dochter een liefdeloos huwelijk had met Doug.'

'Orin Wynn heeft ook een ijzeren alibi. Op het moment dat

Doug werd gedood, zat Orin met negen andere mensen in een bestuursvergadering in het hoofdgebouw.'

'Dan heeft Orin Doug misschien door iemand anders laten vermoorden. Hoe dan ook, ik zou veel eerder in zijn richting wijzen dan Bobby verdenken. Als we die twee vergelijken, had Orin een veel sterker motief. En Updyke ook, en die kan het ook best betalen om iemand in dienst te nemen om zijn vuile werk op te knappen.'

Reed sloeg zijn armen over elkaar en scheen over mijn woorden na te denken.

'Eerlijk gezegd, Anna, kan ik me die drie mannen kennende van geen van hen voorstellen dat ze zoiets zouden doen. Het zijn fatsoenlijke en aardige kerels en ze leven integer.'

Ik wachtte tot Reed uitgepraat was en staarde over de akker. In de herfst zou de maïs er hier prachtig bij staan. Nu was er niets anders te zien dan lelijke stoppels in de grond.

'Als Orin en Harold en Bobby allemaal goede mannen zijn,' vervolgde hij, 'dan moet je denken aan hun unieke posities hierin. Als Orin of Harold Doug gedood heeft, zou het een berekenende moord zijn, een koude daad gemotiveerd door hebzucht. Maar als Bobby Doug gedood heeft, zou het een passionele moord zijn. Hoezeer je dit ook niet wilt horen, Anna, de feiten wijzen op een vurige impuls gedreven door het verlangen iemands reputatie en carrière te beschermen. Gezien het feit dat geen van hen het type is om een moord te plegen, wat lijkt je dan het meest waarschijnlijke? Volgens mij is de passionele moord een stuk logischer. En dan zou Bobby de schuldige zijn.'

Ik sloeg mijn armen ook over elkaar en leunde net als Reed achterover tegen de warme auto. De zon stond bijna op zijn hoogtepunt en ik had nog steeds niet de politie gebeld om te zeggen dat ze die boerderij moesten controleren. Nu noemde de man naar wie ik al die jaren had verlangd en van wie ik hield mijn eigen broer een moordenaar. Op dat moment wilde ik echt niets liever dan naar huis gaan, naar Californië, op de verrotte achterveranda zitten en dit alles vergeten. Natuurlijk was daar evengoed alles veranderd, gezien Kiki's letsel en haar boosheid, en de inbraak in ons huis niet te vergeten. Misschien was het tijd om mezelf weer opnieuw uit te vinden, maar dit keer door het land te verlaten en ergens anders opnieuw te beginnen, ergens heel ver weg, waar niemand ooit achter mijn echte identiteit kon komen.

'Als je echt denkt dat Bobby Doug vermoord kan hebben, waarom ben je dan gekomen?' vroeg ik zacht. 'Zeker als je je bewijs al bij de FBI hebt ingeleverd?'

Reed zweeg een ogenblik, zijn schouder was warm tegen de mijne ondanks de kou. Toen hij eindelijk sprak, klonk zijn stem mild, de stem van een man die veel had geleden en geleerd had van zijn pijn.

'Ik ben hier omdat Bobby mijn vriend is. Ongeacht wat hij misschien gedaan heeft, ben ik gekomen om te zien of ik hem kan overhalen zich vrijwillig over te geven nu hij nog in een positie is om een deal te sluiten. Op z'n minst ben ik gekomen om hem te laten zien dat ik er voor hem ben. Mensen die achter je staan in tijden van moeilijkheden, dat is een van de belangrijkste dingen in het leven. Ik denk dat wij dat allemaal op een harde manier hebben moeten leren.'

Ik in elk geval wel, dus ik knikte.

'Bovendien,' voegde Reed eraan toe, 'was ik bezorgd over de invloed die dit allemaal op jou zou hebben. Toen ik hoorde dat je in de stad was, moest ik komen om je te zien en je te vertellen wat ik weet.'

'Waarom?'

'Omdat ik niet wilde dat je het van iemand anders zou horen. Ik vond dat ik je dat als vriend verschuldigd was.'

Ik weerstond de verleiding, maar wat ik op dat moment het liefste wilde was nog dichter tegen hem aan leunen en mijn hoofd op zijn schouder laten rusten. Ik dacht aan de jaren die verstreken waren sinds we elkaar voor het laatst hadden gezien en aan de zomer dat ik Reed had ontmoet en verliefd op hem was geworden. Hij was inderdaad intelligent en leuk en knap om te zien, maar het bleek dat hij niet de man was geweest voor wie ik hem gehouden had. Afgezien van die ene kus was hij ook niet in het minst geïnteresseerd om meer te zijn voor mij dan een vriend. We hadden elkaar geschreven toen hij in de gevangenis zat, maar zelfs toen gingen zijn brieven niet over ons. Ze gingen over alles wat er gebeurd was en hoe hij veranderde. Natuurlijk maakten zijn woorden goed wat hij die avond had gedaan en ik werd weer verliefd op hem. Tot mijn ontzetting hielden de brieven uiteindelijk op en toen hij vrijkwam, had hij me nooit opgezocht of pogingen gedaan om me te zien. Terwijl ik mijn voor de tweede keer gebroken hart koesterde, besloot ik dat ik Reed Thorntons vriendschap nooit weer voor iets anders aan zou zien. En te oordelen naar het telefoongesprek dat ik daarstraks had onderbroken, had hij trouwens een relatie met iemand die Heather heette.

'Dus hoe gaat het tegenwoordig met je?' vroeg hij.

'Gaat wel. Goeie baan, vrienden, kerk. Als ik de brand kon uitwissen en al het andere wat die avond is gebeurd, zou alles natuurlijk heel anders zijn, maar ik mag niet klagen. En jij?'

Hij haalde zijn schouders op en krabde aan zijn wenkbrauw met zijn duim, een gebaar dat ik me liefdevol herinnerde.

'Ik werk waarschijnlijk te hard, maar verder gaat het goed.'

'Mooi.'

Ineens excuseerde Reed zich om naar de achterkant van de auto te lopen en in de kofferbak te zoeken.

'Kijk eens aan,' zei hij toen hij een verrekijker tevoorschijn haalde. 'Die ligt er al vanaf het footballseizoen. Een cadeautje van mijn vriendin.'

Hij kwam naast me staan en keek door de verrekijker in de richting waarin de neus van de auto wees.

'Hier, kijk maar,' zei hij en gaf mij de verrekijker, terwijl ik probeerde niet te denken aan de opmerking over zijn vriendin. Ik hield de verrekijker voor mijn ogen en tuurde in dezelfde richting.

'Wat moet ik zien? Alles is wazig.'

Hij probeerde de verrekijker bij te stellen, deed zijn handschoenen uit en probeerde het nog eens. Nu lukte het. Ik wist nog steeds niet wat ik moest zien, maar nadat ik de heuvel in de verte goed had bekeken, besefte ik dat we nu aan de overkant waren van de plek van Bobby's ongeluk. Door de verrekijker zag ik de menigte mensen langs de weg, de agenten die als mieren over de heuvel klommen en het verwrongen stuk metaal dat eens een motorfiets was geweest.

'Ik denk dat de politie eindelijk bij die boerderij gaat kijken,' zei Reed en met oplaaiende hoop keek ik die kant op. Het drong tot me door dat we waarschijnlijk op het land stonden van de mensen die daar woonden.

Mijn hoop verflauwde een beetje toen ik het toneel nauwlettend opnam en besefte dat het huis en de uitbouwen er verlaten uitzagen. Er waren geen dieren te zien, er hingen geen kleren aan de waslijn, er lag geen vergeten speelgoed op het erf. Maar het krioelde er van de politiemensen, dus als Bobby daar echt heen was gegaan, hoopte ik dat ze een spoor konden vinden van hem of wat er daarna was gebeurd.

Samen wachtten we, om beurten door de verrekijker kijkend, tot uit de bewegingen en lichaamstaal van de politiemensen duidelijk werd dat ze iets gevonden hadden. Ik vroeg me af of het Bobby was, maar na een poosje werd duidelijk dat hun ontdekking niet half zo kolossaal was. Toch wisten ze iets en Reed beloofde uit te zoeken wat het was en het me te vertellen.

Eindelijk besloten we te gaan. Nu Reed zonder handschoenen achter het stuur ging zitten, zag ik geschrokken de littekens op de rug van zijn handen. Dat deed me eraan denken dat hij die avond de ergste klap had gehad; hij kreeg derdegraads brandwonden op zijn rug, armen en handen terwijl hij Ezra uit de brand probeerde te redden. Ik vroeg me af of hij nu, al die jaren later, nog lichamelijke problemen had die in verband stonden met de brandwonden of het littekenweefsel. Wat treurig dat al onze littekens emotioneel waren, maar die van Reed ook lichamelijk.

Hij startte de auto, draaide op de smalle plek en reed terug over de grindweg. Toen hij het asfalt opdraaide en terugreed zoals we gekomen waren, stelde ik hem de vraag die zich aan me opdrong.

'Wat gaat er nu gebeuren?'

'Wat bedoel je?'

'Met de FBI. Ik neem aan dat ze naar het WIRE komen om onderzoek te doen naar recentere gevallen, om te zien of de doctor is doorgegaan met zijn illegale activiteiten?'

'Ja,' zei Reed terwijl hij over dezelfde schilderachtige kronkelwegen van daarstraks terugreed. 'Als ze beslissen dat de dossiers die ik hun heb gegeven voldoende bewijs verschaffen voor misdrijven – en dat zou wel moeten, vooral als de zwartgemaakte tekst teruggehaald kan worden – dan komen ze met een bevel om andere dossiers en gegevens in beslag te nemen. Ze doen alles wat nodig is om de volle omvang boven tafel te krijgen van wat daar gaande is. Je moet je voorbereiden op de mogelijkheid dat Bobby daarbij betrokken wordt.'

We passeerden een groepje Amish meisjes die in een enkele rij langs de kant van de weg liepen. Van achteren leken ze een groepje snoezige gansjes. De langste leek een jaar of elf, net zo oud als de jongste zoon van de Schumanns nu zou zijn als hij nog leefde.

Reed en ik waren zwijgzaam tijdens de terugrit. Toen we in de buurt kwamen van de plek waar mijn huurauto stond geparkeerd, wees ik ernaar en zei dat hij me daar kon afzetten. Toen hij stilstond, pakte hij een pen en een schrijfblokje uit het handschoenenkastje en schreef zijn gegevens op. Daarna vroeg hij mij hetzelfde te doen voor hem. Terwijl we papiertjes uitwisselden, keek ik hem in de ogen, bedankte hem voor zijn komst naar de stad en zei dat ik het fijn vond dat hij om mijn broer gaf.

'En om jou,' voegde hij eraan toe. 'Ik geef om jou.'

Ik keek onderzoekend naar zijn gezicht en begreep weer helemaal waarom ik jaren geleden gek op hem was geweest. Ik wilde net antwoord gegeven toen we beiden beroering voor de auto opmerkten. Voordat we er iets aan konden doen, ging er een fel licht af in onze gezichten.

We waren herkend door een fotograaf.

'Anna, stap in je auto en rijd weg,' zei Reed kalm. 'Ik zal ze ophouden.'

Ik bedankte hem en stapte vlug over naar mijn eigen auto. Nog meer fotografen en journalisten kregen ons in de gaten, maar ik slaagde erin met slechts een paar flitsen in mijn gezicht te ontsnappen. Reed daarentegen offerde zich voor mij op, stapte uit zijn auto en zei iets wat de aandacht naar hem toe trok.

Toen ik langs alle auto's en de menigte heen was, drukte ik het gaspedaal in en reed zo hard als ik kon weg. Ik nam een paar omwegen om te zorgen dat ik niet achtervolgd werd en liet toen langzaam mijn adem ontsnappen.

Wat ik gevreesd had, was gebeurd en dat betekende dat onze foto morgen op de voorpagina van de krant zou staan, en mijn nieuwe identiteit naar de maan was.

Alstublieft, God, laat het verhaal dit keer binnen de regio blijven.

Om de een of andere reden had ik het gevoel dat dit gebed niet verhoord zou worden zoals ik wilde.

26

~ Stéphanie ~

9 augustus 1812

Er is gemor in het paleis, gemor van ontevredenheid onder Karls familie. Luise is een bijzonder bittere pil en ze wenst niets liever dan dat dit kind in mijn schoot weer een meisje is, zodat opnieuw bewezen wordt dat ik niet in staat ben de troon een mannelijke erfgenaam te verschaffen.

Alles in mij smacht ernaar dat dit kind een jongen is, zodat de wraakgierige en onaangename Luise voorgoed tot zwijgen wordt gebracht. Als de hevige schoppen in mijn buik me niet verzekerden van de goede gezondheid van mijn kind, geloof ik heus dat Luises voortdurende snijdende opmerkingen en boosaardige klachten me gek zouden maken.

Zoals het nu is, maakt het venijn in haar stem en haar ogen soms dat ik me niet alleen gehaat, maar ook onveilig voel. Waartoe zou die vrouw met haar haat in staat zijn?

Ik hoop dat ik het nooit te weten kom.

---

15 augustus 1812

Vandaag kwam ik Priscilla tegen, haar ogen waren rood en haar hand omklemde een zakdoekje dat nat was van tranen. Ik moest een beetje aandringen voordat ze me vertelde wat er aan de hand was, want ze had het me nooit willen vertellen uit vrees voor mijn delicate toestand. Onder tranen vertrouwde mijn Amish vriendin mij toe dat ze al twee kinderen bij de geboorte had verloren voordat ze eindelijk Francis had gekregen, en dat ze diep in haar hart een voorgevoel had dat het kind dat ze nu draagt ook zal sterven.

Hoewel ik zelf niet het verlies van een kind heb ervaren, poogde ik haar te troosten. Naast haar gezeten klopte ik op haar hand en vertelde haar dat in de familie van mijn man ook veel sterfgevallen onder pasgeborenen waren geweest. We kwamen tot de conclusie dat God de leiding had en Zijn wil geschieden moest, welk leven of welke dood of pijn ons ook wachtte.

Priscilla's vertrouwen op Gods wil is echter veel sterker dan het mijne. Uitwendig beleed ik te aanvaarden welk lot de vrucht van mijn schoot wacht. Inwendig weet ik dat zelfs de hemel het niet moet wagen mijn kind te vroeg uit mijn greep te roven.

27

~ Anna ~

Het internetcafé was ingeklemd tussen een benzinestation en een hotel.

Het was bijna leeg, afgezien van een groepje schoolmeisjes in blauwwitte T-shirts en een gezinnetje van vier dat bij hen scheen te horen. Ik ging achter de hele groep in de rij staan en bestudeerde het menu op zoek naar iets goedkoops. Ik scheen het beste de fijnproeverskoffie te kunnen nemen, dus toen ik aan de beurt was, vroeg ik om een dubbele cappuccino met magere melk en kaneel met een snufje suikervrije vanille.

'Gaat u zitten, dan brengen we het bij u als het klaar is,' zei de vrouw toen ze het bankbiljet aannam en me wisselgeld gaf.

'Bedankt.'

Het café heette Bites & Bytes, maar er stonden maar vier computers in de hele ruimte. Daaruit leidde ik af dat de meeste mensen hun eigen laptop meebrachten en dat was een opluchting. Met zo weinig harde schijven kon het niet lang duren om degene te vinden die Bobby op woensdagavond had gebruikt.

Bij de tweede poging was het raak. Zoals veel openbare computers hadden deze een wisprogramma om ze elke avond op te schonen, maar ik wist hoe ik daar omheen kon om toch toegang te krijgen tot de browsergeschiedenis. Toen ik een lange lijst van activiteiten vond op de datum en tijd in kwestie, wist ik dat ik in de roos geschoten had, vooral omdat de meeste sites klopten met wat ik al wist over Bobby's internetactiviteiten van die avond.

Mijn koffie kwam en ik maakte van de onderbreking gebruik om de opladers voor mijn mobiele telefoon en mijn laptop te pakken en ze allebei in te pluggen. Ik wist niet hoelang ik hier bleef, maar ik wilde een beetje stroom pakken nu het kon.

Ik dronk van mijn koffie en keerde terug naar de computer, nam de geschiedenis door en stelde een flinke lijst op van alle sites die Bobby had bezocht. Daarna vergeleek ik hem met de lijst die ik op kantoor in Californië had gemaakt. Er was me niet veel ontgaan, maar nu was ik tenminste in staat de knagende vraag te beantwoorden waarom Bobby Las Vegas had gekozen als valse bestemming. Dat was zo te zien de enige vlucht die midden in de nacht uit Philadelphia vertrok. Voor de zekerheid zocht ik op de website van het vliegveld, maar hoe groot die ook was, tot mijn verbazing vonden alle binnenlandse vluchten plaats tussen zes uur 's morgens en middernacht. Een uitzondering was de vlucht die hij geboekt had naar Las Vegas, die om twee uur 's nachts uit Philadelphia vertrok en die in de aanbieding was geweest. Gezien het tijdstip was deze vlucht de enige keus die hij had.

Toen ik alle sites geïnspecteerd had, was het tijd om op Bobby's e-mailadres in te breken. Lydia wist niet wat zijn wachtwoord was, maar ik hoopte er toch achter te komen. Ik klapte mijn laptop open, sloot hem aan op het draadloze internet van het café en opende mijn software om wachtwoorden te kraken. Een geinig programmaatje waarmee ik iemands bekende gegevens door elkaar kon laten gooien en relevante cijfers en woorden mixen, om de combinatie te vinden die een bepaalde deur ontsloot. Naar mijn ervaring zat de kraker in ongeveer tachtig procent van de gevallen goed. Natuurlijk was dit programma gemaakt om de wachtwoorden uit te vogelen die de gemiddelde mens verzon, niet om een willekeurige wachtwoordgenerator of iemand met superieure technische kennis te slim af te zijn.

In aanmerking genomen dat Bobby niet eens een computer had, had ik in zijn geval veel hoop dat mijn programma zijn wachtwoord kon ontcijferen. Ik begon alle woorden in te typen die ik in Bobby's leven kon bedenken: namen van familie en vrienden, favoriete plaatsen, hobby's, talenten, lievelingsfilms- en boeken, oude huisdieren, nieuwe en oude adressen, en meer.

Onderaan voerde ik relevante gegevens in, zoals verjaardagen en gedenkdagen.

Toen ik het hele formulier had ingevuld, zette ik het programma in werking. De internetprovider die Bobby gebruikte, liet drie pogingen toe voordat je eruit geschopt werd, maar de kraker had automatisch opnieuw opstarten in zijn protocol. Op die manier kon hij op de meeste ISP's door een haast oneindige hoeveelheid woorden en woord- en cijfercombinaties heen cirkelen, en ze allemaal proberen tot hij uiteindelijk het wachtwoord vond waarmee ik in Bobby's e-mailaccount kon.

Terwijl de machine zijn werk deed, leunde ik achterover en rekte me uit. Ik voelde spanning in mijn nek en rug. Ik keek om me heen in het café en zag dat de tieners achter wie ik in de rij had gestaan zich nu in zitjes langs de ramen hadden gepropt, waar ze pratend en lachend hun lunch zaten te eten. Zonder nieuwsgierig te willen zijn, sloeg ik hen gade. Ze schenen goed met elkaar op te kunnen schieten en zo te zien waren ze erg gesteld op de familie met wie ze mee waren, vooral de vrouw die ze mevrouw Hoffman noemden. Ze was een aantrekkelijke blondine, een echte akela: hartelijk en behulpzaam en moederlijk.

Met haar man en hun twee kinderen zat ze in hun eigen zitje in de buurt en ze vormden een gezellig gezinnetje. De zoon was ongeveer negen of tien en hij had hetzelfde donkere haar als zijn vader. Daarstraks had ik hem als stil geclassificeerd, maar nu zat hij enthousiast te praten over de basketbalwedstrijd waar ze heen waren geweest voordat ze naar het café kwamen. De dochter was jonger, een jaar of zeven en een schoonheid, een en al blond haar en blauwe ogen en een sprankelende persoonlijkheid. Nu en dan opkijkend naar haar broer om naar zijn verhalen te luisteren, zat ze grote, kleurige bloemen te tekenen op de papieren placemat die voor haar lag.

Een plotselinge piep trok mijn aandacht weer naar het computerscherm, waar het programma me waarschuwde dat het erin geslaagd was de code de kraken. Met één teken tegelijk zag ik in het kadertje midden op mijn scherm Bobby's wachtwoord verschijnen. Glimlachend zag ik dat zijn e-mailwachtwoord *Ditto2268* was, een combinatie van zijn huidige doorkiesnummer op zijn werk en de naam van zijn lievelingsdier, een van de twee katten die we als kind hadden gehad. Ik vond Bobby's keuze vooral interessant omdat vroeger, voordat ik technisch handiger werd en een wachtwoordgenerator begon te gebruiken, het wachtwoord van mijn eerste e-mailaccount was genoemd naar onze andere kat, Willow, die mijn lievelingsdier was. Het is waar, meesterbreinen denken gelijk.

Toen ik eenmaal in zijn account zat, controleerde ik eerst alle datums van zijn verzonden e-mails en het verbaasde me niet dat er sinds hij woensdagavond hiervandaan was gegaan geen activiteit meer was geweest.

Ik klikte naar de lijst met nieuwe mail en keek de hele lijst van geopende en ongeopende e-mails door, op zoek naar iets ongewoons. Er waren een heleboel bevestigingen van veranderde rekeningen van creditcardmaatschappijen en banken, wat ik wel had verwacht. Er waren ook een paar professionele nieuwsbrieven, wat spam en doorstuurmailtjes van vrienden, maar ook dat viel te verwachten. Wat me wel verbaasde, waren tientallen brieven over genealogie, afstamming en de stamboom van de familie Jensen.

Ik ging rechtop zitten en kreeg kippenvel op mijn armen toen ik dacht aan de woorden van de indringer met de bivakmuts: *'Je bent de zuster van Robert 'Bobby' Jensen, de dochter van Charles Jensen en afstammeling van onder anderen Peter en Jonas en Karl Jensen. Ik ben bij het goede huis en jij bent de juiste persoon.'* Die woorden toonden onbetwistbaar een verband aan tussen wat mij was overkomen en wat hier met Bobby was gebeurd. Ik vond het echt niets voor hem om voor de lol onderzoek te gaan doen naar onze afkomst – iets anders had hem gedreven, iets wat veel verder ging dan de gemiddelde stamboomhobbyist.

Twintig minuten lang was ik bezig verschillende e-mails door te nemen die in de afgelopen maanden waren ontvangen en verzonden. Zo te zien in wat ik las, duurde Bobby's belangstelling voor genealogie al een poosje, maar was hij drie weken geleden plotseling tot extreme hoogte gestegen, rond dezelfde tijd dat hij geschorst was. Daar dacht ik over na en ik vroeg me af of dat afstammingsgedoe gewoon een hobby was geweest die een obsessie was geworden toen hij al die vrije tijd had. Ik betwijfelde het sterk. Ik las verder en probeerde te ontdekken waar Bobby naar op zoek was geweest.

Ik maakte eruit op dat hij alleen geïnteresseerd was in de familie van de kant van onze vader, niet van onze moeder, en dat hij vragen in verband met zijn zoektocht had gepost op listservers en prikborden en allerlei soorten onlinesites om de naam Jensen na te trekken. Er was een ontvangstbewijs van een maand geleden dat aantoonde dat hij een DNA-testkit had gekocht voor tweehonderd dollar. Hij moest de test hebben gedaan en ingestuurd, want de uitslag was ongeveer tien dagen later gekomen. Ik volgde de link om zijn testuitslagen zelf te lezen, maar ik begreep het meeste niet van wat ik las. Het was een technisch verhaal vol termen als 'haplogroepen' en 'subgenus' en 'genetische handtekening'. Er zat verklarende informatie bij het rapport, maar ik had geen zin om de tijd te nemen om mezelf onnodig wijs te maken. In plaats daarvan downloadde ik het hele geval op de harde schijf van mijn laptop, zodat ik het later aan Reed kon laten zien om door hem te laten vertalen.

Ik zat nog steeds Bobby's e-mails te lezen toen ik het bekende 'ping!' hoorde van een binnenkomend MSN-bericht, gestuurd door iemand die online was en met me wilde praten – of eigenlijk met Bobby, omdat ik me als hem had aangemeld. Er verscheen een kadertje in de linkerbovenhoek van het scherm met de naam *lostscholar32*.

> *<Hoi Bobby, waar heb je gezeten? Je hebt mijn e-mails niet beantwoord!>*

Ik knipperde met mijn ogen en aarzelde heel kort voordat ik een bericht terugschreef.

<*Sorry, druk gehad. Alles goed?*>

Ik voelde me schuldig omdat ik onder valse voorwendsels met iemand zat te chatten, maar ik moest zien wie dit was en of hij of zij een link had met mijn broer die bruikbaar was voor mijn onderzoek. Vlug sorteerde ik Bobby's mail op adres en ging op zoek naar uitwisselingen tussen hem en lostscholar32. Voordat ik erg ver gekomen was, kwam het antwoord.

<*Ik heb je ouders nog kunnen spreken voordat ze op reis gingen. Helaas hadden zij ook nog nooit van de Beauharnais-robijnen gehoord.*>

Ik hapte zo luid naar adem dat enkele tieners uit de groep zich naar me omdraaiden. Ik wuifde beschaamd en dacht na over mijn antwoord. Mijn hersens wervelden honderd verschillende kanten op, maar ik was vooral verrukt dat ik het woord nu correct kon spellen. Dat was voor een zoektocht op internet van onschatbare waarde. Vlug schakelde ik over naar de browser op de vaste computer en zocht op 'Beauharnais-robijnen'. Omdat ik deze man graag aan de praat wilde houden, schakelde ik terug naar mijn laptop en typte een antwoord.

<*Wat ben je tot nu toe te weten gekomen over de robijnen?*>

Ik keek naar de zoekresultaten en zag tot mijn teleurstelling dat er geen directe hits waren. Wel waren er een paar items met 'Beauharnais-smaragden', dus ik klikte die links aan en stond versteld van wat ik zag. Kennelijk had in de negentiende eeuw een vrouw genaamd Stéphanie de Beauharnais een schitterende set sieraden van smaragd gekregen van haar adoptievader Napoleon Bonaparte. Deze set juwelen was bekend geworden als de 'Beauharnais-smaragden' en werd op dit moment tentoongesteld in een museum in Londen. Mijn aandacht werd van het artikel afgeleid door een 'ping!' op mijn laptop, die op een antwoord wees.

<Je vader stuurde een foto mee die me erg motiveerde. Hij vertelde ook dat je een zus hebt, maar hij kon me geen gegevens geven. Zou jij me met haar in contact kunnen brengen? Misschien kan ze helpen.>

Om tijd te winnen, typte ik een antwoord.

<Ja hoor, wacht even. Niet weggaan.>

Hij antwoordde meteen.

<Nee, wees maar niet bang!>

Zo snel als ik kon, nam ik Bobby's e-mails door tot de allereerste die ik van deze figuur kon vinden, die ongeveer twee weken geleden was verstuurd met als onderwerp *Uw bericht op het prikbord over afstamming.* In de mail maakte de man zich bekend als Rémy Villefranche, historicus en geleerde en auteur van de boekenserie *Nergens te vinden,* die tot nu toe de titels omvatte *Nergens te vinden: verloren schilderijen van de meesters* en *Nergens te vinden: vermiste manuscripten.*

Volgens de e-mail was hij op dit moment bezig met zijn volgende boek *Nergens te vinden: verloren juwelen en antiquiteiten* en deed hij onderzoek naar een zekere 'parure van sieraden', wat dat ook mocht betekenen, die volgens hem in de familie Jensen van geslacht op geslacht waren doorgegeven. Hij zei dat hij verschillende vormen van bewijs had dat bepaalde stukken van de set in verband bracht met de voorouders van Bobby Jensen, in het bijzonder met zijn betovergrootvader William en zijn betbetovergrootvader Peter.

Hij beëindigde de mail met de woorden *Bespreek deze kwestie graag zo gauw mogelijk nader met u.* Dat werd gevolgd door een lange lijst persoonsgegevens, waaronder verscheidene telefoonnummers, een adres op Park Avenue in New York City en een website.

Ik stuurde nog een bericht.

<Ben je er nog? Blijf hangen. Ik ben zo terug.>

<Ja hoor, ben er nog. Neem de tijd.>

Op de vaste computer ging ik naar een online boekwinkel en zocht naar de boeken van deze man. Hij bleek inderdaad een echte auteur bij een grote uitgever. Verder zoekend zag ik dat hij een paar goede recensies had gekregen, waarin hij werd geprezen om zijn 'grondig onderzoek', 'schitterende foto's' en 'oog voor detail'. Klonk me authentiek in de oren.

Op de laptop typte ik met ingehouden adem:

<Je woont toch in Manhattan?>

<Ja, hoezo?>

<Omdat mijn zus in de stad is. Ze wil je graag persoonlijk ontmoeten.>

Terwijl ik wachtte op zijn antwoord, probeerde ik te berekenen hoelang ik erover zou doen om in New York City te komen. Als ik de trein nam van Malvern met een overstap op 30th Street Station, kon ik waarschijnlijk over drie of vier uur op Penn Station zijn. Aan de andere kant, als ik met de auto ging, deed ik er waarschijnlijk maar tweeënhalf uur over. Hoewel ik voor geen van beide methoden tijd of geld had, was dit gesprek te belangrijk om via internet of zelfs maar door de telefoon te voeren. Ik moest de man niet alleen aan de tand voelen, maar ook zijn lichaamstaal en gezichtsuitdrukkingen observeren. Ik zou hem ook vertellen over mijn indringer en zien of hij enige duidelijkheid kon geven over wie de man kon zijn die bij me ingebroken had. Als ik iets aan hem had, kon dit deel van het mysterie misschien tegen het eind van de avond opgelost zijn.

De computer piepte en zijn antwoord verscheen.

<Super! Zeg maar waar en hoe laat en ik ben er!>

Nog beter, hij was bereid naar mij toe te komen. Ik dacht even na en stelde voor elkaar vanavond te zien in een restaurant bij het treinstation in Paoli, wat handig was voor hem.

Zijn antwoord kwam snel en hij vroeg me even te wachten en niet weg te gaan. Ik nam aan dat hij de treintijden nakeek en antwoordde dat hij de tijd moest nemen. Intussen klikte ik naar Bobby's verzonden mails en las het antwoord dat hij had gestuurd op de oorspronkelijke mail van deze man.

Geachte meneer Villefranche,
Ik weet helemaal niets over robijnen die zijn doorgegeven in mijn fa-
milie, maar ik wil graag met u praten als u licht kunt werpen op mijn
stamboomonderzoek. Ik bel u straks. Welk nummer moet ik gebruiken?
Het is hier in Hershey op dit moment even na twee uur 's middags en ik
bel u waarschijnlijk als mijn computersessie om drie uur afgelopen is.
Bedankt,
Bobby Jensen

Hershey? Computersessie? Bobby's e-mails leverden evenveel vragen op als antwoorden! Ik herinnerde me dat ik nog een bericht had gezien met het woord 'Hershey' als onderwerp, maar ik had gedacht dat het spam was en niet de moeite genomen het te lezen. Ik zocht die e-mail op, maar voordat ik hem open kon maken, verscheen er een nieuw bericht van meneer Villefranche.

<Oké, ik heb even een paar vrienden gebeld die in Lititz wonen en die zullen me ophalen op het Amtrak-station in Harrisburg en me naar onze afspraak brengen. Zullen we zeggen om 20.30 uur eten? Ik trakteer natuurlijk.>

<Dat is prima. Ze zal er zijn.>

<Waaraan kan ik haar herkennen?>

Ik dacht even na, grinnikte en schreef:

<Kijk uit naar een mysterieuze blonde dame in een marineblauwe jopper.>

<Goed. Zeg maar dat zij uitkijkt naar een niet-zo-mysterieuze oude man met grijs haar en een bordeauxrode das. Nu moet ik rennen om in te pakken om die trein te halen.>

<Oké, dag.>

Het geluidje van een dichtvallende deur gaf aan dat Rémy Villefranche niet langer online was. Ik bleef even zitten, dankbaar voor deze kolossale doorbraak in de zaak. Misschien dat het tij eindelijk keerde, dat al mijn vragen binnenkort beantwoord werden en Bobby ergens veilig en wel opdook.

Aan de andere kant kon de hele situatie ook op het punt staan nog ingewikkelder te worden.

28

~ Stéphanie ~

30 augustus 1812

Mijn wandelingen zijn de laatste tijd korter en veel langzamer geworden, nu de baby in mijn buik me log heeft gemaakt. Helaas was Priscilla vandaag nergens te zien op het land, hoewel ik een hele tijd op haar heb staan wachten bij het hek. Ten slotte kwam Samuel de schuur uit met de kleine Francis achter zich aan. Hij vertelde me bezwaard dat Priscilla onwel was en in bed lag. Ik vroeg of haar weeën waren begonnen, maar hij zei dat het tegenovergestelde het geval was, haar schoot was stil, alsof het kind vanbinnen geen enkel verlangen had om in beweging te komen.

Bezorgd bood ik aan de paleisarts bij haar thuis te laten komen en een onderzoek te doen, maar Samuel weigerde beleefd. Pas toen we ons gesprek hadden beëindigd en hij wegliep, besefte ik hoe bespottelijk mijn aanbod moest hebben geklonken. Vrouwen als Priscilla krijgen geen visite van paleisartsen, zelfs niet op verzoek van een hertogin. Waarom moet onze wereld zo verdeeld zijn in klassen, terwijl alleen echt belangrijk is wat in het hart leeft?

Ik houd nu al zo innig van het kind dat ik draag, dat ik huiver als ik eraan denk hoe het zou zijn om in Priscilla's schoenen te staan, te weten dat mijn zoon zou sterven voordat hij zelfs maar de kans had gekregen om te leven.

---

2 september 1812

Vandaag ontving ik schokkend nieuws, dat me in vertrouwen werd mede-
gedeeld door een van de paleiswachten. Volgens een gesprek tussen Luise
en Leopold dat hij had afgeluisterd, maken ze zich op om iets te onder-
nemen als het kind dat ik draag mannelijk is. Toen ik vroeg wat dan,
schudde de wacht slechts zijn hoofd en gaf met een gebaar te kennen dat
mijn kind dan gedood moest worden.

Gedood!

Mijn geliefde zoon gedood!

Ik vroeg waarom en de wacht zei dat het is omdat Luise de troon voor haar
eigen zoon begeert. Ik wilde een nadere uitleg, maar de bewaker wenste
me goedendag en verdween, klaarblijkelijk uit vrees voor zijn leven.

Nu moet ik rusten in mijn kamer, maar ik kan niet slapen. Ik kan niet
ademhalen! Dit is wat ik niet begrijp. Het huwelijk van Luise en de
groothertog was morganatisch! Iedereen weet dat de afstammeling van een
morganatische verbintenis geen recht heeft op titel, bezit of voorrecht. Hoe
kan Luises zoon dan de troon erven, ook al stond mijn eigen kind niet in
de weg? Vanavond moet ik Karl onder vier ogen spreken en hem vragen
hoe dit mogelijk kan zijn.

Kan het echt bestaan dat mijn schoonfamilie de moord op mijn zoon
beraamt?

29

~ Anna ~

'Wat typ jij snel.'

Ik keek op van het toetsenbord en zag het kleine meisje dat hier met het sportteam was gekomen.

'Omdat ik elke dag achter de computer zit. Ik heb veel geoefend.'

'Mijn vader zit ook elke dag achter de computer.'

Over de schouder van het meisje zag ik dat de teamleden die klaar waren met eten onrustig begonnen te worden.

'Paars is mijn lievelingskleur,' verkondigde het meisje, wijzend naar de paarse trui die ik van Lydia had geleend.

'Nou, mijn lievelingskleur is blauw. Ik geloof dat we maar moeten ruilen,' antwoordde ik. Wijzend naar haar koningsblauwe sporttrui met witte letters op de voorkant, vroeg ik: 'Wat betekent ccs?'

'Dat is mijn school. Ik help mijn moeder met het aanmoedingsteam. Vandaag hebben we de pompons gebruikt.'

Voordat ik antwoord kon geven, zag de moeder van het meisje dat ze met me praatte en riep haar dochter.

'Melana! Val die aardige mevrouw niet lastig!'

'Het geeft niet,' verzekerde ik haar, maar het meisje nam vlug afscheid en draafde weg naar een paar tieners die zich bij de kauwgomballenautomaten achter me hadden verzameld.

'Sorry,' zei de vrouw toen het kind buiten gehoorafstand was. 'Dat is ons kleine heethoofd.'

'Ze is schattig,' antwoordde ik. 'U hoeft zich niet te verontschuldigen.'

De jongen vroeg zijn vader om een kwartje en toen stond hij op en liep ook naar de automaten. Toen hij langsliep, schonk hij me een verlegen glimlach. Hij had mooie donkerbruine ogen.

Ik zette mijn gedachten op een rijtje en probeerde uit te maken wat ik nu ging doen. Bobby had Hershey genoemd in zijn e-mail aan Rémy Villefranche, dus ik zocht naar mails met 'Hershey' in het onderwerp. De eerste was twee weken geleden binnengekomen van een e-mailadres dat ik niet herkende en slechts twee zinnen bevatte:

Ik zag uw briefje op het prikbord op school. Ik gebruik mijn kluisje nooit. Ga gerust uw gang.

De volgende dag al had Bobby teruggeschreven.

Bedankt, het zal een stuk makkelijker zijn als ik mijn papieren en spullen daar kan achterlaten en niet meer heen en weer hoef te slepen. Ik heb het nummer en de combinatie van de kluis nodig. Als ik die heb, zal ik u de twintig dollar voor de maand sturen. Zo lang heb ik hem niet eens nodig, maar het wisselgeld mag u houden.

De persoon had binnen een uur geantwoord.

De kluis is in Whitehall Commons, eerste verdieping, nummer 329. Combinatie is 5475. Stuur het geld maar naar de postbus van de school, postbus 718.

Ik schreef de informatie op en las het laatste bericht, dat Bobby een paar dagen later had geschreven.

Nogmaals bedankt. Kluis gevonden, ging zonder problemen open. Geld is onderweg.

Terwijl ik hierover zat na te denken, rende het kleine meisje langs me heen naar haar ouders met een felgele kauwgombal in haar hand geklemd.

'Mason heeft paars en hij wil niet ruilen!'

'Oké joh, hier,' zei de broer, die achter haar aan was gerend voordat de ouders tussenbeide konden komen. Met tegenzin ruilde hij met haar en ik glimlachte. Ze deden me denken aan Bobby en mij op die leeftijd.

De rest van de groep stond op om te vertrekken, ze droegen hun dienbladen naar de afvalbak en gingen vlug nog even naar de toiletten. Eindelijk slaagden de twee volwassenen erin de kinderen en tieners de deur uit te werken, de vrouw met een verontschuldigende glimlach en een zwaai naar mij. Ik wuifde terug en hoopte dat ze wist dat ik geen last van hen had gehad.

Niettemin was het prettig dat de rust was teruggekeerd. Op het toetsenbord zocht ik op internet naar 'Whitehall Commons' waar het kluisje dat Bobby klaarblijkelijk gehuurd had zich bevond en ik vond de website van een artsenopleiding in Hershey.

Een artsenopleiding? Bracht Bobby daar zijn tijd door sinds hij geschorst was? Het leek er wel op, vooral als hij een kluisje had moeten huren. In zijn e-mail stelde hij het wel voor alsof hij het kluisje nodig had omdat het handig was, maar ik had het gevoel dat het er meer mee te maken had dat hij bepaalde dingen voor Lydia wilde verbergen.

Om er zeker van te zijn dat ik er niet helemaal naast zat, zocht ik een telefoonnummer op van de administratie van de school, belde met mijn mobiel zonder hem uit de oplader te halen en drukte een reeks toetsen in tot ik iemand aan de telefoon kreeg. Toen ik vroeg of er kluisjes waren op Whitehall Commons, lachte de vrouw alleen maar.

'Nee, lieverd. Ze zijn allemaal verhuurd voor het semester. Je kunt proberen een briefje op het prikbord te hangen met de vraag of er iemand wil delen. Dat doen sommigen.'

'Oké. Dank u wel,' zei ik, blij dat ze precies bevestigde wat ik wilde weten.

Ik hing op en bedacht dat er weliswaar een grote kans bestond dat Bobby voor zijn verdwijning het kluisje had uitgeruimd, maar dat de kans even groot was dat het kluisje vol zat en een goud-mijn aan informatie bevatte.

Vlug sloot ik beide computers af, pakte mijn laptop en liep naar mijn auto, verbaasd toen ik zag dat het al na drieën was. Met het trage verkeer op zaterdag wist ik dat de rit van Exton naar Hershey wel een poosje zou duren, dus ik reed naar Horseshoe Pike en maakte me op voor de reis, peinzend over alles wat ik tot nu toe te weten was gekomen. Even later belde Reed om me te vertellen wat hij op de plek van het ongeluk te weten was geko-men.

'Ten eerste heeft de politie bandensporen ontdekt die bewijzen dat Bobby door iemand anders van de weg af is gedrukt.'

Ik rilde en probeerde niet voor me te zien hoe mijn arme broer in doodsangst op de vlucht was toen er een auto tegen hem aan reed en probeerde hem over de rand van een klif te dwingen.

'Er is nog iets,' vervolgde Reed. 'Een stukje lager dan de mo-torfiets heeft de politie bewijs van lichamelijk letsel gevonden.'

'Wat voor bewijs?'

'Bloedspatten in een patroon dat klopt met een lichaam dat met grote snelheid de grond raakt. Ze weten natuurlijk nog niet of het Bobby's bloed was, maar daar gaan ze voorlopig van uit. Van daaruit hebben ze sporen gevonden naar de boerderij, maar de familie die daar woont is volgens een buurman de stad uit. De politie zegt dat Bobby heeft ingebroken, een paar dingen heeft gedaan en toen is vertrokken. Op de keukentafel vonden ze wat contant geld en een briefje.'

'Contant geld en een briefje? Wat stond erin?'

'Wacht even. Ik heb het opgeschreven, want ik wist dat je het woord voor woord zou willen horen.'

Ik wachtte en hoorde hem met papier ritselen.

'Hier heb ik het. "Beste huisbewoners, sorry voor de rommel die ik heb gemaakt. Ik hoop dat dit genoeg is voor het kapotte glas, de kleren die ik heb meegenomen en het verband en zo. Ik heb niet genoeg om de tractor te betalen, maar ik zal zorgen dat hij uiteindelijk bij u terugkomt. Bedankt en nogmaals, het spijt me echt." Hij ondertekent met "B. Jensen".'

'Dus hij heeft het ongeluk overleefd,' zei ik. Opgelucht liet ik mijn adem ontsnappen.

'Het lijkt erop, ja.'

'En hij is ontsnapt op een tractor?' vroeg ik ongelovig.

'Op een Amish boerderij, Anna, zal het de keus geweest zijn tussen dat of een step.'

'Amish tractors hebben toch metalen wielen, zodat ze niet als vervoer gebruikt kunnen worden?'

'Ja. De politie denkt dat Bobby hem vanwege zijn verwondingen alleen heeft gebruikt om bij de dichtstbijzijnde auto of fiets of wat hij ook maar kon stelen dat sneller ging te komen. Ze zijn behoorlijk intensief op zoek naar de tractor. Als ze die kunnen vinden, denken ze meer duidelijkheid te krijgen over hoe hij echt is weggekomen.'

'Kunnen ze niet gewoon de bandensporen volgen?'

'Nee, de grond is bevroren, dus sporen waren er niet. Het had die nacht ook niet gesneeuwd. Ze kunnen niet eens uitmaken of hij de weg op is gegaan of vast kwam te zitten in het gras. Ze hebben uitgerekend hoe ver hij met een volle tank had kunnen komen, dus dat is het zoekgebied waarop ze zich eerst concentreren.'

'Iemand moet hem gezien hebben. Een gewonde man die rondrijdt op een tractor kan niet totaal onopgemerkt blijven.'

'Daarom kammen ze de buurt uit.'

Nadat we ons gesprek beëindigd hadden, dacht ik na over alles wat Reed had gezegd. Bobby moest natuurlijk geweten hebben dat de politie getipt werd als hij een briefje achterliet en hun aanwijzingen gaf voor een zoektocht. Misselijk van ellende dat de verdwijning van mijn broer nu was uitgedraaid op een mensenjacht, vroeg ik me af of Bobby een reden had om zo dwaas te zijn dat briefje achter te laten, of dat hij een harde klap op zijn hoofd had gehad en gewoon niet helder dacht. Hoe dan ook, ik zag voor me hoe mijn broer zich bloedend en lijdend helemaal naar die boerderij had gesleept om niemand thuis te treffen, geen telefoon en geen goed vervoer. Ik sprak weer een snel gebed voor hem uit en reed verder, vastbeslotener dan ooit om hem zo vlug mogelijk te vinden.

Toen ik de heerlijke geur van chocolade rook, wist ik dat ik in de buurt kwam van Hershey. De geur opsnuivend reed ik de campus van de artsenopleiding op. Toen ik vlug geparkeerd had en naar binnen was gelopen, stond ik voor kluisje nummer 329. Ik drukte de combinatie 5475 in.

Het deurtje floepte open en ik zag een schrijfblok, mappen en een grote stapel losse papieren. Ik haalde er een paar vellen uit en bladerde met ingehouden adem, op zoek naar Bobby's handschrift. Geen twijfel mogelijk, deze stapel spullen was van hem.

Met bonzend hart greep ik de hele berg vast, maar toen ik hem eruit haalde, gleed er een sleutelbos onder de papieren vandaan die kletterend op de vloer viel. Ik pakte ze op en zag dat een ervan geen gewone sleutel was, zoals voor een huis of een auto. Hij was kleiner en rond aan de onderkant. Ik liet de hele bos in mijn zak glijden, sloot de deur van het lege kluisje en keerde terug naar de grote hal, waar ik een paar studiehokjes had gezien. Ik koos er een die een beetje afzijdig stond, liet de zware berg papieren op tafel ploffen en haalde de sleutels uit mijn zak om ze beter te bestuderen.

Twee waren onopvallend, maar op de derde, de ronde, stond het woord *staalkast*, wat me op het idee bracht dat hij van een archiefkast was. Mijn hersenen werkten op volle toeren. Was die kast ergens hier op de campus, in Bobby's appartement of misschien zelfs op het lab?

Over een lab gesproken, ik herinnerde me dat doctor Updyke had gezegd dat Bobby geschorst was omdat hij daar geprobeerd had toegang te krijgen tot geheime informatie. Ik had me voorgesteld dat hij op de computer had ingebroken, maar nu begreep ik dat hij waarschijnlijk papieren of dossiers in het kantoor had opgespoord. Wellicht ontsloot deze zelfde sleutel laden die de informatie bevatten die hij zocht. De vraag was: had Bobby gevonden wat hij zocht, of was hij te vroeg betrapt?

Ik haakte de sleutels aan mijn sleutelbos, stopte ze weg in mijn tas en richtte mijn aandacht op de stapel papieren. Zorgvuldig nam ik ze van boven tot onder door.

Net als in Bobby's e-mail stonden veel van zijn papieren in verband met een genealogische zoektocht, waaronder een handgetekende familiestamboom. Bobby had hem uitgeschreven op een groot stuk papier en toen ik het openvouwde, zag ik dat hij zichzelf via onze vader en grootvader had doorgetrokken tot een man genaamd Samuel Jensen, die op de lijst stond als onze betbetbetbetbetovergrootvader.

De rest van de stapel bestond uit handgeschreven aantekeningen en fotokopieën van bladzijden uit studieboeken, allemaal gerelateerd aan genetische stoornissen die onder de Amish voorkwamen: dingen met namen als *glutaar acidurie* en *Crigler-Najjar syndroom* en *Medium Chain Acryl co-enzym-A Dehydrogenase deficiëntie*. Bobby had enkele alinea's gemarkeerd, maar het grootste deel van de terminologie ging me ver boven mijn pet. Ik kon er alleen uit opmaken dat artsen vooruitgang hadden geboekt in het isoleren van de genen die zulke stoornissen veroorzaakten en dat de Amish in de toekomst wellicht geholpen konden worden door 'gentherapie in het achtcellig stadium'. Maar in de volgende alinea stond iets wat ze niet voor elkaar konden krijgen, al was de technologie beschikbaar:

> *Hoewel in-vitrofertilisatie niet specifiek verboden wordt door de Ordnung is het geen normale praktijk onder de Amish, hoofdzakelijk vanwege het hoge prijskaartje, de benodigde tijd en het overheersende besef dat er geknoeid wordt met Gods wil. Het veel eenvoudiger proces van pre-implantatiegenetische diagnose en selectie is geen optie voor deze bevolkingsgroep wegens de daaruit voortvloeiende vernietiging van ongeschikte embryo's.*

Ik legde die bladzijde opzij en ging over naar de volgende, een krantenartikel met de titel *Genjagers onderzoeken foundereffect*. Het artikel legde in simpele termen het hele Amish-genetische fenomeen uit waarover Reed me had verteld. Er stond in dat meer dan 150.000 Amish in Amerika waren voortgekomen uit slechts 200 gemeenschappelijke voorouders die in de achttiende eeuw vanuit Europa geïmmigreerd waren. Door generaties van onderlinge huwelijken onder de afstammelingen van deze immigranten bleven de recessieve genen die in algemene bevolkingen verdund werden binnen in de besloten Amish gemeenschap bestaan. Met elke generatie werd de kans groter dat dragers van dezelfde zeldzame stoornis trouwden en kinderen voortbrachten die aan de stoornis leden, ziedaar het 'foundereffect'.

Volgens het artikel vielen de genjagers die geïnteresseerd waren in deze unieke bevolkingsgroep in twee kampen uiteen: degenen van wie het onderzoek nuttig was voor de Amish en degenen die alleen maar gebruik van hen maakten voor materieel gewin. De nonprofit Kliniek voor Speciale Kinderen, die vlak bij Strasburg stond en opgericht was door een wereldberoemde kinderarts, werd genoemd als 'een volmaakt voorbeeld van geven en nemen onder onderzoekers en patiënten'. De kliniek slaagde erin zijn tweeledig doel te bereiken: zorg voor de patiënten die aan zeldzame stoornissen leden en voortschrijdend onderzoek naar oorzaken, behandelingen en geneeswijzen.

Dit in tegenstelling, stond er in het artikel, tot enkele researchlabs die zich op de Amish concentreerden en 'alleen maar konden nemen zonder te geven'. Op die plekken werd Amish bloed ingezameld voor studie om uiteindelijk hun genetische techniek te verbeteren zonder oog te hebben voor de lijdende mens. Hoewel de auteur het niet rechtstreeks zei, had ik het gevoel dat het WIRE in die laatste categorie viel, vooral gezien het feit dat het lab voornamelijk onderzoek deed en niet behandelde en niet te vergeten omdat Wynn Industries een farmaceutisch bedrijf met winstoogmerk was. Voor hen ging het om het resultaat.

Ik legde het artikel opzij en pakte het laatste blad op, dat kennelijk een uitdraai was van enkele laboratoriumonderzoeken. Zorgvuldig lezend zag ik dat de testpersoon Isaac Jensen was en dat hij een negatieve uitslag had voor het syndroom van Wolfe-Kraus. Ineens dacht ik aan de blik die Grete en Lydia gisteravond aan tafel hadden gewisseld. Een golf van misselijkheid kwam in mijn keel omhoog toen ik begreep dat er iets mis moest zijn met Isaac.

Had hij een zeldzame Amish kwaal, ondanks het feit dat slechts een van zijn ouders Amish was? Kennelijk was Bobby zo ongerust over de gezondheid van zijn zoon dat hij hem op WKS had laten testen, en waarschijnlijk zonder dat Lydia het wist. Toen de uitslag negatief bleek, was Bobby's volgende stap hierheen te gaan en uit te zoeken wat er mis kon zijn met zijn zoon. Dat verklaarde de aantekeningen en kopieën uit leerboeken, maar die genealogische dingen dan? Was Bobby in onze familiestamboom op zoek naar genetische aanwijzingen voor een aandoening? Voor zover ik wist zat er geen Amish bloed in onze familie. Maar als je in aanmerking nam dat onze voorouders in Lancaster County hadden gewoond, zou het kunnen.

Ik keek nog een keer naar de namen op de kaart die hij had gemaakt.

Samuel Jensen – betbetbetbetbetovergrootvader
Karl Jensen – betbetbetbetovergrootvader
Jonas Jensen – betbetbetovergrootvader
Peter Jensen – betbetovergrootvader
Willliam Jensen – betovergrootvader
Otto Jensen – overgrootvader
Henry Jensen – grootvader
Charles Jensen – vader
Bobby Jensen

Bovenaan had Bobby een pijl getekend die van Karl Jensen naar diens vader Samuel wees. Naast de pijl had hij een aantekening gemaakt: Y-DNA46 zegt geen genetisch verband. Geen genetisch verband tussen vader en zoon? Bobby had kennelijk een soort DNA-test uitgevoerd om daarachter te komen, maar als je naging hoeveel generaties terug dat was, wat maakte het dan uit? Misschien was Karl Samuels stiefzoon. Misschien had Samuels vrouw een verhouding gehad. Misschien was Karl geadopteerd. Misschien greep Bobby de strohalm van acht geslachten terug. Hoofdschuddend stelde ik vast dat ik hier alles te weten was gekomen wat mogelijk was. Ik verzamelde de papieren en bracht ze naar mijn auto, waar ik het nummer koos van Lydia's mobiel. Toen ze opnam vroeg ik of ze alleen was en zo niet dat ze zich moest afzonderen. Terwijl ze dat deed, startte ik de auto om de verwarming aan te zetten.

'Zeg het maar, Anna. Wat is er?'

'Ik moet met je praten over Isaacs gezondheid,' zei ik. 'Ik wil niet nieuwsgierig zijn, maar dit is belangrijk voor mijn onderzoek. Ik zag dat jij en je zus gisteravond een bezorgde blik wisselden. Is er iets mis met hem?'

Lydia antwoordde dat ze niet wist hoe dit met mijn onderzoek verband kon houden, maar dat ze me wilde vertellen wat ze kon. Ze zei dat ze allemaal al een poosje bezorgd waren om Isaac, maar dat ze niet wisten wat er met hem aan de hand was.

'Hij lijkt zo intelligent, maar hij kan niet goed leren op school en hij heeft veel moeite met lezen en schrijven. Dit jaar hebben we hem laten testen en het blijkt dat hij allerlei leerhandicaps heeft.'

'Leerhandicaps? Dat is toch niet zo erg.'

'Nee. Dat kunnen we wel aan. God maakt ons allemaal een beetje anders en als Isaac speciale hulp nodig heeft, zorgen we dat hij die krijgt. Onze zorg is zijn taalgebruik. Hij lijkt achteruit te gaan. Je hebt vast en zeker gehoord dat hij sneeuw "witte kou" noemde en de bakplaat een "vierkant". Tegenwoordig zijn koeien "boes", de auto is een "toetoet" enzovoort. Hij begint het steeds vaker te doen. Ik nam aan dat het bij zijn leerhandicaps hoorde, maar Bobby was er erg van uit zijn doen.'

'Zijn jullie met Isaac naar de dokter geweest?'

'Nog niet. Bobby vroeg me te wachten tot hij een paar andere opties had onderzocht en toen is hij verdwenen.'

Ik haalde diep adem en vroeg Lydia of ze bekend was met het Wolfe-Kraus syndroom.

'WKS? Natuurlijk. Het zit in mijn familie: mijn zus, mijn moeder, mijn nichten. Ik ben vast en zeker ook drager. Hoezo?'

'Omdat Bobby Isaac erop heeft laten testen.' Toen Lydia's adem stokte, voegde ik eraan toe: 'Wees maar niet bang, de uitslag was negatief.'

'Maar waarom zou Bobby denken dat Isaac WKS had? Er zijn twee dragers nodig om een kind die kwaal te laten krijgen en Bobby is niet Amish.'

'Toch is hij bezig met familieonderzoek. Ik heb het gevoel dat er Amish bloed in onze stamboom kan zitten, althans genoeg om een stoornis als WKS mogelijk te maken.'

'Aha,' zei ze en toen was ze even stil. 'Maar WKS is voor of bij de geboorte fataal. Isaac is acht jaar oud en springlevend!'

Isaac is acht jaar oud en springlevend.

Ik dacht aan Bobby's papieren, zijn stamboom, zijn genetische tests en de gemarkeerde teksten. Ik dacht aan zijn schorsing, aan de oude dossiers die Doug aan Reed had gefaxt en die bewezen dat jaren geleden gentherapie was uitgevoerd op het WIRE, voordat Isaac zelfs maar geboren was.

Was het mogelijk dat Isaac leefde in geleende tijd, dat die acht jaar gekocht waren met genetisch geknoei in zijn verleden?

'Lydia, je moet me iets vertellen.'

'Jah?'

'Ben je tijdens of na je zwangerschap van Isaac ooit op het WIRE bij doctor Updyke geweest? Heeft hij ooit iets bij je onderzocht of behandeld?'

Lydia zweeg lange tijd. Ik wachtte met een bonkend hart op haar antwoord, terwijl ik keek naar een groep studenten die voor mijn auto overstak en over de stoep naar een ander gebouw wandelde.

'Ja,' fluisterde ze ten slotte.'Isaac is daar met IVF verwekt. Net als de baby die ik nu draag.'

Ik schoot overeind en kreeg kippenvel op mijn armen toen ik dacht aan het artikel dat ik in Bobby's kluisje had gevonden, het artikel waarin stond dat enkele zeldzame Amish stoornissen behandeld konden worden met gebruikmaking van in-vitrofertilisatie en gentherapie.

'IVF? Waarom?'

'Bobby stond erop. We hebben ons eerste kind verloren aan een miskraam. Bobby zei dat hij die ellende nooit meer wilde meemaken en dat hij alleen bereid was meer kinderen te krijgen als ik op die manier bevrucht werd. Hij vertelde me dat doctor Updyke een nieuwe methode had voor implantatie die een miskraam in de toekomst veel minder waarschijnlijk maakte.'

'Een methode voor implantatie?'

'Jah. Bobby zei dat de doctor hem had verteld dat de soort miskraam die ik kreeg veroorzaakt werd doordat de foetus zich niet goed in de baarmoederwand had genesteld. Hij zei dat het een eenvoudig probleem was dat hij kon verhelpen. We hoefden niet eens te betalen, maar ik wist dat zoiets heel duur kan zijn.'

Ik probeerde een antwoord te formuleren toen ze verder sprak.

'Ik mag dan naïef zijn, Anna, maar ik ben niet dom. Nadat ik dit had gehoord, heb ik veel gelezen over miskramen en vruchtbaarheidsbehandelingen en kunstmatige inseminatie en zo. Uiteindelijk heb ik erin toegestemd, zolang de doctor bereid was maar één eitje te bevruchten en niet meerdere zoals ze gewoonlijk doen, en geen pre-implantatiegenetische diagnose. Het ging allemaal precies volgens het boekje en negen maanden later werd Isaac geboren. Het werkte zo snel dat we, toen we besloten nog een kind te krijgen, het hele proces nog een keer hebben doorstaan. Waarom vraag je dit, Anna? Wat heeft het te maken met Bobby's verdwijning?'

Daar wilde ik geen antwoord op geven, noch wilde ik vertellen wat er allemaal in mijn hoofd omging. In plaats daarvan vertelde ik dat het een bijzaak was in verband met enkele papieren van Bobby die ik had gevonden. Gelukkig werd ze op dat moment gestoord en kon ik zonder verdere uitleg ons gesprek beëindigen.

In de auto bleef ik voor me uitkijken naar de sierlijke campus, naar de lange schaduwen die geworpen werden door een oranje zon die laag aan de winterhemel stond. De theorie die in mijn hoofd was opgekomen, was zo sinister en duister dat het haast te griezelig was om over na te denken.

Stel dat doctor Updyke niet had gepionierd met een 'nieuwe methode voor implantatie' zoals Lydia te horen had gekregen, maar dat alleen gebruikt had als excuus voor wat hij werkelijk wilde: de kans om genetische modificatie uit te voeren op een Amish, of althans half Amish, embryo in vitro?

Ik had in Bobby's papieren gelezen dat gentherapie het best kon worden uitgevoerd in het achtcellig stadium, voorafgaand aan implantatie, maar dat was waarschijnlijk geen uitvoerbare optie aangezien de meeste Amish mensen geen IVF zouden overwegen. Was daarom in deze situatie de verleiding te groot geweest om te weerstaan? Was Bobby's verlangen naar een gezond kind en Lydia's bereidheid om zich kunstmatig te laten insemineren voor de doctor een te mooie kans geweest om te laten schieten?

Als dat zo was, dan waren Isaac en de baby in Lydia's schoot allebei het levende bewijs dat doctor Updyke de grenzen van de geneeskunst en de ethiek, en van de wet, ver had overschreden. In handen van overheidsinstanties kon hun DNA de man zijn carrière, zijn praktijkvergunning en misschien zelfs zijn vrijheid kosten.

Geen wonder dat Isaac en Lydia gevaar liepen.

30

~ Stéphanie ~

3 september 1812

Het gesprek van gisteravond met mijn man heeft me vervuld met mateloze frustratie en angst. Hoewel Karl geen woord geloofde van het gerucht over de plannen van Luise en Leopold, zei hij dat het niet de eerste keer zou zijn dat een morganaat zijn oorsprong trachtte te overwinnen.

Ik vroeg om uitleg en hij kon me slechts vertellen dat het erfrecht veranderd kon worden wanneer een mannelijke erfgenaam voor de troon ontbrak. Hij noemde het voorbeeld van een eerstgeboren vrouwelijke erfgenaam die vervangen werd door een mannelijke, of een morganatische zoon die rechten had gekregen en koninklijk was getrouwd, zodat hij de troon kon bestijgen.

Daarop wilde ik weten of het mogelijk is dat Leopold eens in Baden zal regeren. Mijn echtgenoot lachte slechts en zei dat hij anders zijn titel moest doorgeven aan onze eigen eerstgeboren dochter en dan maar hopen dat de paleiswacht straks niet in roze uniform liep en de staatsiebanketten inhoudsloze theekransjes werden!

Mijn echtgenoot heeft weinig aantrekkelijke eigenschappen. Het ergst is zijn sarcasme en zijn gebrek aan verbeeldingskracht. Hij ziet niets waar niet duidelijk iets te zien is. Hij gelooft geruchten en dreigementen pas als ze werkelijkheid zijn geworden.

Tegen die tijd is het te laat.

5 september 1812

Ik heb al twee nachten niet geslapen. Zo discreet mogelijk heb ik gepoogd de geruchten van Luises beraamde verraad tegen mijn kind te bevestigen. Mijn inspanningen maken me duidelijk dat de geruchten zonder twijfel waar zijn. Als mijn kind als jongen ter wereld komt, zal hij gedood worden.

Nu ik dat weet, heeft zich een plan in mijn hoofd gevormd, een plan dat mijn zoon zou sparen, maar mijn hart zou verscheuren. Als ik het kan verdragen, zal ik morgen naar mijn Amish vrienden gaan om hun mijn voorstel voor te leggen.

Nu worstel ik uur na uur met de strijd die woedt in mijn ziel, de strijd tussen de noodzaak van het voortbrengen van een mannelijke erfgenaam en de noodzaak het leven van mijn kind te redden, mocht het een jongetje zijn.

De eerste keus zou me rechtvaardigen in de ogen van mijn echtgenoot, het paleis en het land.

De tweede keus is het tegenovergestelde. Zou ik mijn eer offeren voor zijn leven? Dit is de vraag waarmee ik worstel.

Mijn zoon, veracht je de zelfzucht die me trekt tot de makkelijkste weg? Of blijf je trekken aan mijn hart nog voor je geboren bent, zodat ik steeds meer van je ga houden totdat de tweede optie de enige is die ik verdragen kan?

31

~ Anna ~

Het werd tijd om terug te gaan naar Dreiheit om me voor te bereiden op mijn etentje met Rémy Villefranche. Het mysterie van de Beauharnais-robijnen verbleekte bij het mysterie van de gezondheid van mijn neefje, maar pas als ik alle feiten had wist ik wat het ene deel van dit onderzoek met het andere te maken had, dus ik besloot te handelen volgens plan.

Ik wilde achteruit mijn parkeervak uit rijden, maar stopte abrupt toen ik zag dat er een busje vlak achter me stond. Ik wachtte even, maar het kwam niet in beweging, daarom toeterde ik en zwaaide naar de bestuurder. Hij zag me niet, dus ik stapte uit en gebaarde druk naar hem. Maar in plaats van uit de weg te gaan, liet hij het raampje aan de passagierskant zakken en vroeg of ik wist waar hij Whitehall Commons kon vinden.

'Dat is hier,' zei ik, wijzend naar het gebouw rechts van me.

'Ik dacht het niet,' antwoordde hij en hij hield schijnbaar een plattegrond omhoog. 'Volgens deze niet, hoor.'

Ik had hier geen tijd voor. Ik wilde net zeggen dat hij naar het bord op het gebouw moest kijken, toen de zijdeur van het busje werden opengeschoven en er twee mannen uit sprongen.

Voordat ik kon reageren, sleepten ze me weg bij mijn auto, trokken me in het busje en gooiden de deur dicht.

Met gierende banden reed het busje weg. Toen we een scherpe bocht om scheurden, worstelde ik om me te bevrijden uit de greep die me tegen de vloer vastgedrukt hield. Ik probeerde te kijken, maar een hand werd stevig over mijn ogen gedrukt en belemmerde het zicht. We draaiden weer. Ik wilde gillen, maar er werd nog een hand over mijn mond en neus geklemd.

Ik kon niet ademhalen.

'Wil je dat ik mijn hand weghaal?' fluisterde een stem dicht bij mijn oor.

Ik knikte radeloos.

'Niet gillen.'

Ik schudde mijn hoofd. Toen ze me loslieten, had ik niet eens kunnen gillen als ik gewild had. Ik kon alleen maar ademhalen, diepe teugen lucht binnenzuigen.

'Waar zijn de robijnen?' wilde de stem weten.

'De Beauharnais-robijnen,' voegde een tweede stem eraan toe.

Ik was te bang om antwoord te geven. Eindelijk mompelde ik dat ik niet wist waar ze het over hadden.

'Weet je zeker dat zij de goeie is?' hoorde ik de bestuurder vragen.

'Dat zullen we zeker weten als je stopt,' zei een stem.

Het busje nam met krijsende banden nog een bocht en nog een en kwam toen piepend tot stilstand. Iemand greep mijn haren vast en rukte mijn hoofd naar achteren. Ik deed mijn mond open om te gillen, maar meteen werd er iets tussen mijn tanden gestoken dat in de binnenkant van mijn wang porde. Ik gilde gesmoord toen het stokachtige dingetje even vlug weer uit mijn mond werd gehaald.

De deur werd opengeschoven en ik kreeg een duw. De handen lieten mijn haar, mijn ogen en mijn lijf los en ik viel. Ik kwam met een klap op het koude, harde wegdek terecht. Achter me sloeg de deur van het busje dicht en het reed met gierende banden weg. De achterband miste op een haar na mijn been.

'Hé! Gaat het?'

Ik keek op en op de stoep stond een groep studenten naar me te staren. Meteen kwamen ze met z'n allen naar me toe. Ze hielpen me overeind en klopten me af en vroegen wat er gebeurd was. Ik knipperde met mijn ogen, keek om en besefte dat ik in een cirkel was rondgereden en dat ik terug was bij het begin, vlak achter mijn auto die nog steeds met draaiende motor en open portier in het parkeervak stond.

Verbluft liet ik me naar de stoeprand helpen, waar ik ging zitten omdat mijn benen ineens te wiebelig waren om me te dragen. Een van hen pakte zijn mobiel en belde de beveiliging van de campus. Ik bleef zwijgen, te verbijsterd om iets te zeggen, ontsteld toen ik mijn helpers onder elkaar hoorde bespreken waar ze net getuige van waren geweest. Ze hadden allerlei ideeën over de kleur van het busje, hoe de mensen in het busje eruitzagen, zelfs hoeveel het er waren geweest. Het enige waar ze het over eens waren, was dat niemand eraan gedacht had naar de kentekenplaat te kijken.

Ten slotte kwam er iemand naast me zitten, een knappe jonge vrouw met donker haar en een kalme manier van doen. Vriendelijk vroeg ze of ik op enigerlei wijze was mishandeld. Moesten we naast de campusbeveiliging ook de politie van Hershey bellen?

Hoe kon ik daar antwoord op geven?

Ik was niet verkracht, gestompt, gestoken of neergeschoten, maar wel belaagd. Ik voelde met mijn tong aan de binnenkant van mijn wang en het drong ineens tot me door wat er in mijn mond was gestoken: een wattenstaafje.

Degene die me had ontvoerd, had een monster van mijn DNA genomen.

In de drie kwartier daarna wisselden mijn emoties tussen woede en afgrijzen. De campuspolitie nam mijn auto in bewaring en nam me mee naar het bureau, maar afgezien van Reeds naam en telefoonnummer vertelde ik niet veel. Ik was gewoon te ontdaan om iets te zeggen.

Toen Reed eindelijk met paniek in zijn ogen het bureau binnenstormde, kon ik me alleen maar in zijn sterke armen storten. Hij hield me vast terwijl ik huilde en lange tijd stonden we daar maar midden in de lege wachtkamer heen en weer te wiegen, met onze armen om elkaar heen. Na een poosje gaf hij me een papieren zakdoekje en opperde dat ik me opfriste terwijl hij met de dienstdoende agenten sprak.

In het toilet van het bureau waste ik mijn gezicht, kamde mijn haar en friste mijn verfomfaaide kleding zo goed mogelijk op. Toen ik naar buiten kwam, zag ik tot mijn opluchting dat Reed de leiding had genomen en om een kopie van hun rapport en mijn sleutels had gevraagd. Toen hij die had, bedankte hij voor hun hulp en zei dat de kwestie verder doorgespeeld werd naar de FBI.

In de warmte en afzondering van Reeds auto vond ik eindelijk mijn stem terug. In het donker en de stilte beschreef ik wat had plaatsgevonden op het parkeerterrein, evenals wat ik in Bobby's kluisje had gevonden en wat ik door de telefoon van Lydia te weten was gekomen. Toen ik uitverteld was, stemde Reed in met mijn conclusie dat mijn overvallers een uitstrijkje DNA uit mijn wang hadden gehaald, al kon hij evenmin als ik bedenken waarom iemand dat zou doen.

Hij was het ook met me eens dat de situatie van Bobby en Lydia voor doctor Updyke een unieke kans had betekend om met genen te knoeien in het meest geschikte groeistadium. Volgens de medische dossiers die Doug op de avond waarop hij werd vermoord naar Reed had gefaxt, waren de eerdere pogingen van de arts tot gentherapie gedaan tijdens de zwangerschap of onmiddellijk na de geboorte, nooit voorafgaand aan een implantatie. Die behandelingen waren mislukt, maar misschien was het de doctor tot op zekere hoogte gelukt door het embryo in zo'n vroeg stadium te behandelen. Wat er nu met Isaac aan de hand was, wist niemand.

Ik luisterde terwijl Reed zijn vriend bij de FBI belde en ons gesprek herhaalde. Het klonk nog niet echt of ze zin hadden het lab binnen te vallen, maar hij beloofde erop terug te komen zo gauw hij iets wist. Bezorgd om de veiligheid van Isaac en Lydia vroeg ik Reed of ze intussen bescherming konden krijgen.

'Dat is geen slecht idee,' antwoordde hij. 'We wachten een uurtje of twee of we iets horen. Zo niet, dan bel ik weer. Bobby scheen te denken dat ze veilig zaten op de boerderij en ik ben het vooralsnog met hem eens.'

Ineens dacht ik aan mijn etentje in Lancaster en ik keek op mijn horloge. Tot mijn opluchting kon ik nog op tijd in het restaurant zijn als ik niet eerst terugging naar de boerderij. Nu ik ontvoerd was, zij het kort, en opnieuw onder druk gezet was om de Beauharnais-robijnen tevoorschijn te toveren, was mijn ontmoeting met de geheimzinnige meneer Villefranche belangrijker dan ooit. Maar ik durfde niet meer alleen te gaan, dus Reed ging mee.

Ik reed voorop in mijn auto en hij reed achter me aan, zigzaggend naar Hershey Road en verder in zuidoostelijke richting. Onderweg belde ik naar Rémy's mobiel en toen hij niet opnam, sprak ik op zijn voicemail in dat ik een vriend meebracht naar het restaurant en dat ik hoopte dat hij geen bezwaar had. Toen we er eindelijk waren, koos ik een goed verlichte plaats op het parkeerterrein met een lege plek ernaast waar Reed kon parkeren. Ik stapte rillend uit, maar of het van de kou was of van de zenuwen wist ik niet.

'Gaat het?' vroeg Reed terwijl hij zijn elleboog uitstak. Ik zei dat het best ging en gaf hem een arm. Samen liepen we naar het restaurant.

Aarzelend bij de deur van de prachtige achttiende-eeuwse omgebouwde boerderij vroeg ik me hardop af of een spijkerbroek wel kon in zo'n net restaurant. Het was jammer dat ik geen kans had gehad om me te verkleden, maar op dit moment wilde ik alleen maar antwoorden op mijn vragen.

'Ik zou er niet over inzitten,' antwoordde Reed terwijl hij de deur voor me opendeed. 'Je bent mooi, wat je ook aanhebt.'

Verrast door het compliment stapte ik blozend naar binnen. Toen Reed achter me aan stapte, vertelde ik hem hoe stom ik had ingepakt voor deze reis. Mijn enige alternatief was een zomerjurk met luchtige sandaaltjes geweest.

'Die Californische meiden zijn allemaal hetzelfde,' plaagde hij klakkend met zijn tong. 'In sommige delen van de wereld hebben ze nog steeds vier seizoenen, hoor.'

In het gezellige restaurant gonsde het van de drukte. Naast het podium van de gastvrouw stond een kleine heer met zilverwit haar en een leren tasje in zijn hand, gekleed in een elegant gesneden kostuum met een kastanjebruine das. Onze ogen ontmoetten elkaar en toen ik hem toeknikte, brak er een brede glimlach uit op zijn gezicht.

De man begroette ons beiden enthousiast, gaf ons een hand, bedankte ons voor onze komst en stond erop dat we hem bij zijn voornaam noemden. Hij knikte naar de gastvrouw en ze bracht ons door de grote eetzaal langs een knapperende haard de trap op naar het balkon. Daar werden we naar een tafel gebracht die wat terzijde stond en gedekt was voor drie.

We gingen zitten en praatten wat over koetjes en kalfjes tot de ober onze bestelling kwam opnemen. Terwijl Rémy probeerde te besluiten tussen gegrilde heilbot met hollandaisesaus en zeevruchten met pasta van het huis, hield Reed het menu voor zijn gezicht en gaf me een knipoog. Onze gastheer was een bijzonder mens. Eindelijk besloot Rémy tot de heilbot, Reed bestelde de gebraden varkenshaas en ik koos de filet mignon. Toen de ober weg was, veranderde Rémy's manier van doen en ineens was hij een en al zakelijkheid. Hij boog zich naar voren en richtte zich tot mij.

'Nu we hier zijn, moet ik je de vraag stellen die ik al je familieleden die ik heb kunnen opsporen heb gesteld: ben je in het bezit van de Beauharnais-robijnen of weet je waar ze zijn?'

De man staarde me zo verwachtingsvol aan dat het trauma van de afgelopen dagen kolkte in mijn maag. Ik slikte en probeerde niet te denken aan de schok van de gemaskerde indringer in mijn slaapkamer en de verschrikking van mijn ontvoering op de campus. Die mensen hadden hetzelfde willen weten, het enige verschil was de manier waarop ze het hadden gevraagd. Ineens zag ik de man tegenover me niet als een vriendelijke oude geleerde, maar als een soortgelijke bedreiging. Reed legde een warme hand op mijn arm. Kennelijk bespeurde hij mijn paniek en begreep hij dat ik zo van streek was dat ik niet eens een antwoord kon formuleren.

'Je bent niet de eerste die haar dat vraagt,' zei Reed namens mij.

'Anna is in de afgelopen drie dagen twee keer aangevallen, eerst met een pistool tegen haar hoofd en toen is ze ontvoerd en tegen de grond gedrukt in een busje. Beide keren werd geëist dat ze die robijnen overhandigde, wat die ook mogen zijn.'

'Aangevallen?' riep Rémy ontsteld uit. 'Ben je gewond?'

Ik vond mijn stem terug en zei dat ik ongedeerd was, maar dat mijn huisgenote minder geluk had gehad. 'Kijk, ik weet niet eens wat dat voor robijnen zijn. Tot voor kort had ik er nog nooit van gehoord. En nu komen er ineens allemaal mensen uit de lucht vallen die ze van me af willen nemen. Ik ben hier vanavond gekomen omdat ik wil weten wat er aan de hand is.'

De oudere man scheen oprecht geschokt. Hij friemelde zenuwachtig met zijn bestek, trok zijn das recht en nam opgelucht de pot thee aan die de ober bracht. Terwijl hij het theezakje op en neer haalde in het stomende water, sprak Rémy eindelijk.

'Ik ben bang dat die aanvallen voor een deel mijn schuld zijn,' zei hij. 'Soms ga ik zo op in de jacht dat ik vergeet dat niet ieders belangstelling helemaal... wetenschappelijk is. In mijn opwinding heb ik wellicht te veel gezegd op een te openbaar forum.'

Ik keek Reed aan en samen wachtten we tot Rémy verderging.

'Kijk, om onderzoek te doen voor mijn laatste boek heb ik allerlei vragen op internet geplaatst en *tags* uitgezet voor verschillende namen en termen. Als zo'n term dan verschijnt op een website, in een artikel of zelfs als een commentaar of een vraag op een prikbord, krijg ik automatisch een waarschuwing. Een paar weken geleden kreeg ik een aantal waarschuwingen voor 'groothertogdom van Baden', wat een van mijn *tags* is. Toen ik goed keek, drong het tot me door dat iemand genealogisch onderzoek deed en gevraagd had naar dat gebied in Duitsland in het begin van de negentiende eeuw. Die iemand was Bobby. Toen ik zijn berichten zag, één bericht in het bijzonder, was ik zo opgewonden dat ik een gat in de lucht sprong. Nu ben ik bang dat ik er te veel uitgeflapt heb op mijn blog, dat iedereen kon lezen.'

'Wat heb je er dan uitgeflapt?' wilde Reed weten.

Rémy liet zijn thee met rust en keek ons schuldbewust aan.

'Dat Bobby Jensen uit Dreiheit, Pennsylvania misschien de sleutel in handen had van een tweehonderd jaar oud mysterie, namelijk wat er gebeurd kon zijn met de onschatbare Beauharnais-robijnen. Die zijn in 1830 verdwenen uit de koninklijke kluizen van Baden en nooit teruggevonden.'

Ik leunde achterover en overdacht de mogelijke gevolgen van wat Rémy had gedaan.

Nog schuldbewuster voegde hij eraan toe: 'Misschien heb ik zelfs laten doorschemeren dat Bobby of een van zijn familieleden vandaag de dag in het bezit was van deze onbetaalbare juwelen. Het spijt me, Anna. Ik besef nu hoe dom dat was. Mijn blog gaat over wetenschappelijk onderzoek, het is geen handboek voor criminelen. Maar als je lastiggevallen wordt door vreemden die de juwelen opeisen, dan heb ik het gevoel dat ze de draad oppakken waar mijn blog ophield. Bobby zei dat hij nooit van die juwelen had gehoord, maar ik ben bang dat ik hem eerst niet helemaal geloofde.'

'Waarom zouden die lui haar DNA vanavond hebben afgenomen?' vroeg Reed.

'O, lieve help,' antwoordde Rémy hoofdschuddend. 'Dat betekent dat er geen gewone schatzoekers achter je aan zitten. Ik zou zeggen dat het afstammelingen zijn van de laatst beschreven eigenaar van de juwelen, die proberen te bewijzen dat zij er genealogisch gesproken meer recht op hebben dan jij. We hebben het over de oplossing van een van de grootste mysteries in de juwelenwereld. Als de Beauharnais-robijnen gevonden worden, breekt er een krankzinnige strijd uit om de eigendomsrechten. Het feit dat iemand bereid is met geweld je DNA af te nemen is een slecht teken, want het wil zeggen dat je waarschijnlijk een goed onderbouwde aanspraak hebt. Dat tuig heeft je DNAangerand omdat ze willen weten wie ze voor zich hebben en hoe je DNA zich verhoudt met het hunne.'

'DNAangerand?'

'Ja, dat woord heb ik verzonnen toen ik een artikel schreef voor *Vanity Fair*. Je hebt geen idee welke drastische stappen mensen tegenwoordig nemen om hun stamboom na te trekken: ze pulken in de wangen van onbekenden of trekken haren uit hun hoofd.'

'Dat kun je niet menen,' zei ik.

'Helaas wel. Vroeger was genealogie een aardige hobby, zoals figuurzagen of puzzelen,' legde Rémy uit. 'Maar toen voorouderlijk DNA-testen beschikbaar werd gemaakt voor het volk, is het volkomen veranderd van aard. Sommige mensen gaan zo op in hun zoektocht dat ze te ver gaan.'

Ik liet Reed het artikel aanpakken, leunde achterover en keek Rémy aan.

'Ik weet dat DNA wordt gebruikt in ouderschapszaken, maar kan het je echt zo veel vertellen over je stamboom?' vroeg ik omdat ik dacht aan het DNA-rapport over ouderschap dat ik in Bobby's e-mail had gevonden.

'O, jazeker,' zei Rémy. Hij legde uit dat kenmerken op het Y-chromosoom relatief onveranderd via mannelijke nakomelingen werd doorgegeven en dat het daarom nu mogelijk was om door een DNA-test allerlei genetische connecties, zelfs verre, te bevestigen. 'Toen je broer bijvoorbeeld zijn genetische handtekening had verworven, gebruikte hij enkele online databestanden om hem te vergelijken met andere bekende mannelijke afstammelingen van de familie Jensen en een stamboom op te stellen. Dat leidde ertoe dat hij het bericht schreef waar mijn oog op viel. Kijk, die vergelijkingen toonden aan dat Bobby een afstammeling was van een man genaamd Karl Jensen, maar niet van Karls vader, Samuel Jensen. Dat heet een "niet-vaderschappelijk geval", als twee mannen niet biologisch verwant zijn, al worden ze door de wet als vader en zoon beschouwd.'

'Maar wat maakt het voor verschil?' vroeg ik. 'Je hebt het over zes, zeven, acht generaties terug. Wie maakt zich er druk om?'

'In het geval van je broer denk ik dat hij een medisch mysterie probeerde te achterhalen en zo ver mogelijk terug hoopte te gaan. Het spoor eindigde bij Karl Jensen en Bobby wilde uitvinden waar het daarvandaan heen liep. Dat is het bericht waar mijn oog op viel, waar ik zo opgewonden van werd toen ik besefte welke implicaties zijn vraag met zich meebracht. Ik e-mailde je broer en hij belde me op, maar hij maakte zich drukker over de zoektocht naar zijn voorouders dan om mijn verhaal over de juwelen van onschatbare waarde.'

'Dat komt doordat zijn zoon ziek is,' zei Reed, terwijl hij Rémy het artikel teruggaf. 'Dat was op dat moment vast veel belangrijker voor hem.'

'Ja, ik weet het, hij heeft een zeldzame aandoening,' antwoordde Rémy. 'Bobby wilde uitzoeken of er Amish bloed in zijn stamboom zat, zodat ze makkelijker konden opsporen wat er mis kon zijn met de jongen.'

'Weet je wat hij ontdekt heeft? Over dat Amish bloed, bedoel ik?'

Rémy stopte het artikel weer in zijn aktetas.

'Ja. Ik dacht, de ene hand wast de andere, dus ik hielp hem met zijn zoektocht. Het bleek dat twee generaties van mannelijke Jensens getrouwd waren met Amish vrouwen: Karl en zijn zoon Jonas. Toen Bobby dat wist, kon het mysterie achter Karls niet-vaderschappelijke geval met Samuel hem niet meer schelen. Maar mij wel. Ik vond het zelfs het spannendste wat ik in lange tijd had gehoord.'

Ik keek Reed aan, verscheurd door het feit dat mijn voorgevoel juist was geweest. Met Amish bloed in onze stamboom was de kans veel groter dat Isaac een zeldzame aandoening had – en dat doctor Updyke met zijn genen had geprutst. Helaas vielen enkele stukjes van deze puzzel precies op de plaats waar ik ze niet wilde hebben.

'Eerlijk gezegd,' vervolgde Rémy terwijl hij met een zwierig gebaar zijn servet opensloeg en op zijn schoot legde, 'was ik een beetje nijdig toen Bobby me afscheepte en zei dat hij zich wel een ander keertje met die juwelen bezighield. Het was puur geluk dat ik hem vandaag online zag en hij me met jou in contact bracht.'

Ik beet op mijn lip, ineens voelde ik me schuldig over mijn bedrog van vanmiddag. Rémy wist kennelijk niet eens dat Bobby vermist werd. Ik besloot dat ik het hem voor het einde van de avond zou vertellen, maar voorlopig wilde ik meer te weten komen over de Beauharnais-robijnen.

Op dat moment kwam de ober met onze salades en ik was blij met de onderbreking, die me even de tijd gaf om mijn gedachten te ordenen. Toen ik mijn vork pakte, merkte ik dat ik flink trek had; en dat klopte wel, want ik had de hele dag nog haast niets gegeten.

'Goed, Rémy,' zei ik toen de ober weg was, 'mijn broer mag dan te gefixeerd zijn geweest op zijn zoon om erover na te denken, maar nadat ik twee keer ben overvallen door mensen die die robijnen willen hebben, moet ik precies weten wie dat zijn en wat ze met mij te maken hebben.'

Rémy liet zijn eigen salade onaangeroerd, leunde met schitterende ogen achterover en begon ons het verhaal te vertellen van de Beauharnais-robijnen, een verhaal dat begon bij Napoleon Bonaparte in het begin van de negentiende eeuw.

32

Rémy begon met een eenvoudige geschiedenisles over het Europese koningshuis in dat tijdperk en hoe de band tussen landen vaak werd versterkt door een huwelijk. Napoleon had geen eigen wettelijke nakomelingen, zei Rémy, dus toen hij zich wilde aansluiten bij het pas uitgebreide hertogdom van Baden besloot hij een nicht van zijn vrouw te adopteren, een charmante jonge vrouw genaamd Stéphanie de Beauharnais, en haar uit te huwelijken aan Badens erfgenaam prins Karl. Karl was de kleinzoon van de regerende groothertog van Baden en was de volgende in de rij geworden voor de troon toen zijn vader een paar jaar eerder was overleden.

Ter gelegenheid van Stéphanies adoptie schonk Napoleon zijn nieuwe dochter een uitgebreide, bij elkaar passende sieradenset die bekend staat als de Beauharnais-smaragden. Vijf jaar later, toen hij te weten kwam dat Karl en Stéphanie hun eerste kind verwachtten, liet Napoleon een even gedetailleerde set maken van diamanten en robijnen, genaamd de Beauharnais-robijnen. De juwelen waren bedoeld om de geboorte te vieren van een nieuwe mannelijke erfgenaam van de troon van Baden, maar toen Stéphanie uiteindelijk een meisje kreeg, hield Napoleon ze in handen. Toen ze een paar jaar later eindelijk een jongen kreeg, stuurde Napoleon haar onmiddellijk de robijnen als felicitatiegeschenk.

Helaas, tegen de tijd dat de juwelen van Parijs naar Baden waren gereisd, was Stéphanies pasgeboren jongetje dood. Volgens Rémy wezen de gegevens erop dat de robijnen op de dag van de begrafenis van het kind in het paleis van Baden werden ontvangen en rechtstreeks in de kluis geplaatst. Gezien de situatie waren ze nooit in het openbaar gedragen. Stéphanie werd later geschilderd met de juwelen om, maar Rémy zei dat haar gezichtsuitdrukking op het portret niet gelukkig was.

Op slechts een paar uitzonderingen na waren de Beauharnais-robijnen daarna niet meer gezien.

Toen onze lege saladebordjes waren weggehaald en de verrukkelijk uitziende voorgerechten voor ons waren neergezet, vervolgde Rémy zijn verhaal en vulde bijzonderheden toe aan wat we al te weten waren gekomen. Ten eerste, zei hij, mocht het huwelijk van Karl en Stéphanie dan wel kinderen hebben voortgebracht, maar het was verre van gelukkig. Ze hadden van begin af aan een hekel aan elkaar, zo erg dat Napoleon in eigen persoon op zeker moment tussenbeide moest komen om vrede tussen hen te stichten.

Om de zaken nog verder te compliceren had Karls grootvader een tweede vrouw, een burgeres die Luise heette, met wie hij een zoon had gekregen genaamd Leopold. Destijds voorkwamen de erfrechtwetten dat Leopold zijn vader opvolgde als groothertog, vanwege de niet-koninklijke afkomst van zijn moeder. Maar omdat er niet veel mannelijke erfgenamen in de familie waren, hoopte Luise dat die wetten uiteindelijk veranderd zouden worden, zodat haar zoon de troon kon bestijgen.

Die hoop werd de bodem ingeslagen toen Stéphanie in de familie trouwde. Als koninklijke dochter van Napoleon en een gezonde jonge vrouw in haar vruchtbare jaren, was de kans groot dat Karl en zij een stel zoons zouden krijgen, die allemaal als wettelijke erfgenamen in aanmerking kwamen voor de troon en die voorrang zouden krijgen boven Luises zoon Leopold. Dientengevolge haatte Luise Stéphanie en maakte ze haar het leven zuur.

Toen Stéphanies tweede kind een jongen bleek te zijn, wist iedereen dat Luises grootste angst werkelijkheid was geworden. Toen dat pasgeboren jongetje een paar dagen later stierf, begon het gerucht rond te gaan dat Luise dan wel Leopold verantwoordelijk was voor zijn dood. Hoewel er nooit iets bewezen werd, bleven de geruchten tot op de dag van vandaag bestaan.

Er gingen ook andere geruchten over het kind, zei Rémy, waaronder het gerucht dat Leopold de gezonde baby bij zijn geboorte had verwisseld met het dode of bijna dode kind van een boer uit de buurt. Het verhaal luidde dat de echte erfgenaam tot de troon ver weg was gebracht en overgeleverd was aan een man, een voormalige paleiswacht, die opdracht kreeg om hem te doden. Niet in staat zo'n gruwelijke misdaad te begaan op een weerloos kind, had de man de baby in leven gelaten, maar uiteindelijk wel opgesloten in een kerker.

Zestien jaar later kregen die geruchten een griezelige schijn van werkelijkheid.

Rémy wachtte even om een paar happen van zijn heilbot te nemen en vroeg toen of we de naam Kaspar Hauser wel eens hadden gehoord. Ik niet, maar Reed herinnerde zich vaag dat hij iets over hem gelezen had in een DNA-tijdschrift. Ik at mijn filet mignon en luisterde nieuwsgierig naar het vervolg van Rémy's verhaal. Hij zei dat zestien jaar nadat de pasgeboren zoon van Karl en Stéphanie schijnbaar was gestorven, op een dag een vreemde jongeman verscheen in de straten van Neurenberg. Niemand wist wie hij was of waar hij vandaan was gekomen, maar er was duidelijk iets mis met hem. Hij kon amper lopen en hij sprak maar enkele verstaanbare woorden.

De jongeman gaf aan dat zijn naam Kaspar Hauser was en uiteindelijk werd afgeleid dat hij vele jaren, mogelijk zijn hele leven, gevangen had gezeten in een kleine cel, nagenoeg zonder menselijk contact en alleen een paar kleine houten speelgoedpaardjes om hem gezelschap te houden. Desondanks was hij heel intelligent en deskundigen konden hem tot op een bepaald niveau dingen bijbrengen en opvoeden. Hij was een jaar of zestien en algauw ging het gerucht dat Kaspar Hauser eigenlijk een afstammeling was van Karl en Stéphanie, de zoon die zestien jaar geleden zogenaamd bij zijn geboorte was gestorven.

Dat verhaal werd verspreid en uiteindelijk geloofden zo veel mensen dat Kaspar Hauser de zoon van Karl en Stéphanie was die Leopold heimelijk had laten verdwijnen en achtergelaten was om te sterven, dat hij wereldwijd een sensatie werd. Algauw werd er gezegd dat hij zijn rechtmatige plaats in de koninklijke familie terug moest krijgen, maar voordat er officieel iets gedaan kon worden, werd Kaspar Hauser vermoord. Ook na zijn dood heeft Stéphanie nooit publiekelijk bevestigd of ontkend dat ze dacht dat hij haar zoon was. Jaren later nam ze het geheim mee in haar graf.

Tot op de dag van vandaag, zei Rémy, was de waarheid over de afkomst van Kaspar Hauser niet bekend. In de laatste jaren waren twee afzonderlijke DNA-tests gedaan, maar ze spraken elkaar tegen. Volgens de ene was hij beslist de zoon van Karl en Stéphanie, volgens de andere beslist niet. Omdat er momenteel geen tests op zijn stoffelijk overschot zijn toegestaan, zijn de feiten nog steeds in mysterie gehuld.

Hoewel ik het een interessant verhaal vond, begreep ik niet wat het voor verband hield met mij of mijn stamboom. Dat zei ik ook tegen Rémy, maar hij glimlachte alleen maar en zei dat ik geduld moest hebben.

Rémy had de hele situatie grondig bestudeerd en zei dat hij een eigen theorie ontwikkeld had. Naar zijn mening was het pasgeboren jongetje inderdaad heimelijk weggegoocheld – maar niet door Luise of Leopold. Rémy zei dat hij dacht dat Stéphanie het zelf had gedaan. Nadat ze de geruchten had gehoord over de plannen van haar boze schoonfamilie om het kind te doden als het een jongen was, zou ze een regeling hebben getroffen om hem te beschermen en haar vijanden te slim af te zijn. Jarenlang was Rémy ervan overtuigd geweest dat Stéphanie contact had gehad met een andere zwangere vrouw en met haar had afgesproken dat ze de kinderen zouden ruilen nadat ze geboren waren, om het leven van haar zoon te redden.

Zijn theorie klonk me behoorlijk vergezocht in de oren. Stéphanies motivatie was natuurlijk begrijpelijk, maar ik vond het moeilijk te geloven dat ze een boerenvrouw had kunnen vinden die ook zwanger was, die ook rond dezelfde tijd was uitgerekend, die toevallig ook een jongetje kreeg, en die ook nog bereid was haar kind weg te geven en dat van Stéphanie in ruil te krijgen. Volgens mij was het allemaal wel erg toevallig. Maar omwille van de discussie deed ik er voorlopig het zwijgen toe.

Rémy verklaarde dat Baden en de Palts destijds veel Amish onder de bevolking telde. Wegens hun radicale geloof in de volwassenendoop in tegenstelling tot de kinderdoop waren ze in heel Europa gruwelijk vervolgd. Hoewel Baden toleranter was dan andere landen, was het nog steeds niet ideaal. In die periode waren de Amish in Amerika geïmmigreerd op zoek naar de ware vrijheid van godsdienst en velen waren naar Lancaster County gegaan. Rémy was van mening dat Stéphanie de Beauharnais de pasgeboren zoons had geruild met een Amish vrouw, die het kind daarna had meegenomen naar Amerika, waar hij veilig was, en dat zijn ware identiteit nooit was onthuld.

Om zijn theorie te bewijzen, had Rémy jarenlang de Amish immigratiegegevens bestudeerd om precies de juiste familie en precies het juiste kind aan te kunnen wijzen, maar zonder succes. Maar toen hij een paar weken geleden Bobby's bericht las, besefte Rémy dat zijn zoektocht gehinderd was door één onjuiste aanname: dat het Amish gezin in kwestie was geïmmigreerd kort nadat de baby was geboren. Nu begreep Rémy dat het gezin pas vele jaren later vanuit Baden naar Amerika was vertrokken, toen de jongen volwassen was en getrouwd en een jaar of eenentwintig.

Achteraf gezien, zei Rémy, klopte het tijdstip precies. Het kind was grootgebracht in Baden, misschien in de hoop dat hij eens veilig naar het paleis kon terugkeren om zijn plaats als rechtmatige erfgenaam in te nemen. Toen Kaspar Hauser opdook en iedereen zei dat hij de zoon van Karl en Stéphanie was, had Stéphanie haar mond gehouden omdat zij de waarheid kende. Misschien had ze op dat moment zelfs plannen gemaakt om de zaken recht te zetten en haar echte zoon aan de wereld voor te stellen. Maar toen werd Kaspar Hauser op 14 december 1833 een park in gelokt en neergestoken; drie dagen later overleed hij. Toen dat gebeurd was, zei Rémy, had Stéphanie zich waarschijnlijk gerealiseerd dat haar zoon nooit veilig zou zijn zolang Luise of Leopold of een van hun aanhangers in de buurt was.

Rémy geloofde stellig dat Stéphanie toen naar haar zoon en zijn Amish adoptiefouders was gegaan om er bij hen op aan te dringen het land te verlaten en hun de Beauharnais-robijnen als geschenk te geven. De Amish immigratiegegevens bevestigden dat twee echtparen met de achternaam Jensen een paar weken later uit Europa waren vertrokken, op 1 januari 1934.

Toen Rémy zo ver was met zijn lange, ingewikkelde verhaal, leunde hij achterover en bette zijn mond met zijn servet. Hij keek me verwachtingsvol aan. Ik wist niet wat hij van me wilde horen, maar het was duidelijk dat ik iets gemist had.

'Nogmaals,' zei ik tegen hem, 'het is een boeiend verhaal, maar wat heeft het te maken met mij of mijn stamboom?'

'Snap je het niet?' antwoordde hij vrolijk. 'Jouw betbetbetbetovergrootvader Karl Jensen was niet biologisch verwant aan Samuel Jensen. De man kwam in alle gegevens voor als zijn vader, omdat Karl geadopteerd was. Zijn echte ouders waren helemaal niet Amish. Ze waren van koninklijken bloede, de hertog van Baden en zijn vrouw de hertogin, Stéphanie de Beauharnais.'

Het duurde even voordat ik verwerkt had dat het uitgebreide verhaal dat Rémy had verteld over jaloerse schoonfamilie en moordplannen en geheime erfgenamen te maken had met mijn familie, mijn volk, mijn voorouders. Ongelooflijk.

Tijdens een dessert van crème brûlée met frambozen vertelde Rémy het laatste deel van zijn verhaal, het verhaal van wat hij wist over de robijnen nadat ze door mijn verre voorvader Karl Jensen waren meegebracht naar Amerika.

Hoewel de volledige set van de Beauharnais-robijnen bestond

uit een ketting, kroon, diadeem, kam, oorbellen, ceintuur en armbanden, zijn maar twee stukken ooit teruggezien. In 1887 kocht een juwelier in New York de kroon en in 1888 schafte een particuliere koper in Frankrijk de ceintuur aan. Voor het overige, zei Rémy, waren de resterende stukken waarschijnlijk doorgegeven aan de eerstgeboren zoon van elke volgende generatie Jensen.

'Dat was mijn theorie tenminste, maar je broer vertelde me dat hij nooit van juwelen had gehoord, en je vader ook niet.'

Rémy rommelde weer in zijn tas en haalde er ten slotte een paar papieren uit. Hij gaf mij er een en ik bekeek het terwijl hij vertelde dat het het ontvangstbewijs was van de verkoop van de kroon in 1887. De verkoper stond vermeld als William Jensen uit Pennsylvania, die hem verkocht voor 135.000 dollar.

'William Jensen? Is dat een voorvader van mij?'

'Ja, William was de grootvader van je grootvader.'

'De grootvader van mijn grootvader? Wacht eens even. Hij is degene die het grote oude familiehuis in Dreiheit bouwde, het huis waar mijn grootouders in woonden.' Ik keek naar Reed en toen weer naar Rémy. 'Ons is altijd verteld dat het geld voor het huis afkomstig was van de grote oliehausse in het westen van Pennsylvania. De familie Jensen was niet rijk, maar dat was een schitterend huis. Ze zeiden dat het was betaald met de winst uit de verkoop van land aan Standard Oil.'

'Ja, dat vertelde je broer, dus ik heb onderzoek gedaan naar de gegevens van de koopaktes van Standard Oil over tien jaar tijdens die periode. Er waren geen ontvangstbewijzen van iemand die Jensen heette.'

'Dus je bedoelt eigenlijk,' onderbrak Reed, 'dat William loog? Hij ging een poosje de stad uit, kwam terug met 135.000 dollar en zei dat hij die gekregen had van Standard Oil, terwijl het geld in feite afkomstig was van de verkoop van een deel van de Beauharnais-robijnen?'

'Precies!' riep Rémy uit. 'William verkocht die twee stukken, maar de rest van de set bleef intact. Misschien wilde hij gewoon genoeg geld hebben om een aardig huis te bouwen. Het restant van de set bleef in je familie en werd door de geslachten heen doorgegeven, althans tot je grootvader aan toe. Niemand weet wat daarna gebeurd is, maar gezien het feit dat zijn dood plotseling en onverwacht was, stel ik me voor dat hij gewoon gestorven is voordat hij de kans had gekregen om ze door te geven. En daarom zitten die schatzoekers achter je aan. Als jij niet meer aanspraak kunt maken dan zij, kunnen ze misschien eigenaar worden als ze ze eenmaal in bezit hebben. Ze weten natuurlijk niets van deze foto, die zou kunnen helpen jouw recht geloofwaardiger te maken.'

Rémy overhandigde me een familiefoto die ik eerder had gezien.

'Die heeft je vader me gefaxt vlak voordat hij de stad uit ging. Hij zei dat hij wellicht een aanwijzing had ontdekt naar het mysterie, maar dat hij geen tijd had om erachteraan te gaan totdat hij terug was van zijn reis.'

'Wie zijn dat?' vroeg Reed, die belangstellend toekeek.

'Mijn grootouders, op hun huwelijksreis naar de Niagarawatervallen,' zei ik. 'Ik vond het altijd een prachtige foto. Ze zeiden altijd tegen ons dat de juwelen die ze daar draagt nep waren. Ga jij me nu vertellen dat dit de Beauharnais-robijnen zijn?'

'Ja, inderdaad,' antwoordde Rémy stralend, 'en ik moet zeggen dat ze haar erg goed staan.'

Ik leunde achterover in mijn stoel met de foto in mijn hand en staarde naar het glimlachende gezicht van oma Jensen toen ze begin twintig was. De juwelen om haar hals en in haar oren en in haar opgekamde haar waren zo fijn afgewerkt, zo schitterend en overdreven dat we allemaal het verhaal geloofden dat ze nep waren, rekwisieten van de fotograaf. Ineens werd ik boos op mijn grootouders omdat ze al die jaren een geheim van deze omvang voor ons allemaal hadden bewaard. Ik had geen idee waar de juwelen nu konden zijn. Kennelijk hadden mijn grootouders ze in hun bezit gehad toen de foto werd gemaakt. Waar waren ze daarna gebleven? Was mijn grootvader echt overleden zonder aan iemand te vertellen waar ze verborgen waren?

'Hoe kunnen we zeker weten dat mijn grootouders de rest van de robijnen niet op een gegeven moment verkocht hebben?' vroeg ik.

'Hebben ze afgezien van het prachtige huis waarin ze woonden een groot fortuin nagelaten, of een aanschaf van grote waarde gedaan? Iets wat ze zich wellicht alleen hadden kunnen veroorloven door iets anders van grote waarde te verkopen?'

'Nee,' antwoordde ik eerlijk. 'Mijn familie heeft altijd erg sober geleefd. Geloof me, als er een groot fortuin was, dan hebben we het niet geweten.'

'Dan zijn de juwelen misschien ergens anders in hun huis verstopt.'

'Dat is niet mogelijk,' antwoordde ik. 'Toen mijn grootvader stierf en we het huis moesten verkopen, hebben we het van boven tot beneden leeggeruimd. We hebben nooit iets van waarde gevonden. Nou, afgezien van een oude familiequilt die mijn ouders geschonken hebben aan het Museum voor Volkskunst. Maar zelfs die was zelfgemaakt, niet in de winkel gekocht.'

Rémy zei dat de mogelijkheid bestond dat William toen hij het huis had gebouwd een soort geheime bergplaats in de muren of de fundering had laten aanbrengen.

'Denk je dat de nieuwe eigenaren het goedvinden dat we een kijkje nemen?' vroeg hij. 'Door mijn werk ben ik behoorlijk goed geworden in het opsporen van schuilplaatsen en geheime plekjes die een minder ervaren iemand wellicht nooit zou opmerken.'

Ik haalde mijn schouders op en zei dat het huis zelf verplaatst was naar een nieuwe locatie, maar dat ik de bewoners morgen kon bellen om het te vragen.

'Uitstekend. Als ze groen licht geven, laat het me dan vooral weten, dan kom ik naar je toe. Ik blijf een paar dagen bij mijn vrienden in Lititz logeren.'

In de hoop dat het niet hebberig klonk, vroeg ik Rémy wat de juwelen nu waard zouden zijn als we ze vonden. 'Ik aarzel om een bedrag te noemen, maar zeker miljoenen. Misschien tien miljoen als de set nog intact is en in goede staat.'

Naast me liet Reed een laag gefluit horen en hij zei dat het geen wonder was dat ik links en rechts werd aangevallen. Rémy werd rood en hij bood zijn verontschuldigingen aan dat hij zo'n stomme blunder had begaan door de situatie op zijn blog te bespreken.

'Ik wil je iets vragen,' zei Reed. 'Als Anna's familie van koninklijke afkomst is, heeft dat dan iets te betekenen? Moet ik voortaan buigen en haar prinses Anna noemen of zoiets?'

We lachten.

'Na zo veel generaties niet meer, vooral als je in aanmerking neemt dat die bewuste monarchie aan het begin van de twintigste eeuw ontbonden is. Het beste wat Anna en haar familie op dit moment hebben is aanspraak op roem; en natuurlijk een onbetaalbare set juwelen, als we ze kunnen vinden.'

33

Toen ik door het donker naar Dreiheit reed met Reed vlak achter me aan, moest ik almaar denken aan die arme Stéphanie de Beauharnais en de moeilijke keuze die ze had moeten maken toen ze haar zoon opgaf om hem in leven te houden. Denkend aan die andere moeder, de Amish vrouw die Stéphanies zoon in het geheim geadopteerd had, begreep ik nu dat haar eigen kind doodgeboren moest zijn en dat ze daarom met de ruil had ingestemd. Was dat het begin geweest van een van de aandoeningen die de Amish tot op de dag van vandaag kwelden? Ik huiverde bij de gedachte dat de kenmerken van Karls koninklijke DNA door zes geslachten heen onveranderd was gebleven helemaal tot aan Isaac, aan wiens DNA waarschijnlijk gesleuteld was.

In het donker reikte ik naar mijn telefoon en belde Reed om hem te vragen of de FBI besloten had Isaac en Lydia bescherming te geven. Hij zei dat hij net uitgepraat was met zijn vriend, die hem verteld had dat er al een 'discrete bodyguard' geposteerd was om de boerderij heen, wat net zo veilig was.

'Dus ze worden al beschermd door de FBI?'

'Niet precies. Ze houden de boerderij in de gaten voor het geval dat Bobby opduikt, maar dat betekent dat ze er ook zijn als er iets anders gebeurt.'

Ik probeerde niet te denken aan Bobby die midden in de nacht opdook en neergeschoten werd door een FBI-agent met een gretige wijsvinger.

'Wat zei je vriend over Isaacs gezondheid?' vroeg ik. 'Moet hij getest worden?'

'Ja, wij denken van wel. Als Lydia het goed vindt, kan ik een

bloedmonster nemen om een begin te maken. Wie weet? Misschien is hij niet zo ziek als we vrezen. Als jij met haar praat, kom ik morgen rond twaalf uur langs met de afnameapparatuur.'
'Goed,' zei ik.

We bleven praten onder het rijden en het was gewoon zo fijn om hem aan de lijn te hebben en zijn warme, diepe stem te horen in de koude stilte van de nacht. Hij zei dat hij een idee had over mijn veiligheid, een idee dat me niet zou bevallen, maar dat uiteindelijk toch heel nuttig zou kunnen blijken.

'Sinds je in de stad bent, heb je de pers ontlopen,' zei hij, 'maar nu we weten van de robijnen en alles, moet je misschien een beetje toeschietelijker tegen ze zijn.'
'Waarom?'
'Als je hun een paar kruimeltjes toewerpt, zullen ze je volgen als een zwerm vogels. Ik denk dat niemand het zal wagen een pistool tegen je hoofd te zetten als er verslaggevers en fotografen in de buurt zijn. Gezien de potentiële waarde van die juwelen, lijkt het me wijs om dat te doen.'

Hoe beroerd ik ook werd bij de gedachte de pers te vleien, hij had wel gelijk. Ik voelde me veilig als Reed bij me was, maar hij kon er niet altijd zijn. Ik zei dat ik erover zou denken.

'Anna, ik wil je iets vragen,' zei Reed ineens, zijn diepe stem klonk fluweelzacht in de avond. 'Hoe komt het dat ik je elf jaar niet heb gezien, maar het zo goed en natuurlijk voelt om bij elkaar te zijn alsof we elkaar een week geleden nog zagen?'

Misschien omdat ik nooit ben opgehouden aan je te denken, nooit ben opgehouden van je te houden, dacht ik maar ik zei het niet.

'Zo gaat het nou eenmaal met vriendschappen, denk ik,' opperde ik, starend naar het maanverlichte landschap om me heen.
'We waren meer dan vrienden, Anna, als je het nog weet.'
'O, ja?'
'Kom, zeg. Ik was destijds gek op je.'
Zijn opmerking was zo schokkend dat mijn mond letterlijk openviel.

'Gek op *mij*? Reed Thornton, ik was dolverliefd op jou, maar het grootste deel van die zomer deed je alsof ik amper bestond. Je deed aardig tegen me en we hadden samen een hoop plezier, maar er kwam geen romantiek aan te pas. Gek op mij? Ja, vast.'

Hij zweeg een ogenblik, maar ik meende hem te horen grinniken.

'Er kwam geen romantiek aan te pas dankzij het spoortje zelfbeheersing dat ik bij elkaar kon rapen. Je moet bedenken, Anna, ik was eenentwintig en jij pas zeventien. Oké, je leek totaal niet op de andere zeventienjarige meisjes die ik ooit had ontmoet, maar dat veranderde niets aan het feit dat je te jong voor me was. Je hebt geen idee hoe moeilijk het was om dat voor ogen te houden.'

'Behalve toen je me kuste in de nacht van de brand, was het de hele zomer alsof ik met mijn broer optrok. Wil je me nu vertellen dat je meer om me gaf dan je liet merken?'

'O, ja. Veel meer. Als we samen waren, moest ik er steeds aan denken hoe het zou zijn om je te kussen. Die avond kwam het door de combinatie van het bier en de romantische omgeving en het feit dat we alleen waren in het donker. Ik kon er niets aan doen. En toen moest ik iets doen om het aandachtspunt te verleggen, dus haalde ik als een dwaas een joint tevoorschijn.'

We reden een poosje zwijgend door voordat hij verder sprak.

'Ik ben nooit vergeten hoe teleurgesteld je keek toen ik dat deed. Het was een ogenblik waaraan ik sindsdien honderden keren teruggedacht heb, het moment dat ik ieder gevoel doodde dat je misschien voor me had. Je gezicht... ik zie het nog voor me. Nadat we gekust hadden, keek je naar me op met die grote, mooie ogen vol met vertrouwen en bewondering en ik moest het zo nodig bederven door je een haal aan te bieden. Ik wist dat je anders was, Anna. Toen ik hem uit mijn zak haalde, wist ik al dat het stom was. Maar ik had gewoon zo'n... eh... zin om door te gaan en ik wilde echt niet verder. Ik denk dat het een poging was om van onderwerp te veranderen door de beste manier die ik kende, door high te worden.'

Ik zwenkte om een glad stuk te ontwijken en minderde vaart op de heuvelachtige weg.

'Het spijt me, Reed. Dat heb ik allemaal nooit begrepen. Ik had je op een voetstuk gezet en toen het tot me doordrong dat je drugs gebruikte, kantelde dat. Als ik je daar om te beginnen niet op had gezet, had ik misschien meer begrip gehad toen ik te weten kwam dat je ook maar een mens was.'

'Nou, bedankt voor het relativeren, maar het ging verder dan dat. Wat ik deed was verkeerd en heel, heel stom. Marihuana aanbieden aan een minderjarige? Alleen al daarvoor verdiende ik elke minuut die ik in de gevangenis heb doorgebracht. Ik was echt geen goed mens in die tijd, Anna.'

'Val jezelf niet te hard, Reed,' zei ik zacht. 'Je was per slot van rekening voor mij goed genoeg om verliefd op te worden.'

'Ik snap het niet. Ik haat degene die ik toen was, zo verwend en egoïstisch en verveeld.'

'Dat ben je schijnbaar allemaal niet meer. Waardoor ben je veranderd, Reed?'

Tot mijn ontzetting zag ik dat we bij de boerderij waren. Ik minderde vaart, gaf richting aan, sloeg de oprijlaan in en reed naar het huis toe.

'Hetzelfde wat ons allemaal veranderd heeft, denk ik. Maar dat is een lang verhaal, dat ik beter tot een ander keertje kan bewaren.'

Ik hoopte dat een ander keertje gauw kwam, want ik wilde graag alles horen over wat hij had geleerd en gedaan sinds de dag dat hij in de rechtszaal naar me omkeek met ogen vol verdriet.

Op de donkere en stille oprijlaan bedankte ik Reed zacht dat hij me vanavond te hulp was gekomen en niet te vergeten dat hij met me mee was gegaan naar het restaurant en me veilig naar huis had gebracht. Fluisterend in de stilte vroeg ik hem of het raar voelde om weer hier te zijn en naast het huis te staan dat door onze schuld vroeger was afgebrand. Mijn vraag verbaasde hem.

'O, Anna, ik ben sindsdien tientallen keren terug geweest. Ik zou zelfs zeggen dat Grete en Nathaniel tot mijn beste vrienden behoren.'

Om dit te bewijzen, ging de deur ineens open en daar stond Nathaniel, op dit late uur nog aangekleed en met een lantaarn in zijn hand. Breed grijnzend kwam hij naar buiten en gaf Reed een hartelijke handdruk en een broederlijke omhelzing. Na een paar minuten zacht praten zeiden ze welterusten en onze wegen scheidden.

Binnen was het stil, iedereen was al naar bed. Boven aan de trap gaf Nathaniel me een zaklantaarn en wenste me goedenacht voordat hij de deur opendeed van de slaapkamer die hij deelde met zijn vrouw. Fluisterend bedankte ik hem dat hij op me gewacht had.

'Graag gedaan,' antwoordde hij. Hij leek niet in het minst geërgerd dat het zo laat was, ondanks het feit dat hij 's morgens in alle vroegte was opgestaan, een hele dag had gewerkt en hem morgen hetzelfde wachtte.

Vreemd zenuwachtig in het donkere, stille huis stak ik de lantaarn naast het bed aan en verzamelde mijn spullen. Met de zaklantaarn in mijn licht trillende handen sloop ik de trap weer af naar de badkamer, waar ik zo vlug als ik kon mijn tanden poetste en mijn nachtgoed aantrok.

Toen ik de badkamer uit kwam, bleef ik even in het donker staan en luisterde naar de geluiden van de nacht. Deze oude boerderij kraakte een beetje en ik hoorde het zachte sissen van het houtfornuis, het tikken van de klok.

Ondanks de zenuwen wilde ik een kijkje nemen in de keramische pot in de keuken, de pot die ik Lydia vanmorgen als verstopplaats had zien gebruiken. Dapper liep ik er op mijn tenen naartoe, griezelend bij elke kraak die mijn voetstappen maakten, en zo zachtjes als ik kon tilde ik het deksel op. Ik richtte mijn zaklantaarn naar binnen, maar ik wist meteen dat wat ze erin had gestopt nu weg was. De pot was leeg, op een paar koekkruimels op de bodem na.

Weer boven en veilig bedolven onder het beddengoed dwaalden mijn gedachten terug naar het gesprek dat Reed en ik in de auto hadden gehad. Ik stond er nog steeds versteld van dat hij vroeger ook om mij had gegeven. Al zag ik hem na deze week nooit meer, dat maakte al het verschil van de wereld in wat ik voor hem voelde – en wat belangrijker was, hoe ik over mezelf dacht. Al die jaren geleden was ik geen sneue, hopeloos verliefde bakvis geweest. Ik had op dezelfde manier gereageerd op een man die ook van mij hield.

De volgende ochtend brak minder stralend aan dan de vorige. Rechtop in bed gezeten trok ik de eenvoudige groene jaloezieën op en tuurde naar de lucht. Die was somber en grijs, het zag ernaar uit dat het vandaag ging sneeuwen. Ik had veel te doen, waaronder vanmiddag het rouwbezoek voor Doug in Hidden Springs, dus ik hoopte op niet al te slecht weer. In elk geval had Reed aangeboden om er samen heen te rijden.

Starend naar het bevroren landschap dacht ik aan wat de sneeuw voor Bobby kon betekenen, als hij soms ergens buiten was, koud en gewond en alleen. In de afgelopen dagen had ik, om me beter op mijn onderzoek te kunnen concentreren, geprobeerd niet stil te staan bij de ellende die hij misschien doormaakte. Maar nu kreeg ik ineens een beeld in mijn hoofd van hem liggend ergens in het donker, schreeuwend om hulp terwijl er niemand in de buurt was om het te horen. Ik dacht aan de sleutels die ik in zijn kluisje had gevonden en besloot dat het tijd was om de zaken wat te versnellen.

Ik was bereid om te doen wat ervoor nodig was om mijn broer te vinden.

Ik wilde net het gordijn weer laten vallen toen ik een beweging zag in de buurt van het kippenhok. Het was Grete, die een zwarte cape droeg over haar Amish jurk, en in haar hand hetzelfde kleine voorwerp droeg waarmee ik haar gisteren in de keuken had betrapt. Toen ze de deur van het kippenhok bereikte, keek ze haast schuldig naar rechts en naar links, alsof ze zeker wilde weten dat ze niet werd gadegeslagen. Ik trok me terug van het raam, bang dat haar ogen omhoog konden dwalen, en toen ik even later weer keek, zag ik haar het hok binnenglippen. Zelfs met het raam dicht hoorde ik de verstoorde kippen hevig kakelen. Even later kwam ze met lege handen weer naar buiten en liep terug naar huis. Ik wist niet wat er gaande was, maar ik hoopte later de kans te krijgen om het uit te zoeken.

Ondanks de koude van de badkamer besloot ik een snelle douche te nemen. Het water was tenminste lekker warm. Ik wist niet hoe ze dat deden, maar het zou wel verwarmd worden door een bron van Amish-goedgekeurde brandstof zoals propaan of benzine.

Toen ik een broek en trui had aangetrokken en klaar was om te gaan, kwam ik beneden waar ik Lydia en Isaac aan de keukentafel vond. Hun lijfwacht stond bij het raam. Lydia dronk koffie en las in de Bijbel, Isaac zat te tekenen. Lydia vertelde me dat verder iedereen naar de kerk was.

'De kerk,' echode ik, voor het eerst bedenkend dat het zondag was. Ineens wilde ik niets liever dan naar de kerk gaan. Eén gezegend uurtje wilde ik in Gods huis zitten en me op niets anders dan mijn Heiland concentreren.

'Wij blijven vandaag dicht bij huis,' voegde Lydia eraan toe, met een veelbetekenende blik over Isaacs hoofd heen. We wisten beiden dat het niet veilig was, hoe graag ze ook wilde gaan.

Ze bood me ontbijt aan, maar ik sloeg het af en zei dat ik weg moest. Buiten zag ik een aantal auto's aan het eind van de oprijlaan geparkeerd staan, en denkend aan Reeds raad deed ik geen poging de pers te ontwijken. Ik zwaaide juist terwijl ik de weg opdraaide en algauw ontdekte ik dat verscheidene journalisten in hun auto waren gesprongen om me te volgen.

Ik had vandaag één persoonlijke boodschap te doen, maar voordat ik die deed, had ik de kracht en bemoediging nodig die een goede zondagsdienst kon geven. Omdat ik niet wist waar ik anders heen moest, reed ik naar de oude kerk van mijn grootouders in het centrum van Dreiheit, een kerk waar ik veel goede herinneringen aan had. Daar reed ik het parkeerterrein op en tegen de tijd dat ik uitstapte, stormden er drie verschillende verslaggevers op me af.

'Hebt u contact gehad met uw broer, mevrouw Jensen?'

'Annalise, waar heb je al die jaren gezeten?'

'Heb je een relatie met Reed Thornton?'

'Het spijt me, maar ik zal uw vragen later moeten beantwoorden, als ik meer tijd heb,' zei ik zoetsappig en toen wandelde ik naar het gebouw en ging naar binnen. Eén blik over mijn schouder bevestigde dat ze me niet achternakwamen. Ik koos een plek achterin en dwong mezelf alles te vergeten wat er gaande was en me te richten op de muziek, de gebeden en de preek.

Het was een goede beslissing geweest om naar de kerk te gaan, stelde ik vast toen we opstonden voor de slotpsalm. Na alles wat ik in de afgelopen dagen had meegemaakt, alle vragen die door mijn hoofd wervelden, alle verdriet, bezorgdheid, frustratie en angst, was het goed om dat allemaal los te laten en me simpelweg op God te richten. Ik dankte Hem voor het voorrecht van de kerkgang en vroeg Hem me zelfs te midden van alle moeilijkheden daaraan te helpen herinneren.

Toen de dienst afgelopen was, liep ik door de kerk naar voren en ging door de dubbele deuren naar het zondagsschoolgebouw. Ik voelde me schuldig dat ik deze plek als dekmantel gebruikte, maar ik wist dat de verslaggevers aan de voorkant buiten waarschijnlijk nog op me wachtten en ik had geen zin om weer gevolgd te worden.

Ik dook een zijgang in om een groep mensen te ontlopen die in de buurt van een koffietafel samenkwamen en slaagde er in de achterkant van het gebouw te bereiken. Daar trok ik mijn hoed naar beneden, zette de kraag van mijn jas op en stapte naar buiten, blij dat er niemand te zien was. Ik probeerde geen argwaan te wekken en zette het op een holletje.

Volgens mij was het WIRE maar zes straten verderop.

Ik was buiten adem toen ik daar aankwam, maar mijn hart bonsde met sterke slagen. Ik holde naar de achterkant van het gebouw, keek of er geen auto's op de parkeerplaats stonden en hield toen halt bij de deur en haalde mijn sleutelbos tevoorschijn. Met trillende handen probeerde ik de sleutels die ik in Bobby's kluisje had gevonden. Ik hapte naar adem toen de grootste makkelijk in het slot gleed en draaide hem om. In het donkere gebouw keek ik vlug rond, maar ik zag geen alarm. Gezien de technologie die hier gehuisvest was, wist ik dat er iets moest zijn. Voordat ik kon besluiten wat ik moest doen, flitste er een streep licht door de duisternis. Geschrokken draaide ik me om en zag dat hij afkomstig was van de zon die weerkaatste op de glimmende zilveren bumper van een zwarte Mercedes die juist buiten tot stilstand kwam.

Doctor Updyke.

Met bonzend hart opende ik de dichtstbijzijnde deur en glipte naar binnen. Ik zat in een bezemkast. De lucht van schoonmaakmiddelen prikte in mijn ogen en ik stond roerloos stil. Door een kier in de deur zag ik de doctor binnenkomen, gevolgd door zijn tienerzoon.

'Zet jij het alarm even af?' zei doctor Updyke toen hij het licht aanknipte en door de hal liep.

'Wat is de code?' riep de jongen hem na.

'Vier vier zeven één drie.'

Terwijl ik toekeek, opende de jongen een metalen doos naast de telefoon en toetste de nummers in. Toen pakte hij een tijdschrift van de balie, nam plaats in een stoel en wachtte op zijn vader.

Voor een deel zuchtte ik van verlichting dat ik niet betrapt was, voor een ander deel hield ik nog steeds mijn adem in en vroeg me af hoelang ze bleven en of ik me verborgen kon houden tot ze weg waren.

'Schiet op, pap! De training begint over tien minuten!'

Zijn vader antwoordde niet, maar na een poosje kwam hij terug met een stapeltje bruine enveloppen onder zijn arm.

'Kom, we gaan.'

Nadat hij het alarm weer aan had gezet, knipte hij het licht uit, stapte naar buiten en deed de deur op slot.

Ik wist niet wat ik nu moest doen. Aan de ene kant had ik de code van het beveiligingssysteem zomaar gratis cadeau gekregen. Aan de andere kant kon het zijn dat de doctor zijn zoon alleen even ging wegbrengen en meteen terugkwam, en in dat geval kon ik betrapt worden.

Ik raapte al mijn moed bij elkaar en kwam uit de kast, liep naar de metalen doos en toetste 44713 in. Toen gaf ik mezelf precies twee minuten om door het gebouw heen te vliegen om te zien of ik de archiefkast kon vinden waarop mijn ronde sleutel paste. Of ik iets vond of niet, hield ik mezelf voor, ik bleef niet.

Gelukkig zag ik op een deur achter in de eerste gang die ik doorliep, een bordje waarop simpel stond *Archief*. De deur zat op slot, maar de tweede sleutel van Bobby's bos draaide net zo makkelijk om als de eerste in de buitendeur.

In de archiefkamer was het donker en het rook er naar oud papier. Turend kon ik onderscheiden dat er geen buitenramen waren, dus ik nam het risico en knipte het licht aan.

Vlug doorzocht ik de ruimte, waar rijen metalen kasten stonden. Ik had nog anderhalve minuut en bleef in beweging. Ik zag dat op een aantal archiefkasten helemaal geen slot zat. Ik keek naar elke rij tot ik achterin kwam. Er stond een muur van afgesloten stalen archiefkasten, elk met een rond sleutelgat. Zo snel mogelijk probeerde ik ze een voor een met de sleutel. Bij de vijfde poging was het eindelijk raak.

Ik had nog dertig seconden over, opende de bovenste lade en keek naar de inhoud, die gesorteerd was op achternaam. Er was nu geen tijd om dossiers door te nemen, dus ik bekeek eenvoudig de etiketten op zoek naar iets bekends. Onder 'Jensen' zag ik met bonzend hart dat er één dossier was, dat ik eruit haalde. Daarna zag ik niets bijzonders tot ik bij de naam 'Schumann' kwam, die op drie verschillende mappen stond geschreven. Ik pakte ze alle drie en schoof de lade dicht. De tijd die ik mezelf had toegemeten, was om.

Terwijl ik naar de deur liep, stopte ik alle vier dossiers onder de tailleband van mijn broek en streek mijn trui en jas er glad overheen. Toen ik het licht had uitgedaan en de deur had afgesloten, rende ik door de gang naar de achteringang.

Ik stopte op de hoek en gluurde eromheen naar de deur, maar op de parkeerplaats buiten zag ik niets. Ik zette me schrap, reactiveerde het alarm, stapte naar buiten, trok de deur dicht en sloot hem achter me af.

Ik holde langs de achterkant van het lege garagebedrijf bij de buren en vermeed de hoofdweg zo lang als ik kon. De kust was veilig, er was geen zwarte Mercedes in zicht, en eindelijk vloog ik naar de overkant van de straat en dook tussen twee gebouwen om bij het volgende blok te komen. Toen ik eindelijk in de buurt van de kerk kwam, ging ik langzamer lopen en probeerde op adem te komen in de koude ochtendlucht. Pas toen ik weer in het zondagsschoolgebouw was en op weg naar een uitgang aan de voorkant, drong de omvang tot me door van wat ik had gedaan.

In mijn jacht naar de waarheid had ik me niet beperkt tot 'gluipen en gluren' zoals Kiki het werk van opspoorders noemde. Ik had mezelf toegang verschaft tot een medisch laboratorium met sleutels die niet van mij waren, ik had vertrouwelijke dossiers bekeken en vier daarvan uit het pand ontvreemd. Er was maar één uitleg voor: ik had net de wet overtreden.

34

Met de dossiers onder mijn tailleband die me in mijn middel prikten, was het niet makkelijk om er evenwichtig uit te zien voor de verslaggevers die nog bij mijn auto stonden te wachten toen ik de kerk uit kwam. Ik probeerde gewoon te doen, liep naar mijn auto en gaf de drie een knikje. Zodra ze me zagen, barstte het vragenvuur weer los. Ik luisterde en gaf ten slotte antwoord aan de man die vroeg hoe het voelde om na al die jaren terug te zijn in Dreiheit. 'Het lijkt op thuiskomen,' zei ik tegen hem. Tot mijn eigen verbazing meende ik het. Daarna stapte ik in mijn auto en reed weg, glimlachend bij de aanblik van mijn gevolg dat meteen achter me aan kwam. Reed had gelijk. Het was een goed idee geweest om beveiliging te zoeken bij mijn eigen persoonlijke paparazzi.

Toen ik zeker wist dat ze me niet konden zien, haalde ik de dossiers onder mijn kleren vandaan en legde ze op de stoel. Ik popelde om ze te lezen, maar ik durfde niet tot ik me ergens kon afzonderen.

Ik zette mijn telefoon aan en zag dat de batterij nog maar twee streepjes over had. Op volgorde van belangrijkheid begon ik met het informatienummer te bellen, en vroeg om het nummer van de familie Wong in Holtwood, Pennsylvania.

Mevrouw Wong nam op en toen ik had uitgelegd wie ik was, vertelde ik dat het onder mijn aandacht was gebracht dat er in de structuur van het huis dat ze van mijn ouders hadden gekocht een familie-erfstuk verborgen kon zijn. Ik zei dat ik een deskundige in de arm had genomen die graag eens door het huis wilde lopen op zoek naar mogelijke bergplaatsen. Toen ik klaar was met mijn uitleg, zei mevrouw Wong dat het tot haar spijt niet mogelijk was.

'Het zou best mogen als het kon,' voegde ze eraan toe, 'maar we hebben het huis vijf jaar geleden laten ontmantelen.'

'Ontmantelen?' zei ik ongelovig.

'Ja, niet te geloven, hè, na al die moeite die we hebben gedaan om het hierheen te verhuizen. Mijn man is architect, ziet u, en hij is altijd bezig met veranderen, ontwikkelen, verbeteren. We hebben een deel gehouden, zoals de panelen uit de studeerkamer beneden en de marmeren badkuip. Maar al het andere is vijf jaar geleden weggegooid of verkocht of ergens anders heen gebracht.'

Ik bedankte haar voor de moeite en hing op, teleurgesteld maar niet ondersteboven. Ik was er zeker van dat als er een geheime bergplaats in dat huis gebouwd was, Bobby en ik hem als kind gevonden hadden. We speelden vaak verstoppertje en als er in een van alle kasten, kabinetten en bergruimten waarin we ons verborgen hadden een geheim vakje of deurtje had gezeten, waren we dat heus wel tegengekomen. Het huis dat niet meer bestond was in zijn goede dagen een heerlijk toevluchtsoord geweest, maar ik kon me niet voorstellen dat het tijdens mijn leven de Beauharnais-robijnen had gehuisvest.

Weer op de weg belde ik Rémy en ik sprak een boodschap met het slechte nieuws in op zijn voicemail. Toen ik klaar was, liet mijn telefoon een waarschuwingsriedel horen en doofde uit. Ik stopte hem in mijn tas, in de hoop dat ik binnenkort weer een plek kon vinden om hem op te laden.

Afgezien van de verslaggevers die alweer aan weerskanten van de oprijlaan rondhingen, was het rustig op de boerderij toen ik terugkwam. Grete en haar gezin waren nog steeds niet terug uit de kerk. Ik zag Lydia en Isaac en de immer aanwezige lijfwacht buiten op het land, Isaac zat prinsheerlijk op een paard dat Lydia aan de hand meevoerde over het pad. Ik zwaaide en ging naar binnen. Met bonzend hart bracht ik de gestolen dossiers naar mijn slaapkamer.

Er zat geen slot op de deur, dus ik rolde de jaloezieën omhoog en hield met één oog Lydia en Isaac buiten in de gaten, terwijl ik een blik wierp op wat ik had weten te bemachtigen. De map Jensen bewaarde ik voor het laatst, eerst bladerde ik door de mappen Schumann. Twee van die dossiers waren van Schumanns die ik niet kende, met onbekende adressen. Maar het derde dossier was datgene wat ik had gehoopt te vinden: dat van Katherine Schumann-Beiler, Lydia's moeder. Ik hoopte dat het dossier haar volledige medische gegevens bevatte, zonder dat er dingen onleesbaar waren gemaakt zoals in de versie die Doug aan Reed had gefaxt.

Al bladerend zag ik tot mijn teleurstelling dat de getypte aantekeningen van de praktijkbezoeken er helemaal niet bij zaten. De map bevatte alleen uitslagen van laboratoriumtests en ondertekende formulieren met de vereiste wettige toestemming. Ik was geen arts, maar zelfs ik zag dat deze informatie niets van belang toonde, alsof iemand alle spannende dingen eruit gehaald had en alleen opvulling had achtergelaten.

Ik bereidde me voor op meer teleurstellingen in de volgende map en gooide deze opzij, maar toen hij het bed raakte, gleed er iets doorheen wat aan de rand naar buiten stak. Ik pakte het dossier weer op en zag dat er een foto losgeschoten was uit het voorvak van de map.

Ik pakte hem op en bekeek hem, zonder goed te weten wat ik zag. Buiten hoorde ik een juichkreet en toen ik opkeek, zag ik dat Isaac nu veel dichter bij het huis was. Ik richtte mijn aandacht weer op de foto en stelde vast dat het een close-up was van een stuk huid – een ernstig zieke huid. Het had een ziekelijke, grauwe kleur en het oppervlak was bezaaid met opgezwollen, puisterige karbonkels.

Ik voelde gal in mijn keel omhoog komen, maar ik hield de foto op een armlengte van me af en probeerde uit te maken wat ik zag. De afbeelding kwam me bekend voor, hij deed me denken aan een documentaire over de Derde Wereld die ik had gezien over pokken.

'Ik heb het paard een appel gevoerd!' riep Isaac ineens vanuit de deuropening van de slaapkamer en ik schrok zo vreselijk dat ik de foto liet vallen en de dossiermappen op de grond gooide. Toen Isaac al ratelend over het paard onuitgenodigd verder de kamer binnenkwam, raapte ik haastig de papieren en de foto op en stopte alles bij elkaar in een boodschappentas.

'Wat moet je, Isaac?' vroeg ik een beetje al te scherp.

'Mijn moeder is aardappelsoep aan het maken en ze wil weten of u blijft eten.'

'Nou, ga dan maar gauw naar je moeder toe en zeg dat ik er zo aan kom,' antwoordde ik vriendelijker.

'Goed.'

Even snel als hij verschenen was, draaide Isaac zich om en vertrok. Toen ik hem de trap af hoorde klossen, haalde ik de papieren uit de draagtas, maakte er een nette stapel van en liet ze tussen de matras en de boxspring glijden. Nadat ik het beddengoed glad gestreken had, pakte ik mijn tas en liet de foto in een binnenvakje glijden dat met een ritssluiting afgesloten werd.

'Komt u, tante Anna?' riep Isaac.

'Ja, hoor.'

Ik liet alles voorlopig zoals het was en ging naar beneden. Toen ik een mannenstem hoorde en de vrolijke begroetingen tussen oude vrienden, begreep ik dat Reed er was.

Toen ik onderaan de trap was, zag ik hem staan en onwillekeurig viel het me op hoe knap hij eruitzag in een sportieve zwarte broek en een kastanjebruine trui. Toen hij opkeek en mijn blik ving, voelde ik de hitte ineens naar mijn hoofd stijgen. Het ontging Lydia niet, ze glimlachte verlegen en wendde haar ogen af.

Nu hij er was, wilde ik het liefst in zijn armen vliegen, hem de foto en de dossiers laten zien en hem vertellen dat ik iets illegaals had gedaan. Ik weerstond de aandrang en omhelsde hem alleen even, zodat ik zachtjes kon vragen of hij een paar minuten met Isaac naar de schuur wilde gaan en ik Lydia kon uitleggen wat er aan de hand was.

'Geen punt,' antwoordde hij en spoedig gingen de twee kerels dik ingepakt de deur uit. Op mijn aandrang volgde de lijfwacht ook.

Lydia zat aan tafel aardappels te schillen en ik ging bij haar zitten. Ik probeerde te bedenken hoe ik alles moest zeggen wat ik te vertellen had. Voordat ik de woorden gevonden had, was ze me voor.

'Je hebt nieuws' zei ze. Het was meer een vermoeide vaststelling dan een vraag.

'Ja, inderdaad.'

Zo voorzichtig mogelijk legde ik Lydia het medische gedeelte uit van wat ik gisteravond onder het eten te weten was gekomen, dat klaarblijkelijk twee geslachten voorouders van de familie Jensen met Amish vrouwen waren getrouwd. Voordat ik verder kon gaan, stak Lydia een hand op om me tot zwijgen te brengen. Ze begreep precies waar ik heen wilde.

'Voor wat het waard is,' voegde ik eraan toe, 'Reed is heel optimistisch over Isaacs gezondheid. Hij wil alleen een paar bloedproeven doen om dingen uit te sluiten, als je het goed vindt. Nu meteen eigenlijk, als je geen bezwaar hebt.'

'Kan Reed dat hier doen? Nu?'

Ik knikte en zei dat hij daarom was gekomen.

Lydia legde haar dunschiller en aardappel op tafel en liep naar het raam. Daar bleef ze lange tijd naar buiten staan kijken, met haar handen in haar zij, zwijgend nadenkend of misschien biddend. Ik gaf haar de tijd, zei niets, pakte een aardappel en begon hem zelf te schillen.

Eindelijk draaide ze zich om en keek me aan. Ze had tranen in haar ogen.

'Als ik geweten had dat Bobby die genen droeg, dan had ik het niet anders gedaan. Ik zou toch met hem getrouwd zijn. Ik had toch kinderen met hem gekregen. De vrouwen in deze gemeenschap kennen de risico's van kinderen krijgen, maar het weerhoudt hen niet. Gods wil overwint altijd. Wie zijn wij om precies te zeggen hoe een kind moet zijn? Wie ben ik om te denken dat ik recht heb op een volmaakt kind en een volmaakt leven? Wat is volmaakt, trouwens? In Gods ogen zijn wij allcmaal volmaakt. Ook kinderen met een aandoening. Misschien wel juist kinderen met een aandoening.'

Toen ze terugkwam naar de tafel, bedacht ik wat een wijze, verstandige vrouw mijn broer had getrouwd. Zoals ze gisteren had gezegd, ze mocht dan naïef zijn, maar ze was beslist niet dom. Ik besloot haar iets meer te vertellen van wat ik wist.

'Toen wij elkaar gisteren door de telefoon spraken, Lydia, vroeg ik je of je wel eens op het WIRE was geweest bij doctor Updyke. Weet je dat zowel je zus als je moeder daar ook zijn geweest tijdens hun zwangerschappen?'

'*Jah*, natuurlijk. Zo ben ik weer met Bobby in contact gekomen. Ik ging met mijn moeder naar het WIRE voor haar tests en ik herkende hem als de jongen met wie ik vroeger speelde. Ik had hem natuurlijk niet meer gezien sinds we kinderen waren en je grootouders hun huis hadden verkocht, maar dat gezicht en die glimlach had ik overal herkend.'

'Wat voor tests heeft je moeder daar laten doen? Bloedonderzoek?'

'Meer dan dat. Ik geloof dat het een vruchtwaterpunctie was. Er kwam in ieder geval een lange naald door de onderbuik aan te pas.'

Ik schudde mijn hoofd.

'Sorry, Lydia. Ze heeft geen vruchtwaterpunctie gehad. Volgens wat we kunnen opmaken uit de labgegevens is er gentherapie gedaan op de foetus.'

Lydia schudde beslist haar hoofd.

'Daar had ze nooit in toegestaan, geloof me. Je kende mijn moeder niet zoals ik.'

'Dan is het goed mogelijk dat de doctor tegen haar gelogen heeft. Dat heeft hij tegen jou per slot van rekening ook gedaan.'

Lydia zette grote ogen op toen het tot haar doordrong wat ik had gezegd. Ik had het gevoel dat ze gelijk had, dat haar moeder niet geweten had wat er echt gaande was. Kate was naar het WIRE gegaan op aandringen van haar dochter Grete, en hoewel ze had ingestemd met een vruchtwaterpunctie – of tenminste met wat zij dacht dat een vruchtwaterpunctie was – had doctor Updyke kennelijk andere ideeën in zijn hoofd gehad.

Verstoord pakte Lydia de aardappels bij elkaar en bracht ze naar de gootsteen. Ik wilde haar troosten en kwam bij haar staan. Terwijl ik spoelde en zij sneed, kwamen Reed en Isaac de stal uit en liepen in de richting van het huis. Het verwarmde me hen tweeën samen te zien, de knappe man en het slungelige jongetje.

'Je houdt nog van hem, hè?' zei Lydia ineens.

Ik schrok. Ik wilde het ontkennen, maar ze was zo eerlijk tegen me geweest dat ik vond dat ik haar hetzelfde schuldig was.

'Het maakt niet uit. Hij heeft een vriendin en een heel leven los van het mijne.'

'Dat kan zijn, maar ik vraag me af of hij naar haar net zo kijkt als naar jou.'

Reed en Isaac kwamen binnen door de zijdeur en er kwam een eind aan ons gesprek. Toen ze hun jas uit hadden getrokken en Isaac opgewonden ratelde over het paard, keek Reed me over zijn hoofd heen aan en ik knikte. Hij keek naar Lydia, die ook knikte, en toen zei hij dat hij een paar dingen uit de auto moest halen, maar dat hij zo terug was. Intussen legde Lydia rustig aan Isaac uit waarom Reed een bloedmonster uit zijn arm moest nemen. Ze vertelde hoe het ging en zei dat papa dat de hele dag op zijn werk deed, bloed afnemen bij mensen. Isaac leek er niet al te blij mee, maar hij vloog ook niet de kamer uit. Ik excuseerde me en zei dat ik een eindje ging wandelen omdat ik frisse lucht nodig had. Ik trok net mijn jas aan toen Reed binnenkwam. In de ene hand had hij een wit plastic tasje en in de andere een zwart etui. We wisselden een ernstige blik en toen ging hij naar binnen en ik naar buiten.

Het viel me in dat dit een uitstekend moment was om een

blik te werpen op datgene wat Grete gisterochtend in de keuken had verstopt en vanmorgen naar het kippenhok had gebracht. Ik wist dat de Amish kerkdienst nog wel even duurde en gewoonlijk werd gevolgd door een gemeenschappelijke maaltijd. Ik wist niet precies hoeveel tijd ik had, maar ze waren er nu niet, dus ik greep mijn kans. Met mijn handen in mijn zakken slenterde ik naar het kippenhok, zwaaide de deur open en stapte naar binnen.

Meteen begonnen de kippen als gekken te kakelen en te tokken en ze maakten zo'n kabaal dat ik niet goed wist wat ik moest doen. Vlug inspecteerde ik oppervlakkig het hele hok en ten slotte viel mijn blik op een los vierkant van hout met een knoest recht in het midden op de grond. Ik lette niet op het gekakel en de rondvliegende veren en de scherpe geur van de kippenren, en hurkte in een opwelling neer, stak mijn vinger in het gaatje en tilde het hout op. Tot mijn grote verrassing werd eronder een bergplaats zichtbaar. In een ondiepe holte onder de vloer stond een brandvrij metalen kistje. Ik wist niet wat erin zat, maar mijn hart bonsde toen ik plotseling bedacht dat het de Beauharnais-robijnen zouden kunnen zijn. Ik had geen idee waarom Grete die zou hebben, maar er waren zo veel dingen waar ik nog niet achter was. Ik stak mijn hand in het gat en greep het handvat van het kistje. Ik wilde het net omhoog tillen toen de deur van het kippenhok openzwaaide.

In de deuropening stond Caleb me met grote ogen aan te kijken.

35

'Anna?' vroeg Caleb dringend. 'Wat doe je daar? Ik dacht dat er een vos achter de kippen aanzat!'

Verstijfd van schrik nam ik een snel besluit. Alsof het de gewoonste zaak van de wereld was, liet ik het kistje weer in het gat vallen, liet de plank eroverheen glijden, stond op en borstelde stro en vuil van mijn knieën.

'Sorry, ik was ergens naar op zoek. Ik dacht dat het misschien onder een losse plank was gevallen.'

Verlangend om naar buiten te komen, liep ik langs hem heen het zonlicht in. Ik hield de deur voor hem open. Hij kwam meteen achter me aan en vroeg wat ik zocht en of hij kon helpen.

'Het is een lang verhaal,' zei ik. 'Zit er maar niet over in.'

Hij drong niet aan. Ik dacht aan mijn gesprek met Lydia over Caleb en drugs, en wilde vragen waar hij had gezeten sinds hij hem vrijdagavond stiekem was gesmeerd. In zijn spijkerbroek en leren jack zag hij er knap uit, heel anders dan de Amish jongen die nog maar twee avonden geleden mijn koffer voor me uit de auto had gehaald. Dat zei ik tegen hem.

'*Jah*, ik wilde thuis zijn voordat de familie uit de kerk kwam. Ik moet me verkleden.'

Samen liepen we naar het huis. Ik wilde tegen hem uitvaren omdat hij zijn snor had gedrukt, zijn plichten had verzaakt en zich misschien met drugs inliet, maar ik zei alleen dat ik hoopte dat hij niet met verkeerde mensen omging.

'Verkeerde mensen. *Englischer*, bedoel je?'

'Drugs, bedoel ik.'

Caleb stond abrupt stil en keek me aan.

'Drugs?'

Ik keek om me heen en dempte mijn stem.

'Je zussen mogen dan beschermd leven, Caleb, maar ze zijn niet gek. Ze weten wat er in de buitenwereld omgaat, ook bij de Quarry.' Hij zette grote ogen op en ik voegde eraan toe: 'Bobby heeft je daar een paar weken geleden gezien.'

Caleb werd vuurrood, maar er stond pijn in zijn ogen te lezen, geen boosheid.

'Bobby zag me bij de Quarry en toen dacht hij dat ik drugs gebruikte?'

'Of verkocht.'

Verbijsterd legde Caleb zijn hoofd in zijn nek en gromde hard van frustratie.

'Niet te geloven!' riep hij uit en hij keek me hoofdschuddend aan. 'Waarom heeft niemand iets tegen me gezegd? Altijd zitten ze te zeuren en te klagen. Maar nooit heeft iemand me recht aangekeken en gezegd: "Caleb, gebruik je soms drugs?" Niemand. Als ze dat gevraagd hadden, had ik de waarheid verteld.'

'Mooi. Caleb, gebruik je soms drugs?'

'Nee,' antwoordde hij en hij keek me recht in de ogen. 'Ik... ik ben muzikant.'

'Muzikant?'

'Ik speel gitaar in een band. *Elektrische* gitaar.'

Ineens begreep ik waarom hij een geheim leven leidde. Een gitaar was één ding en ik geloof dat de *Ordnung* dat nog wel toestond. Maar een elektrische gitaar werd bij de Amish waarschijnlijk op uitgebreide schaal afgekeurd.

'We oefenen op zaterdagochtend, maar alleen als ik op vrijdagavond niet thuiskom en dus zo onder mijn werk kan uitkomen om op tijd te zijn. Ik logeer meestal bij een vriend in de stad. We doen elk weekend twee optredens: op zaterdagavond in The Alternative en op zondagochtend in de kerk.'

'In de kerk?'

Hij knikte.

'Het is een praiseband,' zei hij schuldbewust, alsof dat een nog grotere misdaad was. 'Als Bobby me bij de Quarry heeft gezien, dan is dat omdat ik elke zaterdagavond in The Alternative speel, een koffiehuis van de kerk dat midden in het centrum staat. We spelen muziek om mensen te trekken en dan staat de dominee op en praat hij over verslaving en afkicken, vergeving en herstel, dat soort dingen. Ze delen gratis koffie en donuts uit, samen met brochures van het twaalfstappenprogramma dat de kerk aanbiedt.'

Ik was sprakeloos.

'Ik weet dat het verkeerd was om het geheim te houden, Anna. Ik wil het aan Grete en Nathaniel vertellen, maar ze zullen er kapot van zijn. Ik zal net als Lydia het huis uit moeten gaan, maar wat moeten ze dan hier op de boerderij? Ze hebben mijn hulp hier nodig. Ezra is nog niet oud genoeg om mijn taken over te nemen.'

Ik zei dat ik Calebs probleem begreep, maar dat zijn familie bedriegen en zijn verantwoordelijkheden laten liggen geen oplossing was.

'Het is verkeerd om te liegen, *jah*, maar het doet me pijn dat Bobby aan drugs dacht. Ik gebruik geen drugs. Mijn roeping is juist jongeren van de drugs *af* te helpen. Denkt hij dat ik niets geleerd heb van wat er gebeurde in de nacht dat mijn ouders stierven? Als de Vijf van Dreiheit toen niet hadden gedronken en marihuana gerookt, zouden pa en mama misschien nog leven.'

Ik zette grote ogen op, ontsteld door het feit dat hij de zin in zich op had genomen over het 'wilde tienerfeest' waaruit de tragedie was voortgevloeid. Maar hij had wel gelijk. Als mijn vrienden mij niet onder druk hadden gezet om te drinken, had ik hen niet naar het verstopte vuurwerk gebracht. Als Reed geen joint tevoorschijn had gehaald, was ik niet kwaad weggelopen en in de auto in slaap gevallen, waardoor ik de eerste tekenen van de brand niet had opgemerkt en het te laat was om hen te redden.

Ten slotte kon ik niets anders doen dan diep ademhalen en excuses aanbieden voor het verkeerde beeld dat mijn broer had geschetst. Ik opperde ook dat Caleb hierover zou bidden, dat als God hem in een bepaalde richting leidde, Hij zeker zou helpen een oplossing te vinden.

Samen liepen we naar huis. Ik moest later een andere gelegenheid vinden om naar het kippenhok te gaan en in dat brandkastje te kijken, maar nu was ik blij dat Caleb en ik de kans hadden gehad om onder vier ogen te praten.

Dat was tenminste één mysterie opgelost.

Toen we binnenkwamen, zat Reed helemaal alleen aan de keukentafel. Caleb groette hem en ging naar zijn slaapkamer om zich te verkleden. Ik ging naast Reed zitten. Hij had een aardappel in de ene hand en een schiller in de andere, maar hij scheen niet goed te weten wat hij deed. Hij haalde het blad van de schiller over het bruine vel, maar onder de verkeerde hoek en met niet genoeg kracht. Ik legde mijn handen op de zijne en liet hem zien hoe het moest. Terwijl we samen onze handen ritmisch bewogen, vroeg ik hem hoe het met Isaac was gegaan. Reed schudde zijn hoofd en glimlachte treurig.

'Zoals je kon verwachten. Isaac huilde, zijn moeder huilde, we huilden allemaal.' Met een grijns en een knipoog liet hij merken dat het een grapje was, althans over het huilen. 'Ik geloof dat Lydia een warm bad voor hem klaarmaakt. Dat zal hem tot rust brengen.'

'Mooi.'

Toen ik dacht dat Reed het schillen onder de knie kreeg, liet ik zijn handen los, al had ik daar weinig zin in. Helaas keek hij precies op dat moment naar me op en ik wist dat hij mijn aarzeling had opgemerkt en het verlangen in mijn ogen zag.

'Anna,' zei hij met zachte stem, haast een fluistering.

Ik raapte mijn moed bij elkaar, streek een lok haar glad achter mijn oor en ontmoette zijn blik. Ik wilde de emotie op zijn gezicht begrijpen en probeerde me niet te schamen voor de liefde die duidelijk zichtbaar moest zijn op het mijne. Langzaam bracht Reed één hand omhoog en plukte met zijn vingers een stukje aardappelschil uit mijn haar.

Verlegen wendde ik mijn blik af, maar met dezelfde hand pakte hij zacht mijn kin vast en draaide mijn gezicht naar hem toe. Zo bleven we zitten, mijn hart bonsde en mijn lippen smachtten naar zijn kus, terwijl mijn hersenen me eraan herinnerden dat hij een relatie had met iemand anders.

Ook kon ik niet vergeten dat hij me in het verleden had teleurgesteld – niet één, maar twee keer. Ineens wilde ik niets liever dan een verklaring voor zijn daden.

'Waarom ben je opgehouden met schrijven vanuit de gevangenis, Reed? Ik koesterde je brieven en toen kwamen ze ineens niet meer, zonder reden. Wat was er? Lag het weer aan het leeftijdsverschil?'

Hij schudde zijn hoofd.

'Nee, dat lag helemaal aan mij. De gevangenis was… nou ja, het was een nachtmerrie, maar een nachtmerrie die ik verdiend had. Toen ik je schreef, was ik denk ik op zoek naar absolutie. Ik had in elk geval van jou vergeving nodig. Toen je me vergeven had en we heen en weer bleven schrijven, leek je weer voor me te vallen, maar ik was er niet klaar voor. Ik had nog een lange weg te gaan, een zware weg van zoeken naar God en leren over genade. Ik brak op dat moment met jou omdat ik een heleboel dingen uit moest zoeken. Het is moeilijk om iemand anders van je te laten houden terwijl je jezelf vreselijk haat.'

'Wat erg dat je het zo voelde, maar ik snap wat je bedoelt. Ik had met mijn eigen demonen te stellen.' Ik knipperde en er gleed een traan over mijn wang, maar ik wist niet om wie van ons tweeën ik huilde. 'Maar later dan? Je had toch contact met me kunnen zoeken toen je vrijkwam?'

Hij haalde zijn schouders op en wendde zijn blik af voordat hij me weer aankeek.

'Het duurde een hele tijd voordat ik er eindelijk klaar voor was, maar tegen die tijd was je vertrokken,' zei hij eenvoudig. 'Bobby vertelde me dat je een nieuwe start wilde maken, dus heb ik je losgelaten. Ik vond dat ik je dat schuldig was.'

Ik knipperde weer met mijn ogen en nu rolden er twee tranensporen over mijn wangen. Hij veegde ze weg met zijn aardappelhanden. Glimlachend ondanks mijn tranen pakte ik een van die handen in de mijne, draaide hem om en kuste hem langzaam, precies waar het litteken onder zijn mouw uitkwam. Toen kreeg ook hij tranen in zijn ogen. Hij trok me met beide armen dicht tegen zich aan en hield me vast, heen en weer wiegend, met mijn gezicht stevig tegen zijn sterke schouder gedrukt.

Om de een of andere reden had ik zin om te snikken, om alle pijn van alle jaren dat we uit elkaar waren geweest eruit te laten. Maar met die kus was ik al over de schreef gegaan. Nu ik begreep dat we inderdaad ieder onze eigen weg waren gegaan, kon ik mijn tranen beter bewaren voor als ik alleen was, om in mijn eentje te treuren.

Op dat moment kwam Lydia de kamer binnen en ze schrok toen ze ons in een omhelzing zag. Met een rood gezicht excuseerde ze zich weer, maar Reed en ik lieten elkaar los en hij riep haar weer binnen terwijl ik met een punt van een servet de tranen en het aardappelzetmeel van mijn wangen veegde.

Blozend kwam ze binnen, maar ze probeerde nonchalant de rest van de aardappels te verzamelen en naar de gootsteen te brengen, waar ze ze begon te wassen.

'Hoe gaat het met Isaac?'

'Het komt wel goed,' zei Lydia, die met haar rug naar ons toe aan het werk was. 'Maar ik weet niet of hij er ooit overheen zal komen dat zijn vader dat doet voor de kost, mensen steken met naalden om hun bloed eruit te halen.'

We lachten.

'Trouwens, Caleb is er,' zei ik. 'Hij is in zijn kamer.'

'O! Ik heb hem helemaal niet gehoord. Heb je hem op zijn kop gegeven omdat hij zomaar verdwenen was?'

'We hebben eigenlijk een goed gesprek gehad. Als ik jou was, zou ik niet overhaast de verkeerde conclusies over hem trekken. Het is een goeie knul.'

In Reeds zak ging een elektronisch geluid af. Hij haalde zijn mobiele telefoon eruit, keek naar het nummer en excuseerde zich. Aan zijn gezicht te zien, had hij weinig zin om op te nemen. 'Hoi, Heather,' zei hij terwijl hij opstond en naar de deur liep. Ik hoorde de klank van een boze vrouwenstem aan de andere kant van de lijn. 'Weet ik. Ja. Ik heb je verteld hoe de pers ons behandelt. Zulke dingen zeggen ze altijd.'

Hij ging naar buiten en deed de deur zacht achter zich dicht om zijn gesprek in afzondering voort te zetten. Intussen vroeg ik Lydia of ze de krant van vandaag had.

'Jah. Hij ligt daar vlak voor je.'

Ik begreep dat ze de krant op tafel had gelegd om de aardappelschillen op te vangen. Ik schoof wat schillen opzij om naar de voorpagina te kijken. Zoals ik al had vermoed, stond daar de foto van Reed en mij in zijn auto. Het was geen slechte foto. De fotograaf had zo'n intieme blik van ons vastgelegd dat ik het Reeds vriendin niet kwalijk nam dat ze boos was. In deze krant concentreerde het hoofdartikel zich meer op ons dan op Bobby's verdwijning en Dougs dood. Aan de andere kant, dit was hier in de buurt een bekend verhaal en als Reed en ik een stelletje waren, was dat precies het soort sappige nieuwtje dat lezers trok. De kop luidde *Oude vlam weer opgelaaid?* Er stond in elk geval een vraagteken aan het eind. Vroeger zouden ze daar niet om gemaald hebben.

Reed kwam weer binnen, maar hij ging niet zitten. Hij zei dat hij Isaacs bloedmonsters ging afleveren bij de kliniek voor kinderen met een afwijking, om in het hotel een pak aan te trekken, waarna hij mij kwam ophalen voor het rouwbezoek voor Doug in Hidden Springs.

'En Heather? Je krijgt toch geen problemen omdat je met mij optrekt?'

'Met Heather is alles best. Ze heeft alleen een hekel aan de paparazzi.'

'Nou, daarin staat ze niet alleen,' antwoordde ik terwijl ik met hem meeliep naar de deur.

'Trouwens, dat is voor jou,' zei Reed met een gebaar naar een wit plastic tasje dat onder de jashaken op de grond stond. 'Tot straks.'

Voordat ik de tas zelfs maar had opgepakt, was hij verdwenen.

Ik hielp Lydia verder met de soep en droeg de tas naar boven, waar ik er iets uithaalde wat aanvoelde als stof verpakt in vloeipapier. Ik scheurde voorzichtig het papier los en ontvouwde een prachtige knielange tuniek. Ik had geen idee wat hij had gekost, maar het moest minstens een paar honderd dollar zijn. Er zaten nog twee dingen in de tas en ik haalde ze er om de beurt uit. Het waren een klassieke goudkleurige ketting met grove kralen en een paar mooie zwarte pumps met een bescheiden gouden gespje op de neus.

Ik ging verbijsterd op de rand van mijn bed zitten. In zijn vriendelijkheid had Reed de tijd genomen om voor me te gaan winkelen, om iets voor me te kopen wat passender was voor een rouwbezoek in januari dan een zomerjurkje en luchtige sandalen. Als ik er niet zo genoeg van had om voor schut te staan en het koud te hebben, dan had ik zo'n royaal geschenk geweigerd. Nu had ik deze jurk harder nodig dan ik wilde toegeven. Misschien zou ik hem aannemen, maar erop staan dat ik hem later terugbetaalde. Hij was een maat kleiner dan ik gewoonlijk droeg, maar hij paste precies en de ketting en de schoenen waren de volmaakte accessoires.

Zo vlug mogelijk borstelde ik mijn haar en friste ik me op, zodat ik nog tijd had om het dossier te bekijken dat ik nog niet had gezien, het dossier Jensen dat ik vandaag uit het lab had gestolen. Ik haalde de papieren onder de matras vandaan, legde de Schumann-dossiers opzij en sloeg met ingehouden adem de map open, in de hoop de waarheid te weten te komen over Isaac.

Maar mijn hart sloeg een slag over toen ik zag wat er duidelijk op het etiket stond geschreven. Het was Isaacs naam helemaal niet.

Het was mijn eigen naam. *Annalise Bailey Jensen.*

36

In Reeds auto reden we naar het rouwcentrum. Ik was zo van streek en afgeleid dat ik amper kon ademhalen. Hij wist dat er iets mis was, maar hij drong niet aan en daar was ik blij om. Terwijl we door de lappendeken van de heuvels van Lancaster County reden, moest ik almaar aan het dossier denken, aan de woorden die ik steeds opnieuw had gelezen, termen die ik niet begreep zoals *protease*, *Dnase* en *chelatie*.

Ik wilde niets liever dan Reed erover vertellen en hem alles laten uitleggen, maar ik bleef zwijgen. Het was niet alleen dat ik had gestolen en een misdrijf had begaan. Het was dat ik echt niet wilde dat hij me zag als een genetische engerd, dat er in het verleden kennelijk genetisch met mij gerommeld was.

Ik kon de gedachte niet verdragen dat hij me zag als beschadigde waar.

Terwijl ik met deze dingen in mijn hoofd worstelde, ging Reeds mobiel en ik was blij dat hij opnam en een poosje praatte. Ik luisterde niet eens naar zijn kant van het gesprek. Ik staarde maar uit het raam en vroeg God me helderheid en richting te geven.

Ik was zo verloren, zo vreselijk bang en in de war. Als ik mijn ogen dichtdeed, zag ik Bobby voor me, die waarschijnlijk net zo verloren en bang en in de war was. In stilte bad ik of God ook hem wilde beschermen en leiden.

Toen Reed had opgehangen, probeerde hij de stemming te verluchtigen door te vertellen over zijn leven in de stad, zijn werk, zijn vriendin. Ik veinsde belangstelling voor haar; en ergens wilde ik het niet horen en ergens ook weer wel.

Reed vertelde dat Heather en hij elkaar vorig jaar op een

feestelijk diner hadden ontmoet en kort daarna verkering hadden gekregen. Heather was lobbyist in de bankwereld, geniaal en magna cum laude afgestudeerd aan Princeton. Terwijl hij praatte, kreeg ik het gevoel dat ze elkaar niet zo heel veel zagen. Ik dacht aan zijn opmerking van laatst, dat hij waarschijnlijk te hard werkte, en vroeg me af of zij dat misschien ook deed. Dat kon voor geen enkele relatie goed zijn.

'We zijn nu op het punt aangekomen dat ik van Heather kennis moet maken met haar ouders,' zei hij grijnzend. 'Ik weet wat dat betekent. Ze zegt dat ik almaar smoesjes verzin om niet te hoeven.'

'En is dat zo?'

Hij reed een poosje zwijgend door en dacht na over mijn vraag. Zodra we het bord van Hidden Springs gepasseerd waren, wist ik dat we vlakbij waren. Reed sloeg linksaf en reed naar het eind van de straat.

'Ik heb me afgevraagd of ik soms bindingsangst heb,' antwoordde hij eindelijk, vaart minderend om weer af te slaan, dit keer de parkeerplaats van het rouwcentrum op. 'Nu begin ik me af te vragen of het wel angst in het algemeen is... of gewoon angst om me te binden aan haar.'

Daarna draaide hij het eerste beschikbare parkeervak in en zette de motor af. Aan de overkant tegenover het rouwcentrum zag ik verscheidene dranghekken staan, een politiebarricade om de pers op afstand te houden.

Toen we uit de auto stapten en de brede trap aan de voorkant beklommen naar de deur, dacht ik na over wat Reed net had gezegd. Ik vroeg me af wanneer precies hij zichzelf die vraag over hechting had gesteld. Had hij bedenkingen over zijn relatie met haar voordat hij hierheen kwam? Of waren die bedenkingen pas gekomen toen hij mij had teruggezien? Ik mocht dan nog van hem houden en ik mocht dan nog denken dat we bij elkaar hoorden, maar voor niets ter wereld wilde ik zijn relatie met iemand anders dwarsbomen.

De pers was op volle sterkte uitgerukt, maar omdat er zo veel politie was, konden ze alleen maar foto's maken van een afstand en vragen naar ons roepen waar we geen antwoord op gaven. Reed en ik negeerden de heisa en toen we de gedempte, stemmige sfeer van het rouwcentrum binnenkwamen, was ik opgelucht dat we de eerste hindernis in elk geval zonder kleerscheuren genomen hadden. Ik zag op mijn horloge dat we een paar minuten te vroeg waren en dat was maar goed ook. Na mijn komst naar de stad had ik Haley nog steeds niet gezien en ik had gehoopt op een rustig ogenblik met haar voordat het te druk werd.

Bij een kapstok naast de deur hielp Reed me uit mijn jas en ik besefte dat ik hem nog niet bedankt had voor de kleren. Ik deed het en verontschuldigde me dat ik te afgeleid was geweest om er eerder over te beginnen. 'Maar ik betaal je wel alles terug,' voegde ik eraan toe.

'Alsjeblieft niet, Anna. Toen ik vanmorgen wakker werd, viel het me in dat onze aanwezigheid bij Dougs rouwbezoek uitgebreid in het nieuws zal komen, waarschijnlijk nog dagenlang. Ik weet hoe erg je het vindt om jezelf in de media te zien, dus je moet je op z'n minst zelfverzekerd voelen in je kleren.'

'Maar wat moet het wel niet gekost…'

'Dat geeft niet. Ik had een paar minuten over en mijn hotel is vlak bij het winkelcentrum en ik wilde het gewoon graag doen, als vriendendienst. Goed?'

Ik keek in zijn mooie blauwe ogen en zag dat het belangrijk voor hem was dat ik dit gebaar als geschenk aannam en de kleding niet terugbetaalde.

'Goed,' zei ik. Ik liet mijn jas op een hangertje glijden en hing hem aan de kapstok. 'Je hebt geen idee hoe hard ik het nodig had. Dank je wel.'

'Nou,' antwoordde Reed met een zachte stem terwijl hij zijn jas naast de mijne hing, 'je ziet er schitterend uit, al zeg ik het zelf.'

Verlegen glimlachend om het compliment concentreerde ik me weer op de reden dat we hier waren.

Op weg naar de gesloten doodskist voor in de ruimte, zag ik Haley toen we halverwege waren. Ze spreidde haar armen open toen ik nog zeker vier meter van haar af was en ik sloot haar vlug in mijn armen. Ze rook vaag naar whisky, maar ze was nu tenminste nuchter.

'Wauw, Californië staat je goed, Anna. Je ziet er zo bruin en gezond uit,' zei ze toen we elkaar loslieten.

Ik wilde haar op mijn beurt een compliment geven, maar de waarheid was dat ze er vreselijk uitzag. Ze was hier natuurlijk om het condoleancebezoek te ontvangen, dus ik had geen flitsende verschijning verwacht. Maar toch schrok ik van haar uiterlijk. Met haar nog mãar negenentwintig jaar had ze al lijntjes om haar mond en naast haar ogen. Ze was altijd tenger geweest, maar nu leek ze wel een skelet. Ze was vel over been en het stond haar niet, zelfs niet gekleed in couturekleding en met een duur kapsel.

'Ik heb je zo gemist,' zei ik eindelijk. 'Hoe gaat het? Red je het een beetje?'

Ze knikte, maar het was duidelijk niet de beste week van haar leven. Er kwamen meer mensen binnen en toen Reed en zij elkaar begroet hadden met een omhelzing, zei ik dat we niet in de weg wilden staan.

'We spreken elkaar nog,' fluisterde ze tegen me vlak voordat ze omhelsd werd door een stel snotterende familieleden.

Reed en ik liepen respectvol achter elkaar aan langs de kist en gingen toen naar meneer Wynn, die aan de andere kant met een groepje mensen stond te praten. Meneer Wynn was in de zestig en nog steeds flink en knap. Toen hij begreep dat de lange blondine die stond te wachten om hem te spreken de vroegere hartsvriendin van zijn dochter was, kreeg hij tranen in zijn ogen.

'Annalise Jensen, wat ben jij een mooie meid geworden. Ben je soms fotomodel? Kijk eens aan!'

'Dank u. U ziet er ook geweldig uit, meneer.'

Ik gaf hem een hartelijke omhelzing en dacht intussen aan het gesprek dat ik gisteren nog maar met Reed had gehad, toen ik opperde dat meneer Wynn Doug gedood kon hebben. Ik wist nu dat ik het niet geloofde, geen minuut. Hij was inderdaad rijk en machtig, maar hij was geen moordenaar, in de verste verte niet. Hij was meer een goed geklede, rijke teddybeer.

'Reed, hoe gaat het, jongen?' zei hij terwijl hij Reed de hand drukte en hem op de schouder klopte. Ze praatten als oude vrienden en ik herinnerde me hoe zeer aanwezig meneer Wynn vlak na de brand en tijdens onze rechtszaken steeds was geweest. Omdat hij de drie stagiairs had geworven en in dienst genomen, had hij zich schijnbaar in zekere zin persoonlijk verantwoordelijk gevoeld en hij had zelfs aangeboden de rechtskosten te betalen voor wie van ons het zelf niet kon.

Het was zijn advocaat geweest die de politie ervan had overtuigd om de beschuldiging tegen Lydia te laten vallen en voor zover ik wist had hij Dougs verdedigingsteam voor het grootste deel gefinancierd. Mijn ouders hadden zijn hulp geweigerd, waarschijnlijk uit pure trots, maar ik had het altijd erg netjes van hem gevonden om het aan te bieden.

Toen er meer mensen achter ons in de rij kwamen staan, beeindigden we ons gesprek met hem en gingen opzij. De volgende halte was Haleys moeder Melody, die er een beetje verloren uitzag. Ze stond achter in de ruimte, gekleed in een ragdunne blauw met groene jurk, in haar blonde haar had ze een speld met parels gestoken. Toen we haar begroet hadden, bleef ze mijn hand een poosje vasthouden. Inwendig glimlachend dacht ik aan mijn oude bijnaam voor Melody: de Zweefster. Het leek of ze zo weg kon zweven en dat ze zich aan me vastklampte als een heliumballon die tegen zijn eigen touwtje vecht.

'Gaat het een beetje?' vroeg ik uiteindelijk en ze schudde haar hoofd.

'Haley wil niet dat ik bij haar sta, daarom ben ik hier maar gaan staan. Maar toen wilde Orin daar staan en ben ik maar hier gaan staan. Ik weet niet waar ik hoor. Ik voel me zo dom.'

Vriendelijk opperde Reed dat Melody het gastenboek bij de deur kon bemannen, zodat ze de mensen kon begroeten en zorgen dat ze het boek tekenden, terwijl ze toch uit de buurt bleef van haar dochter en ex-man.

'Dank je wel, Reed!' riep Melody uit. Ze liet mijn hand los om hem op zijn wang te kussen. 'Jij was altijd de geniaalste van het stel.'

Daarop zweefde Melody door de zaal naar haar nieuwe standplaats. Menige mannelijke gast draaide zijn hoofd naar haar om.

'Tjonge, zelfs in de vijftig is ze nog de koningin van het bal,' zei ik.

'Uitgezonderd huidig gezelschap, natuurlijk,' antwoordde Reed verstandig.

Toen ik de gedachte aan het dossier met mijn naam erop dat op de boerderij verstopt was eenmaal uit mijn gedachten had gezet, verstreken de twee uur daarna snel. Het verbaasde me hoeveel mensen ik herkende. Er waren enkele van onze oude vrienden van de middelbare school gekomen, en verscheidene vrienden van Haleys familie die ik door de jaren heen had leren kennen. Dougs ouders waren er natuurlijk ook, al waren ze bij het rouwbezoek voor hun zoon nog minder toeschietelijk dan bij zijn rechtszaak.

De grootste verrassing was hoeveel Amish mensen er waren gekomen, ondanks het feit dat velen een chauffeur hadden moeten huren om hier te komen, omdat het een beetje te ver was om met paard en rijtuig te gaan. Ik zag een heleboel oude Amish vrienden, dezelfden die zich om ons heen hadden verzameld in de nasleep van de brand. Aan het eind van de middag verbaasde het me nog meer toen ik Nathaniel, Grete, Caleb, Rebecca, Ezra en zelfs Tresa op een rijtje binnen zag komen. Toen ik hen zag, drong het tot me door dat ik had moeten weten dat ze wilden komen... en had moeten aanbieden dat ze mee konden rijden. Als de nog in leven zijnde kinderen van het echtpaar dat mede door Dougs schuld elf jaar geleden omgekomen was bij de brand, sprak hun aanwezigheid boekdelen over vergeving en een levend geloof. Op zeker ogenblik stond ik afzijdig en bekeek alle gezichten om me heen. Ik vroeg me af of we ooit zouden weten wie Doug Brown de dood in had geduwd. Het kon iedereen zijn geweest, zelfs iemand in deze ruimte.

Voor mij was de grootste vraag of degene die Doug had gedood er ook in geslaagd was Bobby te doden.

'Heb je het damestoilet in deze tent gezien? Dat is kolossaal,' zei Haley tegen me toen de menigte begon te slinken.

Ze pakte mijn arm en trok me mee naar een zijdeur terwijl ik Reed een hulpeloze blik toewierp. In de voorhal van de toiletten was een lege zitruimte, dus Haley en ik namen plaats op twee dik gestoffeerde stoelen in de hoek om wat te praten. Algauw stak ze een sigaret op, terwijl er overal bordjes met *Verboden te roken* hingen. Ze was altijd al een rebel.

Afgezien van de rook was het gewoon prettig om even samen in afzondering te zitten en bij te praten. Haley had nog steeds een boosaardig gevoel voor humor en flapte er alles uit wat in haar hoofd opkwam. Ze vertelde me iets over haar leven en hoe ongelukkig Doug en zij waren geweest. Nu hij dood was, zei ze, kon ze alleen nog maar treuren dat ze niet beter haar best had gedaan om een goede echtgenote te zijn en het huwelijk te laten slagen.

Ze vroeg naar Bobby en waar ik dacht dat hij was en wat ik te weten was gekomen, maar ik hield het gesprek vaag omdat ik op dat punt in mijn onderzoek niet te veel wilde onthullen. Ik liet haar de vreemde ontmoeting beschrijven op de avond dat hij de motorfiets had meegenomen, maar ik kreeg de indruk dat ze toen behoorlijk dronken was geweest en dat het verhaal bij het navertellen opgesmukt was.

Uiteindelijk vroeg ze naar Reed en mij, dat had ik van tevoren geweten. Ik vertelde dat we veel samen optrokken om Bobby te zoeken, maar dat we nu gewoon vrienden waren en dat we gewoon vrienden zouden blijven.

'Hè bah, daar is niks aan. Hij is nog steeds zo'n lekker ding en stinkend rijk. Hij heeft het vermogen van zijn familie de afgelopen jaren, zeg maar, verdriedubbeld door verstandig te investeren. Wist je dat?'

Ik schudde mijn hoofd en probeerde te bedenken hoe ik tactvol kon zeggen dat Reeds geld nooit een pluspunt voor me was geweest. Arm of rijk, ik hield van zijn binnenkant.

'Papa zegt dat hij een hoop WYI in zijn portfolio heeft.'

'WYI?'

'Aandelen Wynn Industries.'

Ik schoot overeind en er liep een rilling over mijn rug.

'Heeft Reed aandelen in Wynn Industries?'

'Een scheepslading.'

'Hoe kan dat? Hij zit toch in een ethiekcommissie voor DNA? Hoe kan hij daarin zitten als hij geïnvesteerd heeft in een bedrijf dat met DNA handelt?'

Ze haalde haar schouders op.

Daar eindigde ons gesprek toen een medewerkster van het rouwcentrum haar hoofd om de deur stak en zei dat ze gingen sluiten.

'En hier mag *absoluut* niet gerookt worden.'

'Sorry,' antwoordde Haley met stokkende stem. 'Ik mis mijn overleden man zo erg...'

Toen ze grote ogen opzette die vol tranen stonden, deinsde de vrouw achteruit en duwde zachtjes de deur dicht.

'Je bent erger dan ooit,' zei ik hoofdschuddend en dacht aan de drama's die Haley opvoerde waar ze maar ging.

'Nee, hoor,' antwoordde ze kalm terwijl ze haar sigaretten wegstopte. 'Ik ben alleen maar magerder en lelijker dan ooit.'

'Haley...'

'Och, kom. Ik zag je gezicht toen je binnenkwam. Je hebt nooit kunnen liegen.'

'Oké. Je ziet er niet gezond uit.'

Daarop bracht Haley haar hand omhoog, greep haar haren vast en trok ze van haar hoofd. Haar kostbare kapsel bleek een prijzige pruik. Daaronder was haar hoofd volkomen kaal.

'Ach ja, dat krijg je van de chemo.'

37

Bij de voordeur van het rouwcentrum gingen Haley en ik ons weegs, haar pruik zat weer stevig op haar hoofd. De wetenschap dat ze haar man waarschijnlijk binnen een jaar zou volgen in zijn graf was haast niet te dragen voor me. Volgens haar doorstond ze de chemokuren alleen omwille van haar vader, want hij weigerde haar op te geven, maar ze was er zeker van dat het op de lange duur weinig uitmaakte. Op haar verzoek wist niemand buiten de rechtstreekse familie zelfs maar dat ze ziek was en ze vroeg me dat alsjeblieft zo te houden.

'En dat drinken van je?' vroeg ik nu we alle beleefdheden overboord hadden gegooid. 'Gaat dat wel samen met je behandelingen?'

'Schat, ik haal Pasen waarschijnlijk niet eens,' zei ze toen we onze jas aantrokken. 'Denk je echt dat het wat uitmaakt als ik af en toe wat zelfmedicatie neem?'

In de auto op weg naar huis deed ik mijn ogen dicht en probeerde te rusten, maar mijn hoofd tolde van te veel afgrijselijke dingen: het nieuws dat Haley kanker had, de ontdekking van een dossier met mijn naam erop, de wetenschap dat Reed aandelen had in Wynn Industries.

Weer bleek Reed Thornton helemaal niet de man te zijn die ik dacht. Hoe vaak moest ik in het leven nog mijn vingers branden voordat ik accepteerde dat hij een foute kerel was?

Tijdens de rit naar huis vroeg hij twee keer of het wel ging, maar ik mompelde slechts iets over hoofdpijn en emotionele uitputting.

De rest van de rit zwegen we en toen hij op de oprijlaan van de boerderij stopte, sprong ik uit de auto voordat hij zelfs maar de kans kreeg om de motor af te zetten.

'Bedankt voor de lift,' zei ik, opgelucht dat de hele familie net thuiskwam. Achter ons stopte een grote bestelbus voor twaalf personen en er sprongen een voor een mensen uit. Verderop langs de weg wachtte ons al een rij paparazzi.

'Anna,' riep Reed zacht.

Ik wilde doen alsof ik hem niet gehoord had, maar het was duidelijk dat ik hem wel had verstaan. Hij stond in het open portier van zijn auto op me te wachten en ik liep terug.

'Wat is er?'

'Heb ik iets gedaan waarover je ontstemd bent?'

Ik keek naar zijn gezicht, naar de schitterende blauwe ogen, de gebeeldhouwde kaak, de volmaakte mond. Had ik de afgelopen elf jaar echt geen vooruitgang geboekt als het ging om het beoordelen van mensen? Of was mijn probleem specifieker, kon ik alleen deze man in het bijzonder niet beoordelen?

'Het gaat allemaal om dat voetstuk, Reed. Steeds als ik je er opzet, kantelt het. Ik probeer er alleen voor te zorgen dat het niet te ver kantelt.'

En ik hoop maar dat jij niet degene was die Doug heeft vermoord en Bobby van de weg heeft gedrukt, dacht ik maar zei het niet.

'Goed. Bel me.' Reed wist duidelijk niet wat ik dacht, maar hij merkte dat het onderwerp gesloten was. Met een berustende uitdrukking op zijn gezicht stapte hij weer in zijn auto en reed vlak achter de bus de oprijlaan af.

Slikkend verplaatste ik mijn aandacht naar de familie, die in een erg goed humeur leek te zijn ondanks het feit dat ze net van een rouwbezoek kwamen. Ze liepen op een rij het huis binnen, maar intussen pakte ik Grete bij de mouw van haar jas en vroeg of we konden praten.

'Ik moet het eten opzetten,' zei ze, maar ik vertelde dat Lydia al eten had gemaakt, een lekkere pan aardappelsoep die onderhand wel klaar zou staan.

Grete knikte naar Nathaniel, die de kinderen mee naar binnen nam en de deur dichtdeed, zodat we alleen buiten in de kou bleven staan. Met een blik naar de fotografen aan het eind van de oprijlaan, voerde ik haar mee om de hoek van het huis, achter de omheinde achterveranda, waar we niet zo makkelijk gadegeslagen konden worden.

'Wat is er, Anna? Is er iets?'

Ze wreef in haar handen en blies erop terwijl ik knikte. Al mijn akelige gevoelens om Haley die kanker had en het erfelijkheidsdossier en Reeds aandelen kolkten in me omhoog. Met een boosheid waarvan ik niet had geweten dat die er zat, eiste ik dat Grete me vertelde wat ze verstopt had in de vloer van het kippenhok.

Ze deed een stap naar achteren en sloeg haar hand voor haar mond.

'Hoe weet je dat?' fluisterde ze, schichtig kijkend om te zien of niemand ons had afgeluisterd.

'Ik heb je gezien, weet je nog? Gisteren zag ik dat je iets in de koekpot verstopte en vandaag dat je het naar het kippenhok bracht. Caleb dook op voordat ik erin kon kijken. Dit vind ik het juiste moment om samen een kijkje te gaan nemen. We kunnen je zaklantaarn meenemen.'

'Waarom wind je je erover op?' fluisterde ze. 'Wat kan het met jou te maken hebben?'

'Het heeft alles met mij te maken. Kom mee.'

Samen liepen we naar het kippenhok, ik hield Gretes elleboog stevig vast en met een zaklantaarn bescheen ze de grond voor onze voeten. Toen we er waren, hield ik de deur open terwijl zij naar binnen stapte, vlug de vloer openmaakte en het metalen kistje tevoorschijn haalde. De kippen kakelden verwoed en algauw zag ik Nathaniel in de achterdeur staan, die een zaklantaarn in onze richting liet schijnen.

'Wij zijn het maar,' riep ik naar hem. 'Niets aan de hand.'

Hij aarzelde en ging toen weer weg, hij deed de deur achter zich dicht.

Grete stopte mij het kistje in handen, legde de zaklantaarn erbovenop, draaide zich op haar hakken om en marcheerde weg. Ik bleef staan waar ik stond en waagde te hopen dat ik eindelijk de kostbare juwelen van mijn familie in mijn bezit had. Grete had ze vast en zeker gevonden op de plaats van het oude huis, nadat het huis was weggehaald. Maar ik begreep er niets van dat ze ze gisteren uit hun bergplaats had gehaald.

Voorzichtig richtte ik de zaklantaarn op het kistje en tilde het deksel op. Ik verwachtte een fluwelen etui of een kleiner houten kistje te zien. Maar in plaats daarvan keek ik neer op het vierkante voorwerp waar ik Grete gisteren mee had gezien.

Het was geen juwelenkistje, het was een camera.

Onder de camera lagen foto's, een heleboel foto's, hoofdzakelijk van Tresa en Ezra toen ze klein waren, maar ook spontane kiekjes van om het huis en de boerderij, foto's van het hele gezin. Nergens keek iemand recht in de lens en vooral Nathaniel was alleen in profiel of van achteren te zien. Op de enige opname van zijn gezicht lag hij op de bank te slapen.

Ik slikte verbijsterd. Wat had ik gedaan?

Vlug zette ik het kistje weer waar het hoorde, onder de vloer. Toen het veilig in zijn bergplaats lag, liep ik naar huis, met de zaklantaarn de grond voor mijn voeten beschijnend. Toen ik er was, zag ik Grete op het trapje aan de achterkant zitten, ze klemde haar armen om haar buik en huilde.

Geschrokken knielde ik voor haar neer.

'Het spijt me zo,' fluisterde ik. 'Dat had ik niet verwacht te vinden, Grete. Je had gelijk. Ik heb er niets mee te maken. Alsjeblieft, laten we vergeten dat dit gebeurd is.'

Ze keek me aan, haar ogen waren rood, haar neus liep.

'Je hebt mijn geheime zonde gevonden,' fluisterde ze. 'Nu komt iedereen het te weten. Ik krijg straf. Ze zullen hem afpakken.'

Ik haalde diep adem en blies langzaam uit. Hoe kon ik dit ooit nog rechtzetten?

'Het zijn maar een camera en wat foto's,' zei ik zacht. 'Ik beloof dat ik het aan niemand zal vertellen.'

'Die dingen zijn niet toegestaan. De *Ordnung* verbiedt het streng.'

Ik kwam overeind en ging naast haar op de trap zitten. 'Als ze verboden zijn, waarom heb je ze dan?' vroeg ik. Ze bette haar ogen met de zoom van haar mouw.

'Omdat,' zei ze snuffend, 'ik een jaar nadat mijn ouders gestorven waren, besefte dat ik het gezicht van mijn moeder niet meer voor me zag. Ik had geen foto's om de herinnering levend te houden en haar beeld was me voor altijd ontgaan. Ik wist dat mijn vader uiteindelijk ook uit mijn hoofd zou verdwijnen. Op dat moment besloot ik dat ik iets nodig had om te blijven herinneren, iets om de gezichten van mijn geliefden te zien of ze bij me waren of niet.'

Verscheurd door de pijn die ik in haar stem hoorde, sloeg ik een arm om Gretes schouders terwijl ze uitlegde dat ze gisterochtend de camera tevoorschijn had gehaald omdat ze door het raam foto's had genomen van de kinderen en Lydia die in de tuin speelden. Ze zei dat al haar foto's op die manier waren genomen, terwijl degenen die erop stonden zich nergens van bewust waren. Als ik niet op dat moment naar beneden was gekomen, had ik het nooit geweten. Opnieuw bood ik mijn excuses aan voor mijn bemoeizucht met iets waar ik niets mee te maken had. En toen legde ik zo eenvoudig als ik kon uit wat ik had gedacht dat erin zat, een set onbetaalbare sieraden met robijnen en diamanten die door onze familie was doorgegeven, maar op een gegeven moment verdwenen was.

'Robijnen en diamanten?' vroeg ze onthutst. 'In een kippenhok?'

Om de een of andere reden werkte die vraag op mijn lachspieren. Dat maakte haar weer aan het giechelen, ondanks haar tranen. Algauw begon ze te schateren en ik deed mee en omdat we elkaar aanstaken, lachten we zo hard dat we pijn in onze zij kregen. Toen we eindelijk tot bedaren waren gekomen, beloofde ik haar nogmaals dat haar geheim veilig bij me was, maar ik voegde eraan toe dat ze misschien beter een andere bergplaats kon zoeken, omdat Caleb me met de losse plank had zien hannesen. Daarna gingen Grete en ik naar binnen, maar toen ze zei dat ik mijn schoenen moest *putzen*, schaterde ik het weer uit. Ze lachte mee en verklaarde dat ze alleen had bedoeld dat ik de modder van mijn schoenen moest vegen.

Boven hing ik mijn tuniek op en trok een spijkerbroek aan, en toen ging ik naar beneden om bij de familie aan de eettafel aan te schuiven. Daar stonden ze op het punt te gaan bidden en te gaan genieten van Lydia's soep, zelfgebakken broodjes en een verrukkelijk uitziende fruitsalade.

Onder het eten kwam het gesprek op vroeger, dat Grete en Lydia en Bobby en ik altijd met elkaar optrokken als we in onze kindertijd bij onze grootouders in Dreiheit op bezoek waren. Toen Caleb geboren was, brachten de meisjes hem ook meestal mee. Ik weet nog dat me dat verbaasde, dat mijn vriendinnetjes die zelf nog kinderen waren, voor hun kleine broertje zorgden met alle deskundigheid en zelfvertrouwen van jonge moedertjes.

Lydia praatte over de rumoerige spelletjes *Dutch Blitz* die we op regenachtige dagen hadden gedaan en Grete vertelde de jongere kinderen dat Lydia en Bobby enorme deugnieten waren, en nog erger als ze bij elkaar waren om elkaar op te hitsen. Ik haalde herinneringen op aan alle uren dat we in ons grote, oude familiehuis verstoppertje hadden gespeeld.

'Weet je nog wat Bobby's lievelingsstreek was met verstoppertje?' vroeg Lydia met stralende ogen. 'Je zou denken dat we na een poosje wel wijzer waren geworden.'

'Dat klopt,' zei ik grinnikend, 'hij verstopte zich in de buurt van degene die 'm was, en zodra die uitgeteld was en wegging om iedereen te zoeken, glipte hij van zijn verstopplaats naar de buut.'

'*Jah*, dat weet ik nog,' voegde Grete er met een lach aan toe. 'Daar rekende niemand op. Bobby was altijd zo slim.'

Verder beschreef Lydia een avontuur dat we in de boomhut hadden beleefd, maar mijn gedachten bleven draaien om dat punt in het gesprek. Ze had iets gezegd, iets over Bobby, dat ineens in mijn hoofd het grootste, sterkste licht ter wereld deed opgaan. 'Wacht!' zei ik, maar omdat ze allemaal lachten en praatten, hoorden ze me niet. 'Wacht! Jongens!' Nu trok ik ieders aandacht. Geschrokken keken ze me aan. 'Bobby. Ik weet waar hij is!' Ik keek naar Lydia, degene die vier dagen geleden zo dringend had gebeld en me gesmeekt had haar te helpen hem te zoeken. 'Echt waar,' zei ik met bonzend hart. Voor het eerst in dagen laaide de hoop hoog op. 'Ik denk dat ik weet waar we Bobby kunnen vinden.'

Nooit in mijn leven had ik zo hard gereden.

We zaten op elkaar geperst in mijn kleine huurautootje, ik aan het stuur, Nathaniel naast me en Caleb, Rebecca en Lydia op de achterbank gepropt. Grete had ook mee gewild, maar omdat er letterlijk geen kip meer bij kon, bood ze aan thuis te blijven bij de kinderen en bij de buren die de wacht kwamen houden terwijl we weg waren. Terwijl we over de donkere, heuvelachtige wegen vlogen met vier auto's vol paparazzi achter ons aan, probeerde ik mijn theorie uit te leggen, de theorie dat Bobby er waarschijnlijk op had gerekend dat ik er veel eerder uit was geweest waar hij zat. Net als met verstoppertje, verklaarde ik, had hij zichzelf vlak bij de buut verstopt.

Ik wist niet of ik in het donker de grindweg kon vinden waar ik met Reed overheen gereden was, dus ik zette koers in de richting van de hoge, scherpe bocht in de hoofdweg. Daar stopte ik, zette de motor af en we stapten allemaal uit met onze zaklantaarns in de hand. Ik ging voorop en rende zowat de steile heuvel af, langs de plek waar de motorfiets was neergestort, langs de plek waar de bloedspatten waren gevonden. Onderaan de heuvel rende ik hard naar de lege boerderij, de boerderij waar Bobby contant geld had achtergelaten en een briefje waarin stond dat hij de tractor meegenomen had.

Er was waarschijnlijk zelfs nooit een tractor geweest. In wezen was hij waarschijnlijk niet eens weggegaan. Mijn broer kennende, had hij als hij ernstig gewond was maar nog aanspreekbaar zich hierheen gesleept, zichzelf verbonden, iets gedaan om de indruk te wekken dat hij vertrokken was, en toen simpelweg een veilige verstopplaats gezocht om te wachten tot de dreiging weg was of tot ik hem vond, welke van de twee het eerst gebeurde.

Omdat hij niet boven water was gekomen, moest ik de conclusie trekken dat hij of wist dat hij nog gevaar liep van een nog los rondlopende moordenaar, of zo gewond was dat hij zijn verstopplaats niet meer uit kon.

Dit alles had ik onderweg in de auto aan de familie uitgelegd en nu verspreidden we ons zoekend terwijl we Bobby's naam riepen. De persmensen werden er gek van, ze moesten beslissen wie ze achternagingen en riepen vragen over wat we deden en waarom. Eindelijk stond ik stil en draaide me naar het hele stelletje om.

'Mijn broer is hier ergens,' zei ik zelfverzekerd. 'Hij is hier en hij is gewond en we moeten hem vinden. Jullie kunnen meehelpen of maken dat je wegkomt.'

'Zeg, ik ben maar een correspondent,' zei een verslaggever. 'Wat er ook aan de hand is, het is mijn werk om erover te schrijven.'

'Willen jullie iets om over te schrijven?' wilde ik weten en ik rukte op in zijn richting, met mijn handen tot vuisten gebald in mijn zij. 'Schrijf over een horde bloeddorstige, roddelbladschrijvende uitzuigers die voor de verandering eens iets fatsoenlijks hebben gedaan en hielpen een onschuldige, gewonde man te vinden.' Ik sprak minstens tien mensen toe, die me allemaal aan stonden te staren of ik gek geworden was. Ik haalde diep adem en kwam tot bedaren. 'Bekijk het eens van de andere kant. Hoe sneller jullie de helpende hand bieden, hoe sneller we hem kunnen vinden en hoe groter de kans dat jullie een exclusief verhaal hebben voordat hier nog meer journalisten en fotografen verschijnen.'

Dat scheen te werken. Ineens kwamen ze allemaal in actie en

deden wat ik opdroeg. Ik wees hun de grindweg achter ons en stuurde er drie terug naar hun auto. Ze moesten omrijden en kijken of ze over de grindweg hierheen konden rijden, zodat we beter zicht hadden in het licht van hun koplampen.

Ook nu iedereen aan het zoeken was, konden we hem nog niet vinden. We braken in in het huis en keken op zolder, in het souterrain en in alle hoeken en gaten van alle kamers en alle kasten en bergruimten. We kamden de schuur en de silo uit en het washok en de andere gebouwen die verspreid stonden over het land, zelfs de oudere loodsen die niet meer in gebruik waren. Toen sommigen de hoop begonnen op te geven, zei ik dat als ik Bobby kende, hij een slimme plek onder de grond gevonden kon hebben, waar de vrieskou hem niet kon deren.

'Een goede bergkelder voor groenten en fruit zou geschikt zijn,' zei Nathaniel tegen me. 'Daar blijft de temperatuur het hele jaar door ongeveer hetzelfde.'

'Jah,' voegde Rebecca eraan toe, 'als de kolen de hele winter niet bevriezen, dan kan Bobby ook wel een paar dagen in leven gebleven zijn.'

'Maar we hebben al in het souterrain en in het koelhuis boven de bron gekeken,' riep Lydia wanhopig uit.

'De schuur!' zei een van de fotografen ineens.

'Jah, de schuur,' knikte Nathaniel. 'Soms is er een tweede groentekelder in de schuur!'

Met z'n allen renden we de grote schuur met zijn sierlijke, gebogen dak binnen. Nathaniel ging voorop en scheen met zijn zaklantaarn in de donkere, grotachtige ruimte. Eindelijk bleef de heldere lichtstraal rusten op een grote houten vloerplaat in de hoek. Aan één kant van de lange plaat ter grootte van een deur zaten scharnieren, aan de andere een handvat – een prachtig mooi, zwart gietijzeren handvat.

Met ingehouden adem klampte ik me vast aan Lydia en ik hield haar tegelijkertijd overeind terwijl we toekeken hoe Caleb dat handvat vastpakte en de deur optilde.

38

~ Bobby ~

De engelen riepen zijn naam.

Hij kon het horen, ze riepen met dringende stem: 'Bobby! Bobby!'

Hij wilde antwoord geven, zeggen dat ze hem nog niet naar de hemel moesten dragen. Eerst moesten er nog anderen op aarde gered worden.

Dat begrepen ze wel. God gaf hem vast en zeker nog wat tijd om zijn vrouw, zijn zoon en zijn ongeboren kind te bereiken. Bobby deed zijn mond open om terug te schreeuwen, om het uit te leggen, maar er kwam geen geluid uit zijn mond.

Sinds vanmorgen was al het water weg. Zijn keel voelde aan als schuurpapier over rauw, bloedend weefsel.

Hij had het koud en sidderingen voeren door hem heen als koortsstuipen.

Hij was stervende, hij wist het, maar hij vocht ertegen. Hij was niet klaar om te sterven.

Lydia. Hij moest nog naar Lydia toe.

Een van die engelen klonk net als zij. Was dat een soort ironie of was het als troost bedoeld? Toen het felle licht kwam, en hij had geweten dat het uiteindelijk zou komen, had hij niet eens de kracht om zijn ogen af te schermen. Hij deed eenvoudig het ene goede oog open, keek op en zag de hemelse wezens die eindelijk waren gekomen om hem vóór zijn tijd weg te dragen.

Hij had altijd gedacht dat het licht bij de dood een enkele, goddelijke lichtbron zou zijn. Dit leek er helemaal niet op. Dit licht kwam uit veel verschillende bronnen en lichtstralen en allemaal deden ze hem hevige, krimpende pijn.

In de hemel was toch geen pijn?

Dat was gek, een van de engelen leek zelfs op Lydia, rook zelfs als Lydia.

Huilde als Lydia.

Hij knipperde met zijn ogen. Waarom leek dit moment helemaal niet op wat hij had verwacht van de dood? Het was veel pijnlijker, veel realistischer, veel wanhopiger.

Engelen die eruitzagen als mannen kwamen naar beneden, schaarden zich om hem heen en tilden hem op. Hun gezichten waren die van zijn geliefden, hun armen sterk en zelfverzekerd.

Toen hij zich wilde overgeven aan de vlucht naar de hemel, voelde hij dat hij zijdelings werd weggedragen, nog meer licht tegemoet. Een ander stel handen steunde zijn achterhoofd. De lichten die ze naderden, leken op koplampen van een auto.

Waren er auto's in de hemel? Waren er sirenes? Want hij hoorde sirenes in de verte, zeker weten.

Toen werd hij neergelegd, het rook en voelde als de zachte stof van autobekleding. Hij zette zich schrap voor de autorit die het kennelijk ging worden in plaats van een vlucht om zijn Schepper te ontmoeten. Het verbaasde hem, want er had stellig nooit in de Bijbel gestaan dat je op deze manier naar het Beloofde Land ging!

Hij zette zich schrap voor de reis, maar er gebeurde niets. Zijn hemelse transport kwam helemaal niet in beweging. De engelen leken allemaal ergens op te wachten, terwijl de sirenes steeds luider en dichterbij klonken.

Hij werd weer opgetild en op een bed of een kussen gelegd. Iemand pakte zijn pols en hield hem vast. Iemand anders deed een hard plastic ding om zijn nek. Weer een ander prikte met een speld in de rug van zijn hand en bond zijn arm vast met klittenband naar het geluid te horen. Ze praatten allemaal door elkaar tegen hem, maar hij kon de woorden nu niet begrijpen. Ze buitelden over elkaar in zijn hoofd, een golf van wanklanken en verwarring in zijn oren.

Algauw voegde zich daar een nieuw geluid bij, een ritmisch geklapper dat wind in zijn gezicht blies en een lichtstraal uit de hemel naar de aarde zond.

Eindelijk was het ware licht van boven gekomen.

Toen hij voelde hoe zijn lichaam nog één keer zijdelings werd verplaatst, deed Bobby zijn goede oog weer open.

Daar zag hij de Lydia-engel weer, ze rende naast hem. Ze huilde nog steeds. Rechts rende ook een Anna-engel, alleen had deze versie lang blond haar en een betraand gezicht.

'Het komt goed, Bobby,' zei de Anna-engel. 'Alles komt goed met je.'

'Ik wist dat je zou komen,' bracht hij eindelijk schor uit.

Hij deed zijn oog dicht toen de voorwaartse beweging abrupt stopte en het harde geluid van metaal dat tegen metaal sloeg zijn oren binnendrong. Terwijl hij voelde hoe zijn lichaam hoger en hoger werd getild, dacht hij aan de oude uitdrukking over het afschudden van het aardse ongerief. Terwijl hij de lucht in zweefde, wist hij dat de tijd van afschudden gekomen was. Langzaam liet Bobby los.

Hij glimlachte, hij had zijn lichaam overgegeven aan God en zijn gedachten gleden weg in de donkere, zachte omhelzing van bewusteloosheid.

39

~ Stéphanie ~

6 september 1812

Liefde heeft het gewonnen van mijn trots.

Vanavond ben ik met hulp van de bewaker het paleis uitgeglipt om naar het huis van de familie Jensen te gaan. Mijn lieve vriendin Priscilla zag er niet goed uit. Haar gezicht zag bleek. Ondanks de koele avond parelde het zweet op haar voorhoofd.

Samuel zorgde voor een kruk naast het bed en daar ging ik zitten toen ik hun mijn plan voorlegde. Als mijn kind een jongen was en hun kind werd doodgeboren of ziekelijk en stervende, dan zou er een geheime ruil plaatsvinden, haar kind voor het mijne. In de ogen van allen zou het lijken alsof mijn kind was gestorven en hun kind was blijven leven, niets meer dan dat.

Ze zouden mijn zoon kunnen grootbrengen als hun eigen kind. Ik zou me er in het geheel niet in mengen, maar wel vroeg ik hun mij toe te staan hem eens per jaar te zien, al was het maar van een afstand. Na zijn achttiende verjaardag zou hem de waarheid bekendgemaakt worden en zou hij terugkeren naar het paleis om zijn rechtmatige plaats op de troon in de nemen.

Dat was mijn plan, maar omdat de Jensens streng godsdienstig zijn, verwachtte ik hen met moeite te kunnen overhalen. Na bepaalde geruststellingen echter, gedroegen ze zich meegaand en beloofden het idee bij God te brengen.

Er schenen twee redenen te zijn om mijn voorstel te aanvaarden:

— Ze wilden het verdriet niet ondergaan van een nieuw verlies. Door mijn zoon groot te brengen, hem te voeden aan haar borst, door hem de wegen te leren waarin hij moest gaan, zou het zijn of ze een eigen kind hadden.

— Ze vergeleken mijn verhaal met het verhaal van Mozes in de Bijbel. Priscilla zei dat Mozes ook voorbestemd was om te sterven omdat hij als jongen geboren was. Om zijn leven te redden, droeg zijn moeder zijn oudere zus op de baby in een rieten mand te stoppen en de mand over de rivier naar de dochter van de Farao toe te laten drijven. Priscilla zei dat de dochter van de Farao toen ze de baby zag, besloot hem als haar eigen kind groot te brengen. Hij groeide op tot een grote held voor zijn eigen volk.

Dit verhaal sterkte me grotelijks. Ik had natuurlijk van Mozes gehoord, maar kende de bijzonderheden van zijn levensverhaal niet. Met tranen in mijn ogen zei ik tegen Priscilla dat dit precies hetzelfde was als Mozes, maar dan omgekeerd. Dit keer gaf de prinses de baby aan iemand uit het gewone volk.

Samuel en Priscilla wilden tijd om te bidden en te praten, dus we spraken af dat Samuel morgen een mand met appeltaartjes naar het paleis zou brengen, als geschenk aan mij. Samuel kan lezen en schrijven, en onder in de mand zal een brief liggen met hun beslissing en een plan voor de uitwisseling.

Terwijl ik wacht op antwoord is er zo'n vrede in mijn hart. Eén ding weet ik zeker. Dit was de juiste beslissing.

Nu kan ik alleen maar hopen dat mijn geliefde Amish vrienden er net zo over denken.

40

~ Anna ~

De tijd die we in het ziekenhuis doorbrachten, bestond uit zitten, wachten, heen en weer lopen en nu en dan bericht krijgen van de hoofdzuster over Bobby's toestand. Aanvankelijk kregen we heel wat van haar te horen: uitdroging, blootstelling aan koude, onderkoeling, koudvuur, breuken, inwendige bloedingen. Toen de avond vorderde, kwamen er steeds meer familieleden, voornamelijk van Lydia's kant. Omdat Bobby met de traumahelikopter naar Philadelphia was gebracht, begreep ik niet hoe al die Amish mensen hier kwamen. Ze hadden waarschijnlijk weer taxi's genomen of waren met de trein gegaan.

Uiteindelijk werd de groep zo groot dat we naar een andere wachtkamer werden gebracht, die groot genoeg was om neven en nichten, collega's, vrienden en geliefden te herbergen, die urenlang binnen bleven stromen. Hoewel het fijn was om te zien hoeveel mensen echt om mijn broer gaven, moest ik almaar denken hoe tactloos sommigen waren, en zo veel beter beviel me de Amish omgang met tragedie. Die kwamen niet met stomme gemeenplaatsen of lege beweringen. Ze probeerden God geen woorden in de mond te leggen, noch motieven achter Zijn daden te zoeken.

Ze baden zwijgend, zaten rustig bij je, troostten met omhelzingen en klopjes en vriendelijke, sussende geluiden.

Lydia scheen onbewust van bijna alles wat er omging buiten de lang verwachte nieuwsberichten van de hoofdzuster. Zonder veel lawaai of drukte te maken, begon Lydia nu en dan weer te huilen en af en toe werd het snikken.

Op een bepaald moment voelde ik een bekende hand op mijn

schouder en toen ik opkeek, zag ik dat het Haley was. Van alle niet-Amish mensen in de ruimte bleek zij het best te weten wat ik nodig had. Natuurlijk was die vriendelijke, intuïtieve vaardigheid voortgekomen uit haar eigen strijd met kanker; ze kwam niet met holle frasen omdat ze uit eigen ervaring wist dat die geen betekenis hadden en soms zelfs pijnlijk waren. Ze zorgde dat Lydia en ik water of koffie of thee bij de hand hadden, dat we af en toe een stuk fruit of een cracker aten, dat we allebei een Bijbel en een deken in de buurt hadden. Toen de hoofdzuster Lydia en mij apart nam om ons bij te praten, kwam Haley met ons mee en zorgde dat we goed begrepen wat ze zei.

En het meest verbazingwekkende was wel dat Haley volgens mij de hele tijd geen enkele borrel nam. Af en toe ging ze weg om even te roken, maar als ze terugkwam was ze steeds bereid om te doen wat gedaan moest worden, al was het maar in de stoel naast de mijne zitten en mijn hoofd op haar schouder te laten rusten.

Het grote aantal mensen die met ons mee wachtten ten spijt, schitterde er één door afwezigheid: Reed Thornton. Dat vatte ik op als een slecht teken. Reed werkte nauw samen met de politie in dit onderzoek, dus er was geen sprake van dat hij onderhand niet wist dat Bobby was gevonden. Naar mijn mening sprak Reeds afwezigheid in het ziekenhuis boekdelen over wat er werkelijk gaande was. Ik wist niet waarom, maar hij moest degene zijn geweest die Doug had vermoord en geprobeerd had Bobby te vermoorden. Hij was nu niet hier omdat hij altijd op de vlucht was, bang dat Bobby duidelijk genoeg was geweest om de naam van zijn aanvaller te verschaffen voordat hij het bewustzijn verloor.

Dat zei ik ook tegen de politiemensen die de situatie in de gaten hielden. Ze schreven de informatie op die ik hun gaf over mijn verdenking van Reeds belangenconflict met de aandelen. Hoewel ze me bedankten voor de inbreng, hielden ze me niet bepaald op de hoogte van wat ze met die kennis deden of hoe hun eigen onderzoek voortschreed.

Helaas was Bobby er zo slecht aan toe geweest toen we hem vonden dat hij de hele tijd maar één verstaanbare zin had kunnen mompelen. Ik kreeg tranen in mijn ogen als ik eraan dacht, dat moment dat ze hem in de helikopter laadden en hij één oog opendeed en me zag. 'Ik wist dat je zou komen,' had hij gefluisterd en het enige waaraan ik nu kon denken was dat zijn geloof in mij uitermate geschokt was. Ik was er helemaal niet snel in geslaagd hem te vinden – zeker niet als je in aanmerking nam dat zijn leven nog steeds op het spel stond. In de helikopter had hij al een hartstilstand gehad, maar met de defibrillator aan boord hadden ze hem kunnen reanimeren. We konden alleen maar bidden dat hij de nacht doorkwam, want volgens de zuster was hij dan een eind op weg van kritiek naar stabiel.

Toen het later werd, begon de menigte af te nemen tot er een handjevol over was. Bezorgd om haar gezondheid, drong ik er eindelijk op aan dat Haley naar huis ging. Ze stemde toe, maar beloofde de volgende dag terug te komen, nadat Doug in besloten kring begraven was. Nathaniel kreeg een lift terug naar Dreiheit aangeboden door een neef en we drongen erop aan dat hij naar zijn familie en zijn boerderij ging. Caleb was gebleven als bescherming voor Lydia en Rebecca bleef gewoon voor de steun.

Met z'n vieren slaagden Caleb, Lydia, Rebecca en ik erin de nacht door te komen, uitgestrekt op de stoelen in de stille wachtkamer en onrustig slapend tussen de nieuwsberichten door. Vlak na het aanbreken van de dag kwam de hoofdzuster en vertelde dat Bobby's levenstekenen er voor het eerst sinds hij gisteravond was binnengekomen goed uitzagen. De artsen wisten nog niet of hij zijn been kon behouden, maar het leek erop dat ze in elk geval zijn leven hadden gered.

Met een diepe zucht van verlichting vielen wij vieren elkaar in de armen. Ik wist niet wat ik had gedaan als Bobby het niet had gehaald.

Het duurde nog minstens een uur voordat we bij hem mochten, dus ik opperde dat we naar het restaurant gingen om te ontbijten. Lydia hield vol dat ze geen honger had en Caleb zei dat hij bij haar bleef als we iets voor hem mee wilden nemen. Nadat we ons in het toilet hadden opgefrist, liepen Rebecca en ik samen door de doolhof van gangen tot we het halflege restaurant vonden. We pakten een blad, liepen langs de vitrines om ons te bedienen en kozen toen een tafel bij het raam. Toen ik daar koffie zat te drinken en de zon zag opkomen boven de horizon, voelde ik me een stuk beter.

Bobby leefde.

Binnenkort werden al onze vragen beantwoord.

Onderweg naar de wachtkamer zagen we op een gang een vrouw zitten handwerken. Dat was ook een manier om de tijd te doden terwijl je geliefde vocht voor zijn leven. Ik vroeg Rebecca of ze veel quiltte en of ze ervan hield.

'Jah, ik houd ervan, maar vooral vanwege de gezelligheid,' antwoordde ze. 'Ik vind het moeilijk om het in mijn eentje te doen.'

Ik vertelde haar over de familiequilt die we hadden gevonden toen we het huis van mijn grootouders in Dreiheit leegruimden. Hij had op de bodem van een hutkoffer gelegen en toen we hem eens goed hadden bekeken, was iedereen in de familie ermee in zijn nopjes, behalve ik. Toen de taxateur dat enthousiasme deelde en opperde dat we moesten proberen hem bij een verzamelaar of in een museum te plaatsen, was ik blij hem te zien vertrekken.

'Waarom vond je hem niet mooi?' vroeg Rebecca. 'Was het slecht handwerk?'

Ik schudde mijn hoofd, ik wist niet goed hoe ik het moest uitleggen.

'Nee, het handwerk was mooi. En ondanks de ouderdom was de stof nog in goede staat. Het lag aan de manier waarop het ontwerp was uitgevoerd. Het ding had zes vierkanten, met in elk vierkant een tafereel. Het moesten Bijbelse taferelen voorstellen, maar degene die hem had gemaakt had de verhalen verkeerd begrepen. Dat stoorde me. Het eerste stelde bijvoorbeeld het verhaal van Mozes voor, maar in plaats van dat het Joodse meisje haar broertje in een mandje naar de dochter van de Farao toe liet drijven, had de dochter van de Farao de baby in een mandje gestopt en het mandje overdekt met stenen of zoiets, terwijl ze het aan het Joodse meisje overhandigde. Heel, heel vreemd.'

Rebecca giechelde.

'Dat was geen Amish quilt. Wij laten nooit taferelen met mensen zien.'

'Weet ik. Ik denk dat hij daarom zo waardevol was, omdat hij uniek was.'

Toen we de hoek omsloegen naar de wachtkamer zagen we dat Lydia en Caleb bij elkaar zaten en op gedempte toon spraken. Kennelijk was het een heel ernstig gesprek. Rebecca bleef stilstaan bij het drinkfonteintje, maar ik liep naar hen toe, met een knoop in mijn maag bij de gedachte dat Bobby's toestand was verslechterd. Toen ik vroeg wat er aan de hand was, keken ze allebei verrast naar me op.

'We bespreken mijn... situatie,' zei Caleb en om te demonstreren speelde hij een paar slagen luchtgitaar.

Ik keek naar Lydia, ze had tranen in haar ogen, maar ze glimlachte.

'Laat ik maar zeggen dat veel van mijn gebeden vandaag zijn verhoord,' zei ze tegen me.

Op dat moment verscheen de zuster in de deuropening om ons te vertellen dat we om beurten met een uur pauze vijf minuten bij Bobby mochten. Ik keek natuurlijk naar Lydia, maar ze schudde haar hoofd.

'Ik kan nog wel een uurtje wachten,' zei ze tegen me. 'Ga jij maar. Het is belangrijker dat jij de antwoorden krijgt die je nodig hebt, om te weten te komen wie Bobby dit heeft aangedaan en waarom.'

Ze had gelijk. Ik ging met de zuster mee, die me voorging naar de intensive care en langs een verpleegsterspost die er zo hightech uitzag als een commandocentrum van de NASA. Ze opende een glazen deur en daar lag mijn broer, veel schoner dan gisteravond. Van top tot teen in verband gehuld zag hij eruit als iemand die op het nippertje aan de dood was ontsnapt. Ik kreeg meteen tranen in mijn ogen.

'Is het zo erg?' vroeg hij met raspende stem.

Ik liep naar het bed en ik wilde hem omhelzen, maar ik durfde niet. Daarom boog ik me maar over hem heen en klopte op het enige niet verbonden plekje dat ik op zijn arm kon vinden.

'Nee, niet zo erg. Je leeft, dat is het belangrijkste.'

'Ach, Bobanna,' fluisterde hij en hij deed één oog dicht, het andere was bedekt met verband. 'Ik wist wel dat jij als eerste je kans zou grijpen om op bezoek te komen.'

We glimlachten allebei.

'Lydia vond het verstandiger, omdat we maar vijf minuten hebben en talloze vragen.'

Hij haalde diep adem, de piepjes op een van de monitors versnelden even en vertraagden weer.

'Geen koetjes en kalfjes dus?' plaagde hij terwijl hij zijn oog weer opendeed.

'Ja, hoor. Je ziet er goed uit, hoe gaat het met je, heb je de laatste tijd nog iets bijzonders gedaan?' plaagde ik terug. Er biggelden twee tranen over mijn glimlach.

'Ha ha,' fluisterde hij en ik kon merken dat praten hem pijn deed. 'Ik snap je. En je ziet er inderdaad fantastisch uit, trouwens. Toen ik je gisteravond zag, dacht ik dat je een engel was die was gekomen om me naar de hemel te brengen.'

'Sorry. Het was maar een zus die was gekomen om je naar het ziekenhuis te brengen.'

Hij haalde een paar keer diep adem en ik maakte van het ogenblik gebruik om rond te kijken naar de verscheidene apparaten die aan hem verbonden waren.

'Wie heeft je van de weg af gereden, Bobby?'

'Ik weet het niet. Een donkere auto, niet groot.'

'Wie heeft Doug vermoord?'

'Dat weet ik ook niet. Hij belde en wilde daar met me afspreken, maar toen ik binnenkwam...' Zijn stem stierf weg toen hij weer diep ademhaalde. 'Toen ik binnenkwam, lag hij op de vloer. Dood. Ik heb zijn pols gevoeld voor de zekerheid. Toen hoorde ik een geluid boven me en toen ik opkeek, kwam er een grote doos naar beneden vallen. Ik rolde net op tijd uit de weg. En toen ben ik weggegaan. Zo vlug als ik kon. Maar dat weet je allemaal al.'

Ik schudde mijn hoofd.

'Nee, dat wist ik niet. Het spijt me, Bobby, maar ik wist niet meer hoe we zouden communiceren. Ik heb nooit gelezen wat je voor me hebt achtergelaten.'

Hij zweeg even en tot mijn verrassing bracht hij zijn wijsvingers omhoog en schraapte de ene over de andere in een sliepuitgebaar.

'Weet je het niet meer? Jij zei: verstop het in het volle zicht. Maak opvallende woorden onbegrijpelijk en post het in een blog of op MySpace of op Facebook.'

'Welke naam heb je gebruikt?'

'Wat denk je zelf? Het staat op Blogspot, onder *bananafanafofana.*'

De deur ging open en de zuster waarschuwde me dat ik nog maar een minuut had. Toen ze weg was, boog ik me dichter naar Bobby toe en sprak haastig fluisterend.

'Heeft doctor Updyke Isaacs genen gemodificeerd?'

Bobby knikte.

'En ook van de nieuwe baby?'

Hij schudde zijn hoofd.

'Het embryo werd negatief getest, dus het hoefde niet.'

'Deed de dokter dat bij Isaac met jouw medeweten, Bobby? Of handelde hij uit zichzelf?'

'Het staat allemaal in het blog. Als je dat eerst eens gaat lezen, dan spreken we elkaar daarna weer.'

'Ik heb je sleutels gevonden, ingebroken in het archief en een dossier gestolen met de naam Jensen erop. Ik dacht dat het over Isaac zou gaan, maar het ging over mij.'

'Over jou?' vroeg Bobby zo geschrokken dat zijn hoofd met een ruk omhoog kwam van het kussen. Scherp inademend van de pijn liet hij het weer zakken. 'Waarom over jou?'

'Ik hoopte dat jij me dat kon vertellen. Ik ben nooit van mijn leven in het WIRE behandeld geweest.'

'Sorry, zus. Ik heb geen idee.'

Ik zag de zuster aankomen, maar ik was nog niet klaar om weg te gaan.

'Wie denk je dat je dit heeft aangedaan, Bobby? Wie verdenk je?'

Hij sloot zijn oog en blies uitgeput zijn adem uit.

'Ik heb vier dagen in dat zwarte gat gezeten zonder iets anders te doen dan nadenken. Ik heb er niets mee bereikt. Ik weet alleen dat het iemand moet zijn die...'

'De tijd is om,' zei de zuster.

'Iemand die er veel belang bij heeft om dingen stil te houden,' maakte hij zijn zin af.

'Updyke?' vroeg ik.

'Ik hoop het niet.'

'Meneer Wynn?'

'Dat betwijfel ik.'

'Reed Thornton?' opperde ik.

Bobby's oog schoot open. Maar voordat hij nog iets kon zeggen, pakte de zuster me bij de elleboog en voerde me mee de kamer uit.

41

Terug in de wachtkamer bestookte Lydia me met vragen, maar ik wilde de tijd niet nemen om ze te beantwoorden. Ik wilde niets liever dan op internet gaan zoeken naar de brief die Bobby had gepost op een anoniem blog dat voor mij bestemd was geweest. Ik beantwoordde zo goed mogelijk haar vragen over Bobby's toestand, maar toen zei ik dat ik iets te doen had en gauw terug zou komen. Zonder haar antwoord af te wachten, rende ik naar de lift en daalde af naar de begane grond. Bij de informatiebalie vroeg ik waar ik een computer kon vinden. De vrouw gebaarde naar een paar werkplekken in de hoek.

Daar meldde ik me aan op internet en typte het webadres in waar ik Bobby's geheime boodschap aan mij kon vinden. Als één simpel blog tussen honderdduizenden had die daar voor altijd onopgemerkt kunnen blijven staan. Zoals hij had gezegd, het was in het volle zicht verstopt.

Toen de pagina tevoorschijn kwam, stond er precies één bericht op, zij het een lang. Ik las hem vlug in zijn geheel door en las hem daarna nog een keer langzamer. Om veiligheidsredenen had Bobby een heleboel initialen en afkortingen gebruikt. Om hem begrijpelijker te maken, kopieerde ik het verhaal en plakte het in een tekstbestand. Daarna voegde ik in wat ik dacht dat hij met elke afkorting bedoelde. Toen ik dat had gedaan, was hij makkelijker leesbaar en ik bestudeerde de brief nauwlettend.

Ha zus, blij dat je me gevonden hebt! Als je dit leest, weet je dat het me gelukt is je suggestie om onder te duiken in praktijk te brengen. Dit is het geval: Doctor Updyke heeft met zijn werk op het WIRE *lange tijd de ethische en wettelijke grenzen overschreden. Dat heb ik tien jaar geleden ontdekt, nadat Lydia met 11 weken een miskraam kreeg. Als medewerker op het WIRE was prenataal onderzoek gratis en gemakkelijk, dus voordat we het nog een keer probeerden, deed ik voor ons allebei een basisonderzoek. Het verbaasde me niet om te ontdekken dat Lydia drager was van WKS, maar het was een schok toen ik ontdekte dat ík het ook was! Ik snapte er niks van, maar nu wel. Lang verhaal, het komt erop neer dat verscheidene geslachten in onze familiestamboom met Amish in Lancaster County zijn getrouwd en het slechte gen hebben doorgegeven. Misschien moet jij je ook laten onderzoeken. Maar goed, ik wilde nog een poging doen om kinderen te krijgen, maar wat was wijsheid? Nog een miskraam was niet te doen, laat staan een doodgeboren kindje door WKS. Ik praatte met doctor Updyke, die aanbood gentherapie te gebruiken bij de volgende. Hij zei dat experimenten in het verleden mislukt waren, maar dat kwam doordat hij het kind pas kon behandelen na de geboorte of in de baarmoeder. Als hij in het achtcellig stadium kon modificeren en kunstmatig insemineren, konden we een kind krijgen dat vrij was van WKS, zei hij.*

Ik zou nu graag zeggen dat ik op dat moment had geweigerd, maar dat deed ik niet. Ik maakte gebruik van zijn kennis, zodat onze volgende een kans kreeg op een normaal leven. Veroordeel me niet te hard; als je zo graag kinderen wilt als wij, ben je bereid een hoop dingen te doen waar je anders niet over zou piekeren. Maar dit kan zelfs ik niet goedpraten: Lydia weet het niet, ze heeft het nooit geweten. We hebben haar bedrogen. Ik zal het haar vanavond uitleggen en hoop dat ze me zal kunnen vergeven.

Maar goed, doctor Updyke had gelijk. Isaac werd geboren zonder de aandoening. Hij is acht jaar lang gezond geweest. Ik wilde de procedure herhalen met het kind dat Lydia nu draagt, maar dat bleek niet nodig. Maar toen begon Isaac een paar maanden geleden te tobben met zijn gezondheid. Ik nam een uitstrijkje uit zijn wang terwijl hij sliep, en hij scoorde negatief op WKS. Dus wat is het? Wat is er met hem aan de hand? Ik weet het niet! Doctor Updyke zegt dat ik me geen zorgen moet maken, maar ik kan er niks aan doen.

Een paar weken geleden dacht ik dat als ik de experimenten kon bekijken die in het verleden mislukt waren, ik misschien met de families kon praten of ten minste de aantekeningen over de zaken kon lezen om een manier te vinden om mijn zoon te helpen. Maar doctor Updyke wilde me de dossiers niet laten zien, dus ik heb in het archief ingebroken en geprobeerd ze mee te nemen. Fout. Ik werd niet alleen betrapt en geschorst, maar de enige informatie die ik kon vinden, waren datums van de procedures, geen namen.

Toen ik geschorst was, had ik veel tijd om het probleem te bestuderen. Eerst probeerde ik onze afkomst na te trekken om te weten waar de WKS vandaan kwam, en toen bestudeerde ik de variaties en mutaties van de aandoening. Een hoop werk, maar het leverde niets op. Ten slotte heb ik vorige week Doug gebeld. Met hem geluncht, het hele verhaal verteld en gevraagd of hij zijn veiligheidsvergunning wilde gebruiken om de info voor me te krijgen over die andere patiënten.

Toen ik vanavond thuiskwam, stonden er twee berichten van Doug op het antwoordapparaat, allebei behoorlijk dringend. Hij zei dat hij de info had die ik wilde hebben, plus iets wat ik niet had verwacht. Ik weet niet wat hij daarmee bedoelde. Hij wilde afspreken bij het nieuwe gebouw van Wynn Industries, maar toen ik daar kwam, was hij dood en iemand probeerde mij ook te mollen. Weet niet wie, heb geen gezicht gezien, ben op de vlucht geslagen.

Zo staat het er nu voor. Anna, je weet dat ik hiermee niet naar de politie kan. Ze zullen niet luisteren naar een ex-veroordeelde, zeker niet naar eentje die vroeger schuldig is bevonden aan dood door schuld! Dan is het mijn woord tegen dat van een wereldberoemde wetenschapper of de eigenaar van het bedrijf of degene die Doug heeft vermoord en probeerde mij te doden. Ben bang dat ik zelfs vals beschuldigd zou kunnen worden van zijn dood.

Ik weet alleen dat ik een beerput heb opengetrokken in een poging mijn zoon te redden en dat het geheim van doctor Updykes werk boven tafel kan komen. En dat het een gevaarlijke toestand is. Omdat Isaac het enige levende bewijs is van doctor Updykes illegale gentherapie, kan ik op dit moment niet anders dan hem en Lydia hier weghalen en in

311

veiligheid brengen totdat ik aan echt bewijs kan komen en de klok kan luiden.

Als we het om de een of andere reden niet halen, moet jij de draad oppakken. Vertel de instanties dat we weten dat er bewijs is in het hoofdgebouw van Wynn, want Doug heeft het gevonden en probeerde het naar mij te brengen. Hij is er in feite voor gestorven. Zeg dat ze de lichaampjes van de baby's van de mislukte experimenten moeten opgraven, en dat al het bewijs dat ze nodig hebben in hun DNA zit, waarmee gerotzooid is.

Praat erover met Reed Thornton. Dit is zijn werk, overtreders zoals doctor Updyke opsporen. Vertrouw niemand anders dan Reed!

Sorry dat ik dit alles op je bordje leg, Bobanna, maar het is een kwestie van leven of dood. Ik gebruik wat jij me hebt geleerd om verwarrende chaos te scheppen en tijd te winnen. Als ik vanavond terug ben in Dreiheit, neem ik Lydia en Isaac mee en verdwijn.

Antwoord op dezelfde manier, ik weet waar ik moet zoeken. Sorry dat ik zo cryptisch ben, maar ik heb het geleerd van een deskundige ;-). Wees voorzichtig. Houd contact op de je-weet-wel-manier.

Bobby

Er was een printer aan de computer verbonden, dus ik printte het hele geval uit, vouwde de uitdraai op en stopte hem in mijn tas. Maar voordat ik wegging, wiste ik de browsergeschiedenis van de computer en het verborgen bestand. Die tekst was echt alleen voor mijn ogen bestemd geweest.

Hoewel Bobby's brief absoluut meer duidelijkheid gaf, beantwoordde hij nog steeds een paar van mijn meest fundamentele vragen niet. Ik dacht aan alles wat we nog steeds niet wisten, stond op en wilde naar de lift lopen, toen de deuren van de grote hal openzoefden en Reed Thornton binnenwandelde. Bij hem was de hoofdpersoon zelve, doctor Updyke.

Ik maakte me zo klein mogelijk en keek toe hoe de twee mannen doelbewust de hal overstaken en een gang in liepen. Ze praatten samen en hoewel ik er alles voor over had om te horen wat ze zeiden, wist ik niet hoe ik ongezien dichtbij kon komen. Toch moest ik weten wat ze deden en waar ze heen gingen. Zo onopvallend mogelijk liep ik achter hen aan, om hoeken glippend en me verstoppend achter frisdrankautomaten. Toen ze een deur binnengingen waarop *Personeel* stond, wachtte ik even en ging ook naar binnen, net op tijd om hen een ruimte aan de rechterkant binnen te zien stappen. Ik sloop erheen en las het bordje op de deur die ze binnengegaan waren: *Afdeling Neurogenetica, Diagnostisch Laboratorium.*

Ik nam het risico om door het raam naar binnen te kijken. De ruimte was een groot laboratorium, maar was op hen tweeën na leeg. Ze stonden achterin en bespraken duidelijk een stuk apparatuur dat eruitzag als een kleine, zwarte kopieermachine verbonden aan een computerstation.

Kijkend naar hun achterhoofden duwde ik zachtjes tegen de deur. Hij ging open zonder geluid te maken, dus ik glipte naar binnen en schoot achter een grote metalen kast. Daar kon ik horen wat ze zeiden en zolang er niemand anders binnen kwam wandelen, zouden ze nooit in de gaten hebben dat ik er was.

Ik drukte me tegen de muur en luisterde ingespannen, hoewel het meeste van wat ze zeiden zo technisch was dat ik het niet begreep. Klaarblijkelijk waren ze gekomen om naar een specifiek stuk apparatuur te kijken, waarvan doctor Updyke er ook een wilde aanschaffen voor het WIRE. Hij wilde Reed een paar dingen ervan laten zien en het kwam over alsof de labcoördinator hun toestemming had gegeven, omdat ze toch naar het ziekenhuis waren gekomen om Bobby te bezoeken.

Doctor Updyke beschreef Reed enkele plannen van het WIRE, enthousiast doordravend over de verschillende voordelen van de nieuwe apparatuur voor hun werk. De twee mannen praatten een poosje over geld. De doctor zei dat hij een nieuw huis kon kopen van wat sommige machines in dit lab kostten.

'Maar ze zijn het waard,' antwoordde Reed, 'zeker als je vergelijkt met wat je bespaart aan manuren.'

'O, jazeker. Weet je nog dat vroeger alles achter elkaar moest? Dit schatje kan bijna vierhonderd monsters per keer aan.'

'Indrukwekkend.'

'En dan al die tijd die je nodig had om virussen onschadelijk te maken,' zei de doctor lachend. 'Weet je nog?'

'Of ik het nog weet? Wat denkt u? Ik heb de hele zomer dat ik voor u werkte weinig anders gedaan.'

'Dat is waar ook. Wat gebruikten we toen? Pokken?'

'Voornamelijk, ja. Koepokken.'

Vervolgens sprak de doctor over de in vele opzichten verbeterde technologie, maar ik kon alleen maar denken *koepokken*? Dat moest het geweest zijn, die bultige huid op de foto. Koepokken.

Er kwamen zo veel vragen in me op dat ik niet veel hoorde van wat ze zeiden totdat Bobby's naam werd genoemd. Ik spitste mijn oren en luisterde terwijl de twee mannen dichterbij kwamen. Ik kreeg de indruk dat ze nu naar boven wilden om hem te bezoeken.

In aanmerking genomen wat ik wist, en niet wist, over doctor Updyke en het WIRE en Reed, kon er geen sprake van zijn dat deze mannen in de buurt van mijn broer kwamen, als ik er wat aan kon doen. Ik overwoog de kast om te duwen om hen tegen te houden, of de hal in de rennen en om de politie te schreeuwen. Maar voordat ik iets kon doen, zwaaide ineens de deur open en kwam er een man in een witte labjas binnen.

Hij glimlachte naar de twee mannen, maar nam me verwonderd op toen hij zag waar ik verstopt zat. Ik had geen keus en voordat hij kon reageren, stapte ik uit mijn bergplaats tevoorschijn. Ik pakte het dichtstbijzijnde voorwerp dat ik kon vinden, een vierkante metalen trommel, hield hem omhoog en zei tegen de man in de labjas dat hij de beveiliging moest roepen, anders gooide ik de trommel op de grond. Ik hoopte dat het een ding van tienduizend dollar of zoiets was en dat hij van schrik zou meewerken.

Maar hij keek me aan of ik gek geworden was en zei dat ik best zijn lunchtrommel op de grond mocht gooien, als hij eerst zijn blikje frisdrank eruit mocht halen.

Ik werd rood, zette de trommel neer en vroeg hem nederig of hij alsjeblieft, alsjeblieft de ziekenhuisbeveiliging wilde halen. Met een blik van mij naar de twee mannen vertrok hij. 'Anna, wat bezielt je?' vroeg Reed perplex.

In plaats van antwoord te geven, stak ik mijn hand in mijn tas, ritste het binnenvak los en haalde de foto eruit.

'Dit zat in het medisch dossier van Kate Schumann uit 1997,' zei ik terwijl ik hem omhoog hield zodat ze hem allebei konden zien. 'Zou een van jullie me willen vertellen wat voor soort genetische techniek jullie toen uitvoerden en wat koepokken ermee te maken had?'

Beide mannen schrokken flink. Reed stak zijn hand uit en onwillig gaf ik hem de foto, maar ik loog en zei dat ik al een heleboel kopieën had gemaakt die ik op een veilige plaats had opgeborgen. Terwijl hij de foto bekeek, legde hij uit dat onschadelijk gemaakte virussen vaak werden gebruikt bij gentherapie, om te helpen nieuwe genen in cellen te brengen om zich daar voort te planten.

'Bedoel je dat iemand opzettelijk met een virus wordt geïnjecteerd?' zei ik ongelovig.

'Een onschadelijk gemaakt virus,' verbeterde Reed.

'Het virus op die foto lijkt mij niet onschadelijk,' zei ik.

Reed keek vragend naar doctor Updyke, die alleen maar zijn lippen op elkaar perste en zijn hoofd schudde om aan te geven dat hij niets wilde zeggen.

'Wat hebt u met Isaac Jensen gedaan?' vroeg ik aan de doctor. Er kwam een golf van woede in me omhoog. 'Gaat hij dood? Wat jullie daar op het WIRE doen, was dat het waard om Doug voor te doden en Bobby bijna?'

'Ho even,' zei de doctor terwijl hij beide handen opstak. 'Niemand heeft hier iemand gedood.'

'Houd op met liegen! U hebt het niet meer voor het zeggen, doctor. U moet worden tegengehouden! Wat is er mis met Isaac? Waarom hebt u Doug vermoord? Waarom zat die foto in het dossier van Kate Schumann?'

Ik dacht dat hij uiteindelijk zou breken als ik maar bleef doorvragen. Maar voordat het zover was, zwaaide de deur open en stormde een aantal mannen binnen, elk met een wapen in hun hand dat ze resoluut op de doctor richtten.

Ik kreeg de indruk dat het niet slechts ziekenhuisbeveiliging was.

Toen doctor Updyke beide handen omhoog stak, liet de leider een badge zien en kondigde aan dat ze van de FBI waren. Aan Updykes gezicht te zien, keek hij minachtend op de hele toestand neer en was hij behoorlijk geïrriteerd door alle heisa. Die irritatie scheen echter over te gaan in berusting toen het langzaam tot hem doordrong dat het spel eindelijk uit was.

'Goed,' zei de doctor rechtstreeks tegen mij. 'De foetus van Kate Schumann had WKS en dat probeerde ik in de baarmoeder te verhelpen via gentherapie. Helaas maakte het onschadelijk gemaakte virus zichzelf tijdens de dracht weer schadelijk. De zwangerschap werd uitgedragen, maar het kind was bij de geboorte niet levensvatbaar. Dat is een foto van de baby. Het kind werd dood geboren, overdekt met koepokken.'

Mijn adem stokte en het drong tot me door dat de situatie in de nacht van de brand nog tragischer was geweest dan we hadden gedacht. Niet alleen bracht Lydia's moeder haar kind dood ter wereld, maar het lichaampje van de baby was ook nog eens afzichtelijk bezaaid met koepokken.

Nu was het Reeds beurt om boos te worden.

'Hebt u echt de virussen gebruikt die we onschadelijk maakten voor proeven op mensen? *Illegale* proeven op mensen?'

'Ik boekte vooruitgang. Het genetische materiaal integreerde in elk geval niet op de verkeerde plaats in het genoom.'

'Zoals daarvoor, bedoelt u,' zei Reed, 'toen het op het kankeronderdrukkende gen terechtkwam en een fatale tumor veroorzaakte bij een drie maanden oude baby?'

'Ja. Dat was betreurenswaardig.'

Het luchtte me op dat de doctor bekende, maar ik maakte me meer zorgen over het hier en nu.

'Wat hebt u met Isaac gedaan?' wilde ik weten.

'De in-vitroprocedure die bij Isaac Jensen is uitgevoerd, was honderd procent geslaagd,' kondigde de doctor hooghartig aan.

'Ik heb Bobby wekenlang voorgehouden dat de problemen van zijn zoon medisch voorspelbaar en niet progressief zijn. Maar hij wilde me gewoon niet geloven.'

'Omdat het kind duidelijke complicaties heeft,' zei Reed.

'Die complicaties zijn een noodzakelijk kwaad, een bijwerking van het beschermen van de geslachtscellen. Je kunt zeggen wat je wilt, maar ik heb in elk geval verantwoordelijk gehandeld.'

Ik keek van de doctor naar Reed.

'Wat zijn geslachtscellen?' vroeg ik.

Reed legde uit dat het te maken had met opeenvolgende generaties van genetisch gemodificeerde mensen. Volgens hem was dat de grootste onbekende in genetische manipulatie, hoe genen die veranderd werden zich in toekomstige geslachten konden manifesteren.

'Hoe kunt u zeggen dat u verantwoordelijk hebt gehandeld?' vroeg ik dwingend aan de doctor.

'Ik heb een extra chromosoom ingebracht langs de x-as. Isaac is xxy.'

Reed vernauwde zijn ogen tot spleetjes en keek de dokter woedend aan.

'Klinefelter?' fluisterde hij ongelovig. 'Hebt u dat kind met opzet het syndroom van Klinefelter gegeven?'

'De meeste mannen met Klinefelter groeien op tot volkomen normale mensen en weten niet eens dat ze het hebben. In veel gevallen kunnen de symptomen mild zijn of zelfs afwezig,' zei doctor Updyke.

317

'Wat is het syndroom van Klinefelter?' vroeg ik, met mijn hart in mijn keel.

'Een chromosomenaandoening die moeilijkheden kan veroorzaken met spraak, lezen en schrijven,' legde Reed uit. 'Doctor Updyke heeft gelijk als hij zegt dat het met Isaac niet erger zal worden, maar hij zal altijd moeten leven met de hindernissen waar hij nu mee te stellen heeft.'

'Maar waarom?' wilde ik weten. Ik keek van Reed naar doctor Updyke. 'Waarom iemand een kwaal geven met zulke gevolgen?'

'Om te zorgen dat hij steriel is,' zei Reed bedroefd hoofdschuddend. 'Mannen met het syndroom van Klinefelter kunnen gewoonlijk geen kinderen verwekken. Op die manier zal Isaac zijn veranderde genen niet doorgeven aan het volgende geslacht.'

De doctor knikte met een nobele grijns op zijn gezicht. Ik staarde hem alleen maar geschokt aan. Die man was niets minder dan een monster.

'Wat geeft u het recht om op deze manier voor God te spelen?' fluisterde ik.

'Ik heb geduelleerd met de dubbele helix en gewonnen,' antwoordde doctor Updyke. 'Feitelijk, beste kind, *ben* ik God.'

42

Doctor Updyke bekende de FBI dat hij illegale genetische modificaties had uitgevoerd op drie verschillende patiënten: het kind dat drie maanden had geleefd, maar toen gestorven was aan een tumor, de doodgeboren baby van Kate Schumann en Isaac Jensen. Hij weigerde de moord op Doug Brown toe te geven, evenals de poging tot moord op Bobby Jensen, maar ik was er zeker van dat de FBI dat uiteindelijk ook uit hem zou krijgen.

Toen ze hem geboeid wegvoerden, had ik nog steeds niet durven vragen naar het dossier dat ik had gevonden met mijn naam erop. Ik kon het gewoon niet ter sprake brengen met al die mensen erbij. Ik hoopte er binnenkort meer over te weten te komen, buiten gehoorafstand van Reed.

Wat Reed betreft, tot mijn grote verbazing behandelden de overgebleven leden van de FBI hem als een held. Ze klopten hem op de rug, schudden hem de hand en zeiden dat hij de klus prima had geklaard. Ik begon te protesteren en wilde hun alles vertellen over de aandelen, maar ze lachten alleen maar.

'Dus dit is ze, hè?' vroeg een van de mannen aan Reed. 'Degene over wie u het had?'

'Ja. Ziet u dat niet aan haar eigenzinnige houding? Die argwanende blik? Die afkeurende frons? Dit is ze inderdaad en als u geen bezwaar hebt, inspecteur, zouden we graag even alleen zijn.'

Met een knipoog verliet de man het lab. Toen de deur achter hem dichtging, begon Reed boos te ijsberen.

'Werkelijk waar, Anna, ik weet niet wat ik met je aanmoet. Aandelen? Dacht je dat ik een moordenaar was omdat ik aandelen heb gekocht in Wynn Industries?'

'Zo ver ben ik niet gegaan. Ik heb de politie alleen verteld...'

'Ja, de politie! Is het nooit in je opgekomen om eerst naar mij toe te komen om ernaar te vragen? Ik had het je met alle genoegen uitgelegd. Maar nee, hoor! Jij moest weer overhaast allerlei afschuwelijke conclusies trekken. Ik was sprakeloos toen ik het hoorde. Ik dacht dat we elkaar kenden. Ik dacht dat we...' Hij zweeg abrupt en keek me aan.

'Je dacht dat we wat?'

'Niks. Het doet er niet toe. De zaak wordt nu netjes afgewikkeld. De FBI heeft het onder controle. Je hoeft geen speurdertje meer te spelen.'

Nu was het mijn beurt om ontzet te zijn.

'Speurdertje spelen? Dacht je dat ik spéélde toen ik mijn broer vond? Toen ik terugging naar de plek waar de politie hem niet heeft gevonden, maar ik wel?'

Reed schudde zijn hoofd.

'Dat bedoel ik niet. Alleen...' Weer zweeg hij abrupt, keek me scherp aan en sloeg zijn armen over elkaar. 'Best. Wil je het weten van de aandelen? Ik zal het je vertellen. Twee maanden geleden heb ik aandelen in Wynn Industries gekocht als onderdeel van een gezamenlijk onderzoek van mijn kantoor en de FBI. We wisten dat ik als groot aandeelhouder toegang kreeg tot de zaken die we van binnenuit moesten zien. Ja, ik bezit aandelen en dat hoort bij dit onderzoek. Geloof je me niet? Ook goed.'

Voordat ik kon zeggen of ik hem geloofde of niet, deed Reed de deur open en wenkte zijn collega. Ik zag dat die met moeite een glimlach onderdrukte toen hij bevestigde wat Reed me net had verteld en me verzekerde dat de hele transactie goed gewerkt had.

'Waarom doet u zo uw best om niet te lachen?' vroeg ik de man. 'Vindt u het grappig?'

'Nee, mevrouw,' zei hij en zijn glimlach werd een brede grijns. 'We hebben Thornton alleen nog nooit zo... opgefokt gezien om een vrouw. Als ik niet beter wist, zou ik zeggen dat u zijn gevoelens hebt gekwetst.'

'Dank u, inspecteur. Dat is alles,' zei Reed en hij duwde hem bijna de ruimte weer uit. Toen de deur achter hem dichtging, besefte ik dat het waar was wat hij had gezegd. Door aan Reeds integriteit te twijfelen, had ik hem gekwetst. 'Reed, wees alsjeblieft niet boos. Een beroepsdeformatie. Het is mijn werk om mensen op te sporen. Ik moet soms het slechtste van de mensen denken. Zo krijg ik de waarheid boven tafel.'

'Dat begrijp ik wel,' antwoordde hij. 'Maar het gaat nu om mij, Anna. Je dacht het slechtste van mij.'

Ik deed een stap naar hem toe.

'Jaren geleden deed ik het tegenovergestelde, Reed. Toen dacht ik het beste van je en kijk eens wat ik ermee bereikt heb. Werd het geen tijd dat ik naar je keek met mijn ogen wijdopen, om het goede en het slechte allebei te zien? Het spijt me echt dat ik je heb gekwetst. Maar ik vind nog steeds dat dit voor mij een stap in de goede richting was. Voor ons.'

We keken elkaar lange tijd aan.

'Is er een ons?' vroeg hij.

'Ik weet het niet. Zeg jij het maar.'

Hoe kan er een ons zijn als er nog een zij is?

Langzaam bracht Reed zijn hand omhoog en legde hem tegen mijn wang.

'Ik heb een hoop fouten, Anna. Soms ga ik zo op in mijn werk dat ik niet voor middernacht thuis ben. Ik laat natte handdoeken op de grond liggen. Het komt zelfs wel eens voor dat ik op vakantie drie dagen achter elkaar hetzelfde shirt draag.'

Met doelbewuste bewegingen legde Reed zijn andere hand op mijn andere wang. Zijn vingers bewogen heftig in mijn haar. Ineens wilde ik niets liever dan dat hij me kuste, dat zijn mond zich hongerig naar de mijne vormde.

'Denk erom dat je nooit en te nimmer meer twijfelt aan mijn integriteit, oké?' zei hij zacht en ik knikte terwijl hij zijn lippen zo dicht bij de mijne bracht dat ik ze bijna kon proeven. 'Als ik niet integer was, Anna, dacht je dat ik je dan nu niet gekust zou hebben?'

Hij bleef een tijdje zo staan en trok zich toen eindelijk terug, haalde zijn handen uit mijn haar en liet me verrast achter.

'Zie je nou? Integriteit. Daar barst ik van,' zei hij en toen draaide hij zich om en verliet de ruimte.

Daarna zag ik hem niet meer. In het ziekenhuis krioelde het van de FBI-agenten en toen ik Lydia boven trof, had ze net de waarheid gehoord over doctor Updyke en wat hij met Isaac had gedaan. Ze huilde in de armen van haar broer, waarschijnlijk tranen van verdriet en blijdschap tegelijk.

Ik voelde me ineens opgesloten en wilde het ziekenhuis uit. Ik wilde een poosje rustig alleen zijn, waar ik kon nadenken. Nadat ik me ervan verzekerd had dat met Lydia alles in orde was, vertelde ik haar dat ik een tijdje terugging naar de boerderij. Caleb koos ervoor om in het ziekenhuis te blijven, maar Rebecca vroeg of ze met me mee mocht rijden.

De hele rit terug naar de boerderij dacht ik onder het rijden aan de dingen die ik vandaag te weten was gekomen. Mijn emoties flitsten heen en weer tussen opluchting dat Isaac niet zou sterven en boosheid dat hij nooit vader kon worden, tot blijdschap dat hij als baby niet gestorven was aan WKS en teleurstelling dat Bobby doctor Updyke bij zijn eigen nageslacht voor God had laten spelen. Ik wist niet hoe het in het ziekenhuis ging tussen Bobby en Lydia, maar hij had een hoop uit te leggen. Maar omdat ze een vrouw met karakter was en niet te vergeten Amish opgevoed, twijfelde ik er niet aan dat ze hem zou kunnen vergeven. Van groter zorg was het feit dat Bobby zijn vrouw met opzet had bedrogen, een daad die bijna dodelijke gevolgen had gehad.

Rebecca had vragen over wat er gebeurd was en ik vatte het hele verhaal kort voor haar samen. Toen ik vertelde over de Amish baby die gestorven was aan een tumor, wist Rebecca tot mijn verbazing over wie ik het had.

'Jah, ik geloof dat ik dat nog weet,' zei ze. 'Waren dat niet die ouders die het lichaampje van hun eigen baby hadden gestolen?' Toen ze dat zei, klikte er iets in mijn geheugen en de hele vage toestand kwam scherp in beeld. Natuurlijk! Er was een groot schandaal geweest toen die baby stierf, niet vanwege de tumor, maar omdat de staat een autopsie vereiste als een sterfgeval plotseling en onverklaarbaar was. Maar de Amish waren tegen autopsie en hadden geprobeerd het te voorkomen. Toen het hof de lijkschouwer in het gelijk stelde, verdween het lichaam van de baby voordat de autopsie kon worden uitgevoerd. Er was alleen een anoniem briefje achtergelaten waarin stond dat ze het vanwege hun godsdienst niet met hun geweten overeen konden komen dat het lijfje van de baby geschonden werd.

Die zaak had alle kranten gehaald in Hidden Springs. Ik meende me te herinneren dat iedereen de ouders ervan verdacht het lichaam van hun eigen baby te hebben gestolen, maar ze ontkenden het herhaaldelijk. Het laatste wat ik had gehoord, was dat het echtpaar uiteindelijk naar Ohio was verhuisd en dat het lichaampje nooit was gevonden. Weer had het genetische geknoei van doctor Updyke tot veel verdriet en ellende geleid.

Het was bijna één uur in de middag toen we bij de boerderij kwamen. Toen we uit de auto stapten, zagen we Grete en Isaac die bij het washok hun kleurige wasgoed aan de lijn hingen. De altijd aanwezige lijfwacht stond in de buurt. Ik dacht aan mijn droom, de terugkerende nachtmerrie die ik door de jaren heen vaak had gehad. De waslijn kwam er altijd in voor, het donkere kastanjebruin, paars en blauw van Amish wasgoed dat wapperde in de wind. Ik had de droom niet meer gehad sinds ik hier was en ik was benieuwd of hij terug zou komen nu ik hier weer was geweest en mijn verleden onder ogen had gezien.

Rebecca ging naar hen toe, maar ik liep het huis binnen. Het was er stil en leeg, de keuken knus en warm als altijd. Ik had genoeg trek om te doen of ik thuis was, dus ik gluurde in de door propaan aangedreven koelkast en pakte een stuk kaas en een handvol druiven voordat ik naar boven ging om me te verkleden en me op te frissen. Toen ik aangekleed was, leunde ik over het bed om de jaloezieën op te trekken en de schitterende winterzon binnen te laten. Vanuit mijn uitkijkpunt kon ik de daken zien van de verscheidene kleinere uitbouwen en daarachter de velden. In de verte stonden de bomen op het land dat vroeger van mijn grootouders was geweest.

Terwijl ik over het serene landschap stond uit te kijken, dacht ik aan die twee gestorven baby's van lang geleden, de ene baby van wie het lichaam was gestolen en de andere van wie het lichaam was verbrand. Als ik dacht aan de afstand tussen de plek waar ik nu stond en de plek waar ons groepje was geweest toen we in die noodlottige nacht van elf jaar geleden die Romeinse kaarsen afstaken, leek het me ineens ongeloofwaardig dat de brand inderdaad een ongeluk was geweest.

Tijdens onze rechtszaken was de afstand een belangrijk punt in onze verdediging geweest. Maar elke keer als het ter sprake kwam, liet de aanklager een getuige-deskundige opdraven die getuigde dat een vonk op zo'n lange afstand uit een Romeinse kaars 'mogelijk, hoewel niet waarschijnlijk' was. Dat element van mogelijkheid, samen met het onweerlegbare bewijs van gebruikte hulzen, was genoeg geweest om ons zonder uitzondering schuldig te bevinden. Maar dat was toen we allemaal hadden gedacht dat het een ongeluk was.

Nu er een motief voor de brand van die nacht kon hebben bestaan, verschoof de hele loop der gebeurtenissen voor mijn ogen.

Nu drong het besef met zo veel kracht tot me door dat ik op de rand van mijn bed moest gaan zitten.

Stel dat we de brand waarbij Lydia's ouders omgekomen waren helemaal niet hadden veroorzaakt?

Stel dat de brand opzettelijk was aangestoken door doctor Updyke om het feit te verbergen dat het lichaam van de baby overdekt was met koepokken?

Stel dat hij de gelegenheid van ons roekeloze gedrag had aangegrepen door het *Dawdi Haus* expres met een Romeinse kaars in brand te steken?

Ik wist dat ik hier met iemand over moest praten, iemand anders die net als ik de afgelopen elf jaar had moeten boeten, belast met schuldgevoel en zelfhaat en verdriet en schaamte voor een tragedie die we misschien helemaal niet hadden veroorzaakt. Ik moest iemand spreken van de Vijf van Dreiheit. Mijn mobiele telefoon deed het nog steeds niet, dus ik besloot het veld in te gaan naar het telefoonhok. Ik rende erheen, langs het washok en de schuur, en koos het nummer van Reeds mobiel zodra ik binnen was. Mijn oproep ging rechtstreeks naar zijn voicemail, dus ik sprak een boodschap in. Steeds opgewondener pratend, vertelde ik hem mijn theorie.

Bobby kon ik natuurlijk niet bereiken en Lydia mocht haar mobiel niet gebruiken in het ziekenhuis.

Alleen Haley bleef over. Ik wist haar nummer niet uit mijn hoofd, maar ik belde informatie en werd doorverbonden. Toen ze opnam, zei ze dat ze net thuis was van de begrafenis van Doug en overwoog weer naar het ziekenhuis te gaan om bij Lydia en mij te zijn. Ik zei dat ze hierheen moest komen, want er was iets buitengewoon belangrijks dat we moesten bespreken.

'Natuurlijk, Anna. Dat kan. Waar gaat het over?'

'Wacht maar tot je er bent. Dan zal ik het uitleggen.'

Terwijl ik in huis wachtte tot Haley uit Hidden Springs kwam, sprong ik haast uit mijn vel. Ik had mijn opgewonden zenuwen moeten bedaren en de anderen buiten gaan helpen met de was, maar ik moest even alleen zijn om dit schokkende nieuwsfeit tot me door te laten dringen. Ik pakte een bezem en een stoffer en blik en ging aan het werk. Ik veegde de hele benedenverdieping.

Uiteindelijk kwam Grete binnen om thee te zetten en te horen wat er in het ziekenhuis was gebeurd. Rebecca had buiten geprobeerd het haar te vertellen, maar had niet veel willen zeggen waar

Isaac bij was. Ik vond het verschrikkelijk om het verhaal twee keer te moeten vertellen, dus ik was blij dat Haley op dat moment verscheen en ik het hun beiden kon vertellen.

Haley vond het moeilijk om na al die jaren het huis binnen te gaan, maar de hartelijkheid waarmee Grete haar welkom heette, was prijzenswaardig en ontroerend. Met een beker warme thee gingen we aan tafel zitten en ik vertelde een groot deel van wat we vandaag te weten waren gekomen. Toen ik moest vertellen over de nacht van de brand, over Gretes moeder die de baby dood en overdekt met koepokken ter wereld had gebracht, was ik bang dat Grete van streek zou raken, maar ze nam het goed op. Ik legde uit dat de procedure die doctor Updyke destijds een vruchtwaterpunctie had genoemd in feite een genetische modificatie was van de foetus, die vreselijk verkeerd was afgelopen.

Vervolgens vertelde ik over de andere genetisch gemodificeerde Amish baby, die met drie maanden gestorven was aan een tumor en wiens lichaam verdween in afwachting van een door het hof opgelegde autopsie. Beiden herinnerden zich dat voorval nog goed.

Ik keek naar Haley en zei dat het volgende was waarom ik haar had gevraagd hier te komen.

'Ik heb een theorie,' zei ik, 'die nog maar net bij me is opgekomen. Ik geloof niet dat de ouders van dat kind het lichaam hebben gestolen zodat er geen autopsie kon worden gedaan. Ik denk dat doctor Updyke het gestolen heeft en dat briefje heeft achtergelaten om de verdenking van zichzelf af te werpen door de Amish godsdienst te noemen.'

'Dat is verschrikkelijk.'

'Verder,' vervolgde ik met een blik naar Grete, 'begin ik te geloven dat de brand in het *Dawdi Haus* waarbij je ouders zijn omgekomen, niet begonnen is door een paar Romeinse kaarsen die wij een heel eind weg in het veld hadden afgestoken. Ik denk dat iemand ook het lichaam van die pasgeboren baby moest vernie-

tigen en daarom gebruikmaakte van de situatie door dit huis opzettelijk in brand te steken, zodat het leek op een ongeluk terwijl
het in feite met opzet gebeurde. Het was brandstichting.'

Het nieuws overviel Grete en Haley op totaal verschillende
manieren. Grete was diep geschokt en dat kon ik haar niet kwalijk nemen. Terwijl de brand eerder een tragische vergissing was
geweest, waren haar ouders nu het slachtoffer van een opzettelijk
kwaad.

Voor Haley kwam het nieuws als het verbijsterende, ongelofe-
lijke besef dat de grootste fout van haar leven heel misschien niet
was afgelopen zoals iedereen aangenomen had. Ineens brak er een
smartelijke snik op uit haar keel.

'En dan te bedenken dat die arme Doug dit niet meer heeft
geweten voordat hij stierf,' huilde ze.

'Daar zou ik niet te zeker van zijn, Haley. De avond dat Doug
stierf, was hij degene die al deze bewijzen had ontdekt en zelfs
een kopie had doorgefaxt naar Reed in Washington. Toen wilde
hij met Bobby afspreken om hem ook de informatie te geven. Ik
moet zeggen dat ik geloof dat hij dit wist toen hij stierf. Eerlijk
gezegd is hij een heldendood gestorven.'

Haley werd zo door emoties overmand dat ze zich excuseerde
om naar het toilet te gaan. Daar bleef ze een poosje en liet de
kraan lopen om haar snikken te overstemmen. Ik hoopte dat het
tranen van opluchting waren en niet alleen van verdriet.

Grete hanteerde haar emoties op een andere manier. Ze stond
op van tafel, excuseerde zich en ging naar haar kamer.

Alleen achtergebleven hield ik me bezig in de keuken, ik waste
onze bekers af bij de gootsteen en veegde het water van het aanrecht. Omdat Haley nog steeds op de wc zat te huilen, liep ik
naar de zithoek en trok de losse hoes van de bank recht, pakte
wat speelgoed van Isaac op en legde zijn verhalenboeken op een
stapel.

Er was een boek met Bijbelverhalen bij en afwezig bladerde
ik erin. Ik bekeek de levendige tekeningen en bedacht dat God

altijd alles onder controle heeft, ook als het niet zo lijkt. Toen ik het verhaal van Mozes doorbladerde, moest ik weer denken aan het gesprek dat ik vanmorgen vroeg met Rebecca had in het ziekenhuis, over de familiequilt die tussen de bezittingen van mijn grootouders was gevonden en nu was ondergebracht in het Museum voor Volkskunst in Lancaster.

Misschien was het mijn dag voor plotselinge inzichten, maar ineens kreeg ik nog een idee en dit leek haast te ongelooflijk om waar te zijn. Ik legde het boek neer, riep naar Haley dat ik zo terug was en rende op volle snelheid naar het telefoonhok. Daar draaide ik het nummer van Rémy Villefranche en vertelde hem opgewonden dat ik misschien eindelijk een aanknopingspunt had naar de Beauharnais-robijnen.

'Weet je nog dat ik je vertelde over die quilt? Die handgemaakte die mijn familie schonk aan het Museum voor Volkskunst?'

'Ja.'

'Rémy, het is maar een gevoel, maar ik denk dat de quilt ons naar de robijnen kan leiden. Ben je nog in de stad? Ben je op dit moment beschikbaar?'

'Ja, ik ben nog in de stad. En of ik beschikbaar ben, moet je dat nog vragen?!'

Nu er zo veel gaande was, wilde ik de boerderij niet verlaten om naar het museum toe te gaan, maar ik vroeg of Rémy er zelf heen kon gaan met een camera om een paar foto's te maken van de quilt en dan hierheen te komen. Ik dacht dat we de beelden samen konden bestuderen om te zien of ze ons soms aanwijzingen gaven; zo niet van de plek waar de robijnen nu waren, dan toch van waar ze eens waren geweest. Rémy stemde zonder aarzelen toe en ging meteen op weg. Nadat ik had opgehangen, rende ik terug naar huis langs de waslijn. Ik dook onder een groot laken door dat lawaaiig wapperde in de wind. Rebecca en Isaac waren in de buurt en toen ik langs hen heen rende, pakte ik hun handen en draaide hen in het rond.

Ik wist niet waarom ik zo blij was. Ik wist niet waarom ik me ineens voelde alsof er een gewicht van me afgenomen was. Ik wist alleen dat mijn broer was gevonden, dat ik een spoor had naar de juwelen, en het allerbelangrijkste, dat er een heel reële kans bestond dat wat ik in de afgelopen jaren over mezelf had geloofd, een leugen was geweest.

43

~ Stéphanie ~

7 september 1812

Aan Uwe hoogheid hertogin Stéphanie de Beauharnais,

Met warme gevoelens schrijven mijn vrouw en ik deze brief. Ons antwoord is ja. We aanvaarden zeer vereerd en nederig de verantwoordelijkheid die ons is toebedeeld. Wat de bijzonderheden betreft, misschien kan de verzendwijze van deze brief ook worden aangewend voor het 'artikel' in kwestie. Wij hebben het oprechte voorgevoel dat u nadat u uw zoon ter wereld hebt gebracht, een diepe hunkering zult ontwikkelen naar appeltaartjes, en dat u er beslist minstens zeven of acht pond van wilt hebben. Het zal mij aangenaam zijn u die mand zelf te bezorgen, want ik zou de nieuwe prins of prinses graag persoonlijk willen ontmoeten en hem of haar mijn diepste respect betonen.

In Christus' naam,
Samuel Jensen

44

~ Anna ~

Er zat nog een klein beetje energie in mijn laptop, dus toen Rémy een uur later eindelijk arriveerde, uploadden we zijn foto's van de quilt. Haley en Grete waren teruggekomen in de keuken en Grete ging de avondmaaltijd klaarmaken, maar Haley kwam bij Rémy en mij aan tafel zitten. Even vroeg ik me af of het onbeleefd was tegenover mijn gastvrouw om een computer te gebruiken in hun huis, maar toen besloot ik dat het voorlopig niet gaf aangezien hij op batterijen werkte.

Toen de foto's geladen waren, bekeken we ze op het scherm en zoomden in als het nodig was. Ineens kreeg de quilt die eerst zo onaantrekkelijk en ongeschikt was geweest, een heel andere glans in dit nieuwe licht.

Het eerste paneel beeldde het tafereel van Mozes af, met een rivier, een prinses, iemand uit het gewone volk, een baby in een mand en zelfs biezen. Op de rivieroever aan de rechterkant was een rood vuurtje geborduurd. Ik begreep nog steeds niet waarom er bruine stenen boven op de baby in de mand lagen, maar ik nam aan dat het iets te maken had met de ruil van Stéphanie de Beauharnais en de familie Jensen.

Als je de waarheid achter de afbeelding niet kende, zag het er inderdaad uit alsof iemand het verhaal van Mozes wilde vertellen. Maar nu ik hem met andere ogen bekeek, was de baby in de mand Mozes helemaal niet, maar de zoon van Stéphanie de Beauharnais en haar echtgenoot Karl Friedrich, groothertog van Baden.

Het tweede paneel, waarvan we altijd hadden gedacht dat het de ark van Noach moest voorstellen, was in plaats daarvan het tafereel van de twee echtparen op een schip toen ze over de oceaan naar Amerika zeilden. Nu brandde het rode vuurtje op het onderdek van het schip, in een houten kist.

Het derde paneel, waarvan we altijd hadden gedacht dat het David verbeeldde die zijn schapen hoedde op een heuvel in Bethlehem, was waarschijnlijk de pas verhuisde Amish boer Karl Jensen, die zijn schapen hoedde in Lancaster County. Het rode vuurtje in dat vierkant brandde vlak onder het dak van het huis, langs een stippellijn die stellig de zolder voorstelde.

Het vierde paneel, dat we hadden aangezien voor het verhaal van de verloren zoon die het huis verlaat, was hoogstwaarschijnlijk een afbeelding van Peter Jensen die de Amish verliet, of zijn zoon William Jensen die op weg ging om een deel van de juwelen te verkopen. Hoe dan ook, op dat plaatje droeg de man het rode vuurtje bij zich, het brandde vrolijk in een lantaarn die hij in zijn hand hield terwijl hij gedag zwaaide.

Het vijfde paneel leek een Amish schuurbouw, het kale geraamte van een huis dat net werd opgetrokken. Onder het huis was een groot, grijs vierkant en we dachten vroeger dat het sloeg op Jezus' oproep om je huis op de rots te bouwen. Op dat paneel brandde het vuurtje onder een boom.

Op het zesde en laatste paneel stond een man afgebeeld die met zijn armen uitgespreid stond en aan alle kanten werd omringd door vreemde rode kolommen. Dat was altijd de moeilijkste geweest om te ontcijferen, maar door de positie van de armen van de man leek hij Christus aan het kruis te verbeelden.

Nu begreep ik dat de man simpelweg zijn handen uitstak om te benadrukken waardoor hij werd omringd: vijf haarden. In de middelste haard brandde het rode vuurtje.

'De robijnen waren verborgen in een open haard,' zei ik.

'Maar dat is niet logisch,' antwoordde Rémy hoofdschuddend. 'Extreme warmtefluctuaties kunnen juwelen beschadigen. Niemand zou zo'n kostbare schat ooit in een haard bewaren.'

Rémy klikte de volgende foto aan. 'Dit stond op het bordje naast de quilt,' zei hij.

Ik las de tekst waarin onze familie werd bedankt voor de aanwinst, maar het verbaasde me te lezen dat de conservators van het museum hadden vastgesteld dat elk paneel door een andere persoon was genaaid. Omdat de verschillende stoffen terugvoerden naar een breed scala van periodes, hadden ze vastgesteld dat de quilt door verscheidene generaties heen in elkaar was gezet.

Wellicht kreeg de bruid van elke oudste zoon Jensen de gelegenheid en verantwoordelijkheid om haar favoriete Bijbelverhaal aan de collage toe te voegen, stond er in het bijschrift.

Wat er had moeten staan, was dat de bruid van elke oudste zoon Jensen het nieuws kreeg te horen dat er een onbetaalbare set robijnen door de familie heen werd doorgegeven, en dat het haar verantwoordelijkheid was om de verstopplaats van de robijnen aan te geven door hem op de quilt te naaien onder het mom van een Bijbelverhaal.

We staarden naar die foto en probeerden de bedoeling te begrijpen. 'Ga nog eens terug naar het tafereel met de haarden,' zei ik.

Rémy deed wat ik vroeg en opnieuw tuurden we naar het beeld. Zelfs Grete kwam uiteindelijk een kijkje nemen.

'Moet dit het oude huis van je grootouders voorstellen? Want ik weet niet waarom er vijf haarden op het plaatje staan terwijl er maar vier schoorstenen op het huis stonden.'

Verbijsterd keken Rémy en ik elkaar aan en toen Grete.

'Weet je het zeker?' vroeg Rémy.

'Jah. Ik had in mijn kindertijd de slaapkamer bovenaan de trap hier in huis en heb elke dag van mijn leven uit mijn raam het silhouet van dat huis gezien, totdat het weggehaald werd.'

Ik stond op, pakte mijn jas en drong erop aan dat de anderen hetzelfde deden.

'Waar gaan we heen?' vroeg Haley.

'Schatgraven. Kom mee.'

Buiten stopten we met z'n vieren bij het gereedschapsschuurtje om een voorhamer, een beitel en een breekijzer mee te nemen, en toen riep ik naar Rebecca en Isaac of ze meegingen. Onze bewegingen trokken ook de aandacht van de pers en algauw verzamelden ze zich langs de omtrek van het land om te kijken waar we zo haastig heen gingen. Nathaniel was op het land aan het werk met zijn tractor en toen hij ons zag, kwam hij ook mee. We banjerden met het hele stel door de velden naar de oude hoeve en daalden af in de openluchtkelder. Net als op de afbeelding waren er beneden vijf haarden, overblijfselen van het oude verwarmingssysteem van het huis. Slechts vier waren door gebruik met roet bedekt.

Ik gaf Rémy de voorhamer in handen en liet hem de eerste klap geven. Maar zijn vrolijke slagen haalden niet veel uit, daarom gaf hij het zware stuk gereedschap uiteindelijk over aan Nathaniel, die enthousiast op de schoorsteen aanviel zodra Grete hem had uitgelegd dat er misschien een oude familieschat in verborgen zat.

We stapten allemaal achteruit en keken opgetogen toe hoe het bouwwerk steen voor steen begon af te brokkelen, elk stuk viel met een daverende klap op de grond. Toen ik de hoop begon op te geven, klonk er een ander geluid, een holle bons en toen viel er ineens een vierkant houten kistje uit het overgebleven bouwwerk. Met bevende handen knielde ik neer, pakte het kistje en stofte het af. Ik opende het deksel, vanbinnen zat zachte stof. Voorzichtig tilde ik een hoekje van de stof op en mijn adem stokte. Genesteld tussen de plooien lag de prachtigste fonkelende, schitterende, glinsterende ketting met diamanten en robijnen die ik ooit had gezien.

'Er ligt nog iets!' fluisterde Rémy. Hij wees naar een stukje papier dat uitstak.

Ademloos en zo voorzichtig mogelijk doorzocht Rémy het kistje en verkondigde dat er onder de juwelen wat documenten en brieven zaten. Hij haalde de bovenste eruit en vouwde hem behoedzaam open.

'Hij is gedateerd 21 juli 1831, aan *Mijn lieve zoon* en onderte-

kend met *Vriendelijke groet, je moeder, SdB!*' Rémy keek me met
stralende ogen aan. De schatgraver had volgehouden en zijn loon
gekregen.

'Wat staat erin?' vroeg Haley.

'*Mijn lieve zoon, ik heb je laatste brief ontvangen en ik vind hem
even verbijsterend als je voorgaande berichten. Ik waardeer het dat je een
man van het land bent, een arbeider en een echtgenoot, maar ik geloof
niet dat jij waardering hebt voor het grote offer dat ik heb gebracht om jou
tot nu toe veilig te bewaren. Arbeider of niet, echtgenoot of niet, of je wilt
of niet, het is tijd dat je de troon bestijgt!*' Rémy hield even op met
lezen, slikte moeilijk en las door. 'In de volgende alinea staat: *Ik
dacht toch heus dat je, als je de stukken uit mijn dagboek van al die jaren
geleden had gelezen, je plicht in deze kwestie zou begrijpen en aanvaarden. Leopold heeft nu plannen om een prinses van Badense afkomst te
trouwen, wat de beslissende stap is om hem in aanmerking te laten komen
voor de troon. Spoedig daarna zal zijn kroning beginnen, de gebeurtenis
waarvoor Luise vele jaren lang heeft samengezworen en gekonkeld. Al
wat ervoor nodig is om er een einde aan te maken, mijn zoon, is dat de
waarheid van jouw geboorterecht wordt onthuld. Ik begrijp je weigering
niet in deze zaak! Je zegt dat je tevreden bent met het leven dat je nu
leidt. Moet ik je erop wijzen dat voor iemand van koninklijken bloede
niet zijn eigen tevredenheid zijn eerste verplichting is, maar de dienst aan
zijn volk?*'

Weer hield Rémy op met lezen, als om tot zich door te laten
dringen dat de woorden precies de theorie omschreven die hij
van begin af aan had gehad over het lot van de eerstgeboren mannelijke zoon van Karl en Stéphanie.

'*Om de zaken verder te compliceren,*' vervolgde Rémy, '*wordt de
populariteit van Kaspar Hauser elke dag groter en wacht de hele wereld
op mij om me uit te spreken in de kwestie of hij al dan niet mijn zoon is.
Hij is beslist een ongelukkig creatuur en een vreemde snuiter, maar hij is
niet de man die naar huis moet komen om het erfgoed van zijn grootvader
op te nemen. Vergis je niet, Karl Stephan: dat ben jij. Doe alsjeblieft wat
eerzaam is en kom nu bij ons terug. Vriendelijke groet, je moeder, SdB.*'

Toen Rémy de brief neerlegde, glommen zijn ogen en we waren allemaal sprakeloos. In zekere zin was ik opgewondener over de brieven dan over de juwelen. Als ik naar ze keek, hoe ze daar opgehoopt lagen in het juwelenkistje, voelde ik een verband met het verleden, een schakel met Stéphanie de Beauharnais, de vrouw die mijn betbetbetbetbetovergrootmoeder was geweest. Ik wilde ze allemaal lezen en wel nu meteen, maar Rémy smeekte me ze niet aan te raken. Ze moesten op de juiste manier worden behandeld, anders zouden ze in onze handen uit elkaar vallen.

Eindelijk sloot hij met een diepe zucht van voldoening het deksel.

'Ik geloof,' zei Rémy, 'dat ik nu niet alleen heb wat ik nodig heb voor het laatste hoofdstuk van *Nergens te vinden: verloren juwelen en antiquiteiten*, maar ook het eerste hoofdstuk voor mijn volgende boek: *Nergens te vinden: vermiste brieven.*'

Toen we omhoogklommen uit de kelder, zag ik tot mijn verbazing een hele rij auto's en mensen langs de weg staan kijken. Hoe erg ik de pers ook haatte, toen ik een donkergroen busje langzaam langs zag rijden, was ik dolblij dat ze er waren. Ik zette mijn handen aan mijn mond en schreeuwde het hele stelletje de vraag toe wie er een exclusief verhaal wilde.

Ze juichten en zwaaiden met hun armen en ik schreeuwde weer: 'Ik geef een uitgebreid interview met foto's aan degene die dat busje tegenhoudt en die mensen gevangen houdt tot de politie er is. Het zijn criminelen!'

De menigte rukte massaal op en blokkeerde de weg, zodat de bestuurder van het busje niet anders kon dan zich overgeven. Als je zag hoeveel verslaggevers er nodig waren om de mensen erin in bedwang te houden, wist ik niet hoe ik mijn beloofde beloning moest uitdelen, maar voorlopig was ik alleen maar opgelucht dat we veilig waren.

Nu het plan van mijn belagers om de juwelen in beslag te nemen duidelijk verijdeld was, kon ik voor het eerst van mijn leven zeggen dat ik helemaal dol was op de pers.

45

Op Rémy's voorstel leende ik de lijfwacht en reed de stad in naar een bank waar ik een kluis huurde voor de juwelen en de documenten. Thuis had Rémy de hele set grondig gefotografeerd en beschreven, maar de brieven bleven in hun bundel tot het moment dat we een deskundige in de arm konden nemen om ze veilig te laten dupliceren, zodat we ze konden lezen zonder ze te beschadigen. Ik had geen idee wat onze familie met de juwelen ging doen, maar dat was van later zorg.

Bij alle blijdschap om onze ontdekking waren we een beetje vergeten dat Bobby nog steeds zwaar lag te lijden in het ziekenhuis. Lydia worstelde met de harde feiten over de gezondheid van haar kind en het bedrog van haar man, en Reed en de FBI waren nog druk bezig om de hele waarheid uit doctor Updyke te trekken.

Toen ik terugkwam van de bank, zag ik tot mijn genoegen dat Haley er nog was. Ze lag te rusten op de bank en speelde afwisselend mankala met Isaac en belde met haar mobiele telefoon. Ik wist dat Grete het onprettig zou vinden dat er een telefoon in huis was, dus uiteindelijk maakte ik een paar handgebaren naar Haley en ze schoot overeind, ineens beseffend dat ze zich onbeleefd gedroeg.

'O, sorry, hoor,' zei ze met één hand over het mondstuk. 'Ik zal ophangen. Het is mijn moeder. Ze wil weten of ze straks langs mag komen om wat restanten van het begrafenismaal te brengen.'

'Begrafenismaal?'

'Ja, we hadden vanmorgen na de begrafenis een verzorgde

337

lunch met Dougs ouders, maar een schaal met garnalen, twee taarten en een cake zijn niet eens aangebroken, dus als jullie ze willen hebben...'

'Dat zou heerlijk zijn,' zei Grete, dus Haley zei tegen haar moeder dat het goed was en maakte een eind aan het gesprek.

Ik wist niet goed wat ik nu moest gaan doen. Ik wilde terug naar het ziekenhuis om Bobby te spreken en Lydia misschien een paar uurtjes af te lossen, maar ik bleef het uitstellen in de hoop dat Reed langskwam. Ik keek op mijn horloge en besloot nog een uur te wachten. Als hij dan niet was verschenen, zou ik naar het ziekenhuis gaan en sprak ik hem later wel weer.

Grete en Rebecca zaten te babbelen terwijl ze aan het werk waren op de naaimachine bij het raam, en toen ik vroeg of ik iets in huis kon doen voor een uurtje of zo, vroeg Grete of ik eiernoedels kon maken.

'Ik wel,' zei Haley. 'Mag ik helpen?'

'Jij zegt hoe het moet, ik help. Ik heb nog nooit van mijn leven noedels gemaakt.'

'Oké. Grete, vind je het goed als we doen of we thuis zijn in jouw keuken?'

'Ga gerust je gang. Door de foto's van die quilt ben ik erg in de stemming geraakt om te naaien, niet om te koken.'

Haley en ik wasten onze handen bij de gootsteen en toen begon ze de ingrediënten en het keukengerei op te noemen dat we nodig hadden. Ik haalde alle benodigdheden uit de bijkeuken en zette ze bij elkaar op het aanrecht. Ik begreep mijn oude vriendin totaal niet. Vanmorgen pas was haar man begraven. Waar kwamen haar goede humeur en energie vandaan?

Toen we een kwartier later tot onze polsen in het deeg zaten, vroeg ik het haar ronduit. Met gedempte stem antwoordde Haley dat ze het niet goed wist, maar het was zo ongelooflijk genezend om hier in dit huis te zijn samen met haar vroegere hartsvriendin dat ze zich beter voelde dan ze in weken had gedaan.

'En dat gedoe met die levensverzekering waar je moeder over vertelde?' vroeg ik ook met gedempte stem. 'Heeft de politie dat losgelaten?'

'Ik weet het niet. Ik maak me er geen zorgen over.'

'Je klinkt behoorlijk luchtig voor een vrouw met dood door schuld op haar strafblad. Weet je niet meer hoe afschuwelijk die tijd was? Toen de mogelijkheid van een tuchthuis of de gevangenis als lood op je schouders drukte?'

Ze haalde haar schouders op.

'Wat maakt het uit? Ik leef toch niet lang genoeg om voor de rechtbank te moeten verschijnen.'

Terwijl ik dat verwerkte, zette Haley de pastamachine in elkaar, een beetje uit het veld geslagen dat er geen snoer of stekker aan zat. Toen ik haar erop wees dat dit een Amish huis was en dat de meeste apparaten op mankracht werkten, bestudeerde ze het geval een poosje, bedacht welke kant het handvat op draaide en waar het deeg in moest, en ging aan de slag. We kregen de smaak net te pakken toen er aan de deur werd geklopt en Melody haar hoofd naar binnen stak.

'Iemand thuis?'

Grete kwam haar bij de deur tegemoet en nam twee grote taartdozen van haar aan. Rebecca ging naar buiten om de rest uit de auto te halen.

Zo goed als Haley er vandaag uitzag, zeker vergeleken met gisteren tijdens het rouwbezoek, zo slecht zag Melody eruit. Bij het rouwbezoek was ze net als altijd verbluffend mooi geweest, maar vandaag zag ze er vreselijk uit. Haar haar zat in de war en haar kleding was lukraak bij elkaar geraapt en nogal gekreukt.

Ik vroeg of het goed met haar ging, maar ze schudde haar hoofd en zei dat het een moeilijke dag was geweest. Eerst al die begrafenis en Dougs stierlijk vervelende ouders aan de lunch, daarna had ze moeten bedenken wat ze met al dat eten aan moest en intussen hoorde ze almaar geruchten dat doctor Updyke gearresteerd was door de FBI.

'En Bobby?' vroeg Melody. 'Weet hij wie hem van de weg gereden heeft?'

Ik zei nee en praatte haar bij over wat we wel wisten dat hij had meegemaakt. Haley en ik waren klaar met de noedels en terwijl zij de troep opruimde, zette ik een pot thee, in de hoop dat Melody ervan ontspande. Iedereen had kennelijk even pauze nodig, dus uiteindelijk zaten we met z'n allen aan tafel en kletsten onder het theedrinken over Bobby's toestand en Dougs dood. Grete maakte de zeer verstandige opmerking dat genezing gewoonlijk begon met vergeving, ook al wist je niet wie je moest vergeven.

'Ik heb die hele vergeving door de Amish nooit zo begrepen als Anna en Reed,' zei Haley ineens tegen Grete en Rebecca. Ze verbaasde me met haar openhartigheid. 'Ik vond het moeilijk te geloven dat het oprecht was. Pas na de schietpartij in die school begon ik het te snappen. Jullie doen niet zomaar alsof en zeggen de juiste woorden. Jullie vergeven echt en oprecht.'

Rebecca en Grete knikten alsof ze niet snapten dat het ook anders kon.

'Was je bang dat onze familie jullie de brand niet volledig had vergeven?' vroeg Grete terwijl Melody opstond en naar het fornuis liep om zich nog een kop thee in te schenken.

Haley haalde haar schouders op.

'Ik denk van wel. Het is moeilijk te geloven dat de mensen die je onrecht hebt aangedaan je vergeven hebben, als je jezelf niet hebt vergeven.'

'We hebben je vergeven, Haley. We hebben het overgegeven aan God. We hebben Anna ook vergeven,' zei Rebecca.

'En Bobby en Reed en Doug,' zei Grete.

'En Melody,' voegde Rebecca eraan toe.

'En Melody?' Ik lachte. 'Wat hebben jullie haar vergeven?'

'Dat ze de brand in het *Dawdi Haus* heeft aangestoken,' zei Rebecca.

Ik keek op en zag Melody bij het fornuis staan, haar schouders ineens strak gespannen.

'Wat bedoel je, Rebecca?' vroeg ik. Ik kon haar niet goed hebben verstaan. Dat kón niet.

'Melody heeft de brand in het *Dawdi Haus* aangestoken, waardoor mijn ouders zijn omgekomen.'

Nu staarde iedereen behalve Melody Rebecca aan.

'Waar heb je het over?' wilde Grete van haar zusje weten.

'Ik wist dat mama die avond de baby kreeg, want ik hoorde pa water koken en de dokter bellen. Ik bleef op om te wachten op het nieuws van een broertje of een zusje. Door mijn slaapkamerraam zag ik in de verte de grote vuurwerkshow die jullie gaven. Toen kwam Melody aangeslopen, vlak voor de brand ontstond. Maar het geeft niet. We hebben het allemaal vergeven. Zo gaat het bij de Amish.'

Naast me begon Haley te beven van emotie.

'Gaat het zo bij de Amish? Om getuige te zijn van een misdaad en dan elf jaar lang je mond dicht te houden?'

Rebecca schrok zo van Haleys vragen dat ze geen antwoord kon geven.

Ongelovig keken Haley, Grete en ik naar Melody, die langzaam heet water in een beker schonk. Ineens was er commotie bij de achterdeur. Isaac kwam naar binnen rennen, gevolgd door de lijfwacht. Melody haalde uit naar de reusachtige man en zwaaide de hete, zware theepot rond in een wijde boog. Hij kwam met een misselijkmakende bonk tegen de zijkant van het hoofd van de lijfwacht terecht. We gilden allemaal, maar in de tijd die ik nodig had om Isaac beet te pakken en achter me te trekken, lag de lijfwacht al bewusteloos op de grond en was Melody erin geslaagd het pistool uit zijn enkelholster te wurmen. Nu hield ze het op ons allemaal gericht.

'Mam, wat doe je nou? Ben je gek geworden!'

'Kom op, Melody,' zei ik met veel kalmere, sussende stem. 'Dit wil je toch niet. Stapel geen nieuwe misdaad op een oude.'

Melody schudde bedroefd haar hoofd en vertelde ons dat ze al verscheidene nieuwe misdaden had toegevoegd, dus wat maakte het uit?' 'Wie A zegt, moet ook B zeggen.'

Met het wapen nog stevig in haar hand geklemd, dreef Melody ons naar de zithoek. De belangrijkste lichtbron in de kamer was een vloerlamp die aangedreven werd door een propaantank, die netjes was weggestopt in een grote, ronde houten voet. Gebarend met het wapen dwong Melody ons vijven om met onze rug naar elkaar toe om die voet te gaan zitten. Haar ogen dwaalden door de kamer en bleven algauw op Grete rusten.

'Haal touw,' zei Melody en Grete deed wat haar gevraagd werd. Kalm liep ze naar de bijkeuken en kwam terug met een nieuw pakje waslijndraad. Ze bracht het naar Melody toe en gaf het haar.

'Openmaken,' commandeerde Melody.

Grete deed wat ze zei en hoewel haar handen vast waren, zag ik de angst in haar ogen, vooral toen Melody haar opdroeg ons vast te binden. Met tegenzin bond Grete het ene eind van het touw aan de paal en begon het om ons heen te wikkelen.

'Je bent mijn moeder,' riep Haley uit. 'Niet te geloven dat je me al die jaren hebt laten opdraaien voor een brand die je zelf hebt gesticht.'

'Nou, voor wat het waard is, het was nooit mijn bedoeling om jou en je vrienden erin te luizen, noch om de Schumanns te doden. Dat gebeurde allemaal gewoon.'

'Gebeurde gewoon?' wilde ik weten. 'Hoe dan?'

Melody verstevigde haar greep om het pistool en hield Gretes bewegingen in de gaten terwijl ze uitleg gaf.

'Harold Updyke vroeg of ik die avond hier bij hem wilde komen voor de bevalling en ik zei natuurlijk ja. Ik wilde zien of zijn gentherapie in de baarmoeder had gewerkt.'

'Wacht even,' zei ik hoofdschuddend. 'Hoe wist je daarvan? Wat had jij daarmee te maken?'

Eerst leek mijn vraag Melody te verrassen, maar toen kneep ze haar ogen tot spleetjes.

'Tja, dat vertel ik gewoonlijk niet aan de mensen, kind, maar bij de echtscheiding eiste ik een grote hoeveelheid aandelen in het WIRE. Als groot aandeelhouder en zelf wetenschapper op het gebied van DNA had ik grote belangstelling voor hun werk. Dat begreep Harold en hij hield me op de hoogte van zijn experimenten, ook van die welke zonder medeweten van de regering werden gedaan. We hebben samen zelfs een paar topgeheime experimenten uitgevoerd, waarbij mijn werk met planten-DNA en zijn werk met menselijk DNA gecombineerd werden. Het was een win-winsituatie voor ons allebei, dat kun je je voorstellen.'

Eindelijk begreep ik waarom Melody nooit verbitterd was over de verdeling van de spulletjes bij haar echtscheiding. Omdat ze in een klein huisje woonde en tweedehands kleren droeg, had ik altijd gedacht dat zij aan het kortste eind had getrokken. Nu snapte ik dat haar bezit eenvoudig niet was geliquideerd. Meneer Wynn mocht dan hun mooie, grote huis hebben gehouden, maar Melody kreeg aandelen in de bedrijfstak die bij uitstek alle beloften van DNA zelf inhield.

'Maar goed,' vervolgde ze, 'toen de baby dood geboren werd en overdekt was met koepokken, wist ik wat er mis was gegaan en ik moest vlug nadenken. Een autopsie zou alles in de war hebben geschopt, dat snap je toch wel? Ik stuurde Harold weg en hielp de Schumanns de baby te wassen. We stopten hem zelfs in een wiegje in het *Dawdi Haus*. Toen zei ik dat ze naar het grote huis moesten gaan en uit de buurt van de baby moesten blijven om zelf geen pokken op te lopen. Ik dacht dat ze zouden doen wat ik gezegd had.'

Grete hield even op met vastbinden om Melody verbijsterd aan te kijken.

'Er is geen moeder op de hele wereld die wegloopt bij haar pasgeboren kind, dood of niet, besmettelijk of niet,' zei ze. 'Je bent zelf moeder. Je had kunnen weten dat ze niet weg zouden gaan.'

Melody keek verbaasd en ik begreep dat ze het niet snapte en nooit had gesnapt, omdat ze zelf gewoonweg geen moedergevoelens bezat.

'Opschieten met vastbinden,' droeg Melody nors op. 'Hoor es, dat was mijn schuld niet. Ik wist alleen dat ik iets moest bedenken om van dat dode lichaam af te komen. Ik had zo'n idee dat Bobby en Lydia daarbuiten in het donker waren en iedereen wist dat hij altijd vuurwerk afschoot als teken dat ze bij hem moest komen. Ik verliet het *Dawdi Haus* en sloop achterom naar zijn auto om er een Romeinse kaars uit te halen. Toen ik een mooi plekje droog gras achter het *Dawdi Haus* had gevonden, was het niet moeilijk om de brand te beginnen en ik zorgde ervoor een eindje verderop een paar hulzen achter te laten, waar ze als bewijs zouden opduiken als het nodig was. Het was mijn bedoeling om het op een eenvoudig ongeluk te laten lijken, een misser van een Romeinse kaars. Ik had geen idee dat de Schumanns zouden omkomen, noch dat de politie het als een misdaad zou zien.'

'Maar toch heb je naderhand je mond gehouden, hè?' riep Haley.

'Toen waren de Schumanns al dood, lieverd. Ik had niets kunnen zeggen of doen om ze weer tot leven te wekken.'

'Je had de verantwoordelijkheid kunnen nemen voor wat je had gedaan in plaats van ons voor jouw misdaad te laten opdraaien!'

'Och, alsjeblieft. Jullie vonnis was dood door schuld. Als ze de waarheid hadden geweten, was het voor mij moord met voorbedachten rade geweest.'

'En doctor Updyke?' vroeg ik. 'Hij heeft de brand niet aangestoken. Waarom was hij bereid toe te zien hoe vijf mensen werden veroordeeld voor een misdaad waarvan hij wist dat ze hem niet hadden begaan?'

'Hij wist het niet,' zei Melody. 'Ondanks al zijn genialiteit kan Harold Updyke een dwaas zijn. Twee keer achter elkaar heb ik hem een autopsie van zijn patiënten bespaard. De eerste keer toen ik het lichaam van de baby met die tumor had gestolen en de indruk wekte dat de Amish ouders het hadden gedaan, en de tweede keer toen ik de brand hier heb aangestoken. Allebei de keren dacht Harold werkelijk dat hij geluk had gehad, dat hij gewoon profiteerde van gunstige omstandigheden. Ik liet hem in de waan, maar ik zorgde dat hij ophield met experimenten die bij de wet verboden waren. Een paar jaar legde hij zich erbij neer, tot Bobby naar hem toe kwam met de vraag of hij hem kon helpen een gezond kind te verwekken. Omdat de procedure in vitro gedaan kon worden, vond Harold het een te mooie gelegenheid om te laten schieten.' Ze maakte een gebaar naar Isaac. 'Het is duidelijk dat het die keer goed ging. Alleen jammer dat Bobby helemaal in paniek raakte van een paar kleine symptoompjes waar een volkomen logische verklaring voor was.'

Haley en ik keken elkaar met grote ogen aan.

'Je hebt geprobeerd Bobby te doden door hem van de weg af te drukken,' zei ik.

'Je hebt Doug vermoord,' voegde Haley eraan toe.

'Echt niet omdat ik het wilde, hoor,' antwoordde Melody. 'Als die twee hun neus niet in zaken hadden gestoken waar ze niks mee te maken hadden, dan was dit allemaal niet gebeurd.'

'Hoe wist je dat ze aan het rondsnuffelen waren?' vroeg ik.

'Bobby werd op heterdaad betrapt toen hij het slot van een archiefkast in het WIRE probeerde te forceren. Harold gaf hem een waarschuwing, maar toen zijn eigen sleutel van die archiefkast verdween, kon hij niet anders dan Bobby schorsen. Daarna is Bobby kennelijk naar Doug gegaan om hulp, want Doug probeerde via de computer toegang te krijgen tot opgeslagen dossiers. Wat hij niet wist, was dat die dossiers verbonden zijn met een elektronisch waarschuwingssysteem dat Harold een alarmbericht stuurde. Toen hij me vertelde dat Doug in die oude dossiers had gezeten, wist ik meteen dat we een probleem hadden. Alles wat ik daarna heb gedaan, was schadebeperking.'

'Schadebeperking? Mijn echtgenoot vermoorden noem jij *schadebeperking*?' krijste Haley.

'Net alsof jij wat om hem gaf. Ik dacht dat ik je een gunst had bewezen.'

'Hoe heb je het gedaan?' vroeg ik.

'Doug was een eitje. Dankzij die elektronische waarschuwingen kon ik zorgen dat ik op het parkeerterrein stond te wachten toen hij die avond het hoofdgebouw van Wynn uit kwam. Hij was zo opgefokt dat hij niet eens vroeg waarom ik daar was. Het was niet moeilijk om hem aan de praat te krijgen en te vertellen wat er aan de hand was. Hij zei dat hij twee dossiers had gevonden die bewezen dat doctor Updyke eind jaren negentig illegale gentherapie had gedaan, en één dossier in het bijzonder dat bij hem de vraag opwierp of de grote brand waarbij de Schumanns waren omgekomen een ongeluk was geweest. Toen wist ik natuurlijk meteen dat ik geen keus had, ik moest hem uitschakelen.'

Melody zei dat Grete op moest schieten en zette haar verhaal voort.

'Doug had een boodschap achtergelaten voor Bobby en een fax gestuurd aan Reed, maar voor de rest had hij eigenlijk niemand gesproken. Meer hoefde ik niet te weten. Ik zei dat ik een idee had waar we meer bewijs konden vinden, in het nieuwe gebouw. Als een mak lammetje volgde Doug me helemaal naar de zevende verdieping. In de lift vertelde hij dat hij vanuit de auto weer naar Bobby's huis had gebeld en een tweede boodschap had ingesproken, dat hij ook hierheen moest komen. Ik kreeg duidelijkheid dat ik niet genoemd was in dat bericht en voerde mijn plan uit, opgelucht dat ik twee vliegen in één klap kon slaan.'

'Ongelooflijk,' fluisterde ik. Op een bepaald moment na de onopzettelijke moorden bij de brand, was Melody een grens overgegaan. Terwijl ze daarvoor per ongeluk had gedood, moordde ze nu met opzet, alleen om de oorspronkelijke misdaad af te dekken. Ik vroeg me af of haar hachelijke mentale toestand in de afgelopen jaren was verwrongen door te werken op het gebied van DNA en levende organismen naar believen te manipuleren. Ik dacht aan doctor Updykes opmerking dat hij feitelijk God was. Melody had nu diezelfde verdwaasde blik in haar ogen, diezelfde arrogantie die beslist voortkwam uit het verwarren van genetische manipulatie met de scheppingsdaad zelf – een daad die alleen door God Zelf kon worden uitgevoerd.

'Op de zevende verdieping nam ik Doug mee naar de rand en toen hij me zijn rug toedraaide, kon ik hem de dood in duwen. Toen Bobby kwam, wachtte ik op hem. Ik liet een doos met tegels vallen, maar hij slaagde erin opzij te rollen voordat hij geraakt werd.'

'Hoe heb je hem later ingehaald om hem van de weg te drukken?' vroeg ik, huiverend van pijn toen Grete mijn polsen vastknoopte.

'Dat kon ik niet. Bobby reed zo hard weg dat ik hem met geen mogelijkheid in kon halen. Ik dacht dat ik erbij was. Ik ging naar huis, pakte mijn spullen in en ging naar het vliegveld van Philadelphia. Ik was benieuwd hoelang het zou duren voordat iemand doorkreeg dat *ik* de brand had gesticht waarbij de Schumanns waren omgekomen. Ik dacht dat ik een paar dagen voorsprong had, genoeg tijd om naar een plaats ver weg te gaan en opnieuw te beginnen.'

'Het vliegveld,' fluisterde ik. ,

'Ja, domme pech, hè, dat Bobby en ik op hetzelfde moment in dezelfde terminal belandden?'

Ik antwoordde niet, pech had er niet veel mee te maken. Gezien het feit dat er op dat uur van de nacht maar één vlucht vertrok, was het niet verrassend dat ze op hetzelfde moment op dezelfde plaats terecht waren gekomen.

'Ik was blij dat ik Bobby zag voordat ik mijn ticket had gekocht... en voordat hij mij zag,' vervolgde Melody. 'Ik wist dat hij iets verdachts van plan was en ik wist niet wat ik moest doen tot Haley belde, helemaal opgefokt over de gestolen motorfiets, en ik mijn conclusie trok. Op een voorgevoel verstopte ik me buiten de vliegveldbeveiliging en wachtte. En ja hoor, een halfuurtje later kwam Bobby naar buiten wandelen. Hij was helemaal niet aan boord van dat vliegtuig gestapt. Toen hij op het vliegveld de trein nam, wist ik zeker dat hij op weg was naar de plek waar hij die motor had gestald, waarschijnlijk in Hidden Springs. Om daar te komen, moest hij minstens één keer overstappen, wat mij genoeg tijd gaf om in mijn auto vooruit te racen en langs de snelweg op hem te wachten. Ik twijfelde er niet aan dat hij terugging naar zijn vrouw en kind. Mensen als Bobby geven meer om trouw dan om zichzelf.'

'Jij kunt ook om anderen geven, Melody. Het is niet te laat.'

Zonder acht te slaan op mijn opmerking droeg ze Grete op te stoppen met vastbinden en bij ons te gaan zitten. Daarna bond Melody ook haar met één hand vast.

'Toen ik met Bobby had afgerekend, was Reed nog de enige variabele. Ik hoefde alleen maar naar D.C. te rijden, in te breken in zijn flat en de fax mee te nemen die Doug hem had gestuurd. Gelukkig voor mij was Reed die avond niet eens thuis. Ik kreeg de fax zonder enig probleem in handen en ik was zelfs op tijd terug om de volgende morgen naar mijn werk te gaan.'

'Alleen heeft Doug er nooit aan gedacht te zeggen dat hij een boodschap voor Reed had ingesproken op zijn telefoon waarin hij hem vertelde over de fax,' zei ik. 'Toen Reed dat bericht hoorde, kon hij de fax opnieuw printen en toen heeft hij hem rechtstreeks naar de FBI gebracht.'

'Ja, dat heeft me zorgen gebaard. Maar de dossiers zijn alleen bezwarend voor Harold. Mijn naam is nergens te vinden. Het lijkt ongelooflijk, maar ik denk dat ik er toch nog op het nippertje mee wegkom.'

'Denk je dat ze er niet achter komen? Uiteindelijk zal Updyke hun vertellen dat jij bij hem was in de nacht van de brand.'

'Misschien. Maar dan is het zijn woord tegen het mijne. Verder is er geen levende ziel die weet dat ik hier toen ook was.'

Naast het houtfornuis lag een kleine bijl en ik schrok toen ze erheen liep en hem oppakte.

'Maar ik wel,' zei Rebecca zachtjes. 'Ik heb je gezien.'

'Zoals ik al zei,' zei Melody schouderophalend, 'geen *levende* ziel.'

Plotseling zwaaide Melody, net zo woest als ze de theepot tegen het hoofd van de lijfwacht had geslingerd, de bijl in een brede boog en doorkliefde de paal boven ons hoofd. De bovenkant van de lamp kletterde op de vloer. We gilden allemaal en gilden nog harder toen de stank van rotte eieren onze neus binnendrong. Propaan.

'Je blaast het hele huis op!' riep Haley uit.

'Grete, zeg eens,' zei Melody kalm, 'zit er een timer op de ontsteker van je houtfornuis?'

Grete gaf geen antwoord, maar haar zwijgen sprak boekdelen.

'Oké dan,' zei Melody terwijl ze naar het fornuis liep en friemelde met de bovenste knoppen. We hoorden de klik toen ze de knop instelde. Toen legde ze kalm de bijl neer waar ze hem had gevonden en zette met het pistool in haar hand koers richting de achterdeur.

'Ik heb hem zo ingesteld dat hij over drie minuten afgaat,' zei ze rustig tegen ons, 'dan heb ik genoeg tijd om te maken dat ik wegkom. Sorry dat het zo heeft moeten lopen. Zie het maar als een eenvoudig offer voor een hoger doel.'

Melody legde het pistool op tafel en stapte behoedzaam over de lijfwacht heen, die zo stil lag dat ik, als zijn brede borst niet heel licht rees en daalde, had gedacht dat hij dood was. Naast me begon Haley tegen haar moeder te krijsen hoe ze dit haar eigen vlees en bloed, haar eigen kind aan kon doen.

'Sorry, Haley,' zei Melody tegen haar dochter, en toen ze zich omdraaide had ze tranen in haar ogen. 'Voor wat het waard is, ik heb je eigenlijk elf jaar geleden al gedood.'

'Door me te laten denken dat de brand en die sterfgevallen aan mij te wijten waren?'

'Nee, ik bedoel letterlijk. Ik heb je vermoord. Die zomer voerden Harold en ik experimenten uit op jou en Anna. Ik ben bang dat de kanker die je nu hebt uit die tijd afkomstig is, net zoals die baby met die tumor.'

Haley was sprakeloos, maar ik niet.

'Hebben jullie met ons *geëxperimenteerd? Hoe dan?*' wilde ik weten.

Met een blik op de timer op het fornuis legde Melody vlug uit dat Haleys allergie-injecties in feite testdoses geweest waren voor gentherapie. Ter vergelijking was ik niet onderworpen aan injecties, maar aan eetbare gentherapie – dat was althans de bedoeling, maar het experiment werkte niet.

'Weet je nog hoe dol je altijd was op mijn tomaten, Anna? Toen beseften we niet dat gewoon maagzuur de genen doodde voordat ze de kans kregen om in de bloedsomloop te komen. Je hebt niks binnengekregen.'

'Hoe weet je dat? Heb je me getest?'

'Natuurlijk, kind, eens per week, als je lag te slapen. Als je mond openstond, nam ik een uitstrijkje.'

'Ik geloof het niet,' bracht Haley eindelijk uit.

'Bekijk het van de zonnige kant, schat. Je gaat toch binnenkort dood, maar nu wordt je lijden niet verlengd zoals bij kanker.'

Daarop deed Melody de deur open, stapte naar buiten en trok hem zachtjes achter zich dicht.

46

Meteen kwamen we allemaal in actie. De zwavellucht van het lekkende propaan was overweldigend en boven op het houtfornuis hoorden we de timer de paar minuten aftikken die we nog hadden om ons te bevrijden en naar buiten te gaan voordat het hele huis werd opgeblazen. Ik stelde voor dat we probeerden met z'n allen omhoog te komen en als we hoog genoeg waren, als we onze voeten onder ons konden krijgen en op de houten voet konden staan, het touw over de paal omhoog te laten glijden om los te komen.

Het was niet makkelijk, vooral omdat Isaac zo veel kleiner was dan de rest. De houten voet stond niet stabiel genoeg om door zo veel mensen tegelijk beklommen te worden, terwijl ze allemaal tegelijk vastgebonden waren met het touw. Toch slaagden we er eindelijk in ons evenwicht te vinden en als één man stonden we samen op.

Het plan werkte in zoverre, dat we het touw over de bovenkant van de paal kregen, maar het hele gevaarte begon opzij te kantelen en we landden op een grote hoop op de vloer. Opgelucht dat geen vonken een explosie hadden ontstoken, wurmden we ons vlug los van de touwen die nu los op ons allemaal hingen. Ik greep Isaac onder zijn armen vast en rende met hem op mijn heup naar de achterdeur, waar ik hem zowat naar buiten gooide. De volgende die naar buiten kwam was Haley en daarna Rebecca. Eindelijk, met misschien nog vijftien seconden te gaan voordat het fornuis werd ontstoken en het huis werd opgeblazen, pakten Grete en ik elk een hand van de bewusteloze lijfwacht en trokken. We waren niet sterk genoeg om de massieve kerel mee te slepen en ik wist dat we het op moesten geven om te rennen voor ons eigen leven.

Op het laatste moment, toen ze zag dat we hem niet op tijd naar buiten konden krijgen, rende Haley met een kreet het huis weer in. Een paar seconden later doken Grete en ik om dekking te zoeken toen we de ontsteker van het fornuis hoorden klikken.

Er klonk een 'kaboem', maar niet zo hard als we verwacht hadden. Maar er stroomde rook onder de deur door en er was geen sprake van dat we naar binnen konden om te zien of Haley het had overleefd. Nathaniel kwam de schuur uit rennen, zag wat er aan de hand was en pakte de handen van de lijfwacht. Met één reusachtige ruk sleurden we hem helemaal uit het huis en op de bevroren grond buiten.

Met het lawaai en de verwarring en de rook die volgden, beleefde ik in het echte leven de nachtmerrie die al die jaren mijn slaap had geteisterd. Algauw waren er sirenes en brandweermannen en buren, en ik wist niets beters te doen dan niet in de weg lopen en mijn neefje op mijn schoot trekken en zo stevig vast te houden als ik kon terwijl hij hevig snikte tegen mijn schouder.

Later heb ik begrepen wat Haley in die laatste seconden had gedaan, toen ze haar leven opofferde om een man te redden die ze niet eens kende. In de ogenblikken voor de ontsteking was ze de kamer in gerend, had kussens van de bank gegrist en die en daarna zichzelf boven op de propaantank gegooid in een poging de explosie te onderdrukken. Volgens de lijkschouwer had ze waarschijnlijk geen pijn gevoeld. Ze was op slag gestorven, haar lichaam had de grootste kracht van de ontploffende aluminium tank opgevangen.

Tegen de tijd dat Reed kwam, was ik helemaal uitgehuild. Toch liet ik me door hem vasthouden zoals ik Isaac had vastgehouden en samen stonden we te kijken naar de jachtige drukte om ons heen.

Er was iets met brand en dit huis wat in mijn hoofd altijd

352

samen zou gaan. Maar nu wist ik tenminste zeker dat elf jaar geleden een groep stomme tieners rond een vreugdevuurtje in het land met wat vuurwerk niet het ondenkbare had gedaan, geen huis in brand had gestoken, niemand het leven had benomen. Voorlopig moest dat genoeg zijn.

~ Stéphanie ~

18 december 1830

Mijn lieve zoon,

Dit zal de laatste boodschap tussen ons zijn. Ingesloten vind je de over-gebleven stukken van de Beauharnais-robijnen. Nu moet je in bezit zijn van de gehele parure. Deze schitterende juwelen zijn mij gegeven ter ere van jouw geboorte. Het lijkt me passend dat ze nu aan jou toebehoren.

Het is met een gewond en pijnlijk hart dat ik me overgeef in deze strijd tussen ons en ik smeek je met mijn zegen naar het veilige Amerika te ver-trekken. Zoals je wellicht weet, is Kaspar Hauser nog geen week geleden aangevallen en in de borst gestoken. Het bericht heeft het paleis bereikt dat hij gisteren aan die verwonding is bezweken.

Mijn zoon, de krachten die bij je geboorte je leven bedreigden, bestaan nu in je volwassenheid nog steeds. Eens heb ik de keuze gemaakt tussen eer en liefde. Ik begrijp nu dat ik door liefde te kiezen, eigenlijk allebei heb gekozen. Met eer offer ik mij opnieuw op en stuur je weg. Gods zegen, mijn zoon. Tot mijn dood zal ik het geheim van je ware identiteit bewa-ren. Dat je een lang en gezond leven mag krijgen, slagen in alles wat je doet en veel vrede en geluk mag vinden ver weg van de donkere wolken van boze eerzucht die boven Baden hangen.

Je hebt me nooit als moeder gekend, maar ik kende jou als mijn zoon. Uit de verte. Elk jaar op je geboortedag ging ik op de kasteelmuur staan en vader en moeder Jensen lieten je spelen in het nabije weiland, het weiland met de knoestige appelbomen langs één kant. Door de jaren heen heb ik je zien opgroeien in gezondheid en liefde en goedheid.

Moge dit mijn grootste erfgoed zijn, al is het in het geheim gedaan. Door jou op te geven, gaf ik je het leven.

Geen groter liefde heeft enig mens dan dat.

Je moeder, altijd en voor eeuwig,
Stéphanie de Beauharnais

Epiloog

~ Anna, zes maanden later ~

'Past hij?' vroeg Lydia aan de andere kant van het paskamergordijn. 'Misschien moet hij bij de schouders ingenomen worden.'

Ik stond voor de spiegel en keek naar de jurk, een volmaakte reproductie van de jurk die Stéphanie de Beauharnais droeg op het portret dat van haar geschilderd werd door François Gérard. Op dat portret poseert ze in een prachtige zomerse bloemetjesjurk, met een waaiertje in haar hand en de Beauharnais-smaragden om haar hals. Vandaag ging de fotograaf een poging doen om dat schilderij met mij op film te zetten, alleen zou ik de Beauharnais-robijnen dragen.

Hoogstwaarschijnlijk zou dit de laatste keer zijn dat ik ooit de kans kreeg om ze te dragen. De koper had ongelooflijk veel geduld gehad, maar morgen zou hij ze eindelijk meenemen naar een verzameling in Europa, waar ze herenigd zouden worden met hun zusterset, de Beauharnais-smaragden. Mijn familie en ik genoten van het laatste moment met dit gekoesterde stuk van onze erfenis, een erfenis die zo veel meer voor ons was geworden dan een fonkelende buitenkans. We hadden eigenlijk gehoopt het schitterende erfgoed in onze familie te houden, maar de verzekeringskosten waren onbetaalbaar. In elk geval hadden we de inhoud van Stéphanies brieven, die niemand ons af kon nemen – al waren de originelen overgebracht naar het Smithsonian.

Naast Stéphanies brieven hadden er nog andere documenten bij de juwelen gezeten die de opvolging van eigenaarschap van Karl Jensen door de hele lijn van eerstgeboren mannelijke zoons tot mijn grootvader aan toe overtuigend bewezen. Die documenten hadden ons gered van een eindeloze gerechtelijke strijd met andere nakomelingen Jensen, waaronder mijn infame DNAaanranders.

Een voor een waren ook andere mogelijke eisers afgewezen. Het echtpaar dat het huis had gekocht kon wettelijk aanspraak maken, maar toen hun contract opnieuw bekeken werd, bleek er duidelijk in te staan dat ze slechts specifiek het 'bovengrondse' deel van de woning hadden aangekocht. Daarmee bleef Lydia's familie over, die het land bezat waarop de juwelen verstopt waren, maar zij hadden er geen belang bij.

Omdat mijn grootvader in zijn testament al zijn wereldse bezittingen had nagelaten aan zijn enig kind, bleek zodoende mijn vader uiteindelijk de enige eigenaar van de Beauharnais-robijnen. Na de verkoop had hij een royaal vindersloon uitbetaald aan Rémy en de rest in vier gelijke stukken verdeeld: een voor hemzelf en mijn moeder, een voor Bobby, een voor mij, en een voor Grete en haar familie. Eerst hadden ze geweigerd, maar uiteindelijk waren ze het ermee eens dat het geld gebruikt kon worden om de kinderen te helpen zich te vestigen als ze getrouwd waren, en niet te vergeten het riante tiende deel dat een zegen voor hun hele gemeenschap zou zijn.

'Anna? Kom je eruit?' vroeg Lydia en ik fluisterde mijn antwoord door het gordijn.

'Als dit artikel niet voor *National Geographic* was, deed ik het niet. Het leek toen een goed idee, maar nu voel ik me voor gek staan.'

'*Ach*, Anna, laat ons eens kijken.'

Ik verzamelde al mijn moed en schoof eindelijk het gordijn open dat me van Lydia scheidde. Achter haar stonden Bobby en Isaac en toen ik de paskamer uit kwam, zette iedereen grote ogen op.

'Bizar,' zei Bobby hoofdschuddend om de gelijkenis tussen mij en onze verre voormoeder.

'Dat komt alleen maar door de jurk en het haar,' zei ik, maar toen ik nog eens keek naar de levensgrote vergroting die ze als voorbereiding op de reportage hadden gemaakt, moest ik toegeven dat we wel wat op elkaar leken. Mijn lippen waren voller dan de hare en haar hals was langer dan de mijne, maar we hadden dezelfde ogen, hetzelfde figuur, dezelfde handen.

'Is het Anna of is het Stéphanie?' riep Rémy uit terwijl hij door de studio kwam aanlopen om beter te kijken.

Rémy zweefde tegenwoordig door het leven nu het verhaal van de kostbare schat die hij had helpen terugvinden een van de populairste onderwerpen in de media was. Hij en ik waren samen geïnterviewd bij *Good Morning America* in dezelfde week dat we op de cover van *People* stonden, en na die twee simpele optredens was de verkoop van zijn boeken omhoog gevlogen. Er waren herdrukken gemaakt en Rémy Villefranche was een begrip geworden.

Ik was daarvoor natuurlijk al een begrip geweest, maar tegenwoordig keken de mensen me niet meer schamper en afkeurend aan, maar nieuwsgierig, soms jaloers en haast altijd vriendelijk. Hoe erg ik de media ook had gehaat, toen het hele verhaal over Melody en het WIRE en de Vijf van Dreiheit en de Beauharnaisrobijnen en alles verscheen, besloot ik zogezegd vuur met vuur te bestrijden. Nadat ik mijn belofte van een exclusief verhaal was nagekomen aan de verslaggevers die hadden geholpen de DNAaanranders te pakken te krijgen, stortte ik me in het circuit en vertelde de waarheid over alles wat er was gebeurd, het spannende verhaal van de juwelen, en steeds weer herhaalde ik mijn belangrijkste punt: dat wij Amerikanen te wreed zijn voor elkaar, te snel met ons oordeel klaarstaan en maar al te graag de leugens aannemen die vermomd als de waarheid in de roddelbladen verschenen.

En hoewel me nog verscheidene mediagerelateerde kansen werden geboden, had ik ze allemaal afgewezen. Vandaag was mijn laatste officiële openbare optreden en dan ging ik terug naar Californië, voor een tijdje althans. Steeds vaker begon ik erover te denken dat hoofdstuk van mijn leven af te sluiten en terug te verhuizen naar de Oostkust.

Kiki en ik hadden ons volkomen verzoend, maar ook haar leven was veranderd. In de nasleep van alles wat er gebeurd was, waren Norman en zij verliefd geworden en ze wilden gaan trouwen. Hun bedoeling was uiteindelijk om zijn huis in de stad te verkopen, de opbrengst te gebruiken om haar huis aan het strand te renoveren en daar samen te gaan wonen. Ik was heel blij voor hen, maar het was duidelijk dat mijn tijd als Kiki's huisgenote ten einde liep. Ik was blij dat ik alle reparaties had kunnen betalen die nodig waren geweest na het bezoek van onze gemaskerde indringer, en bovendien nog wat extra's had kunnen doen.

Wat die indringer betreft had Rémy gelijk gehad. De man die het strandhuis was binnengedrongen en onder dreiging van een pistool de robijnen had opgeëist, was inderdaad een rechtstreekse afstammeling van Karl Friedrich, groothertog van Baden. De man was van plan geweest zijn DNA-uitslagen te gebruiken om zijn aanspraak op de juwelen te ondersteunen, maar natuurlijk bevatte het DNA van mijn vader de belangrijkste schakel. Bovendien verschaften de documenten die bij de juwelen gevonden werden, al het bewijs dat we nodig hadden. Toen hij dat te weten was gekomen, gaf de man het op, pleitte schuldig voor zijn misdaden en zat momenteel zijn straf uit in de gevangenis in Chino.

'Mevrouw Jensen?' wenkte de productieassistente. 'We zullen de make-up bijwerken en dan beginnen we de juwelen om te doen. Als u het niet erg vindt, wil de schrijver u tegelijkertijd een paar vragen stellen.'

Oppassend voor mijn jurk klom ik in de canvasstoel en liet de visagiste aan het werk gaan met mijn gezicht terwijl de man die het begeleidende artikel schreef, een stoel bijschoof uit de hoek van de studio en ging zitten.

Hij en ik hadden al een paar keer met elkaar gepraat en hoewel ik wist dat zijn stuk draaide om de juwelen en de documenten, hoopte hij ook een zijkolom te wijden aan het avontuur dat ons tot de ontdekking had geleid.

In die geest vroeg hij me nu of ik hem wat meer kon vertellen over de verschillende betrokkenen in de gebeurtenissen die zich tijdens die moeilijke week in januari in Pennsylvania hadden afgespeeld. Hij wilde weten hoe het iedereen zes maanden later verging.

'Nou, u ziet dat mijn broer weer op de been is,' zei ik met een gebaar naar Bobby, die met Rémy stond te praten. 'Hij heeft nog wel wat gezondheidsproblemen, maar de artsen hebben zijn been in elk geval kunnen redden.'

'En zijn baan? Heeft hij een nieuwe positie in de buurt van Dreiheit kunnen vinden nu het WIRE gesloten is?'

Ik straalde van zusterlijke trots. 'Hij heeft besloten weer naar school te gaan om voor logopedist te gaan leren. Bobby was altijd erg intelligent, ziet u. Het was zo jammer dat zijn opleiding door de eerste brand is ontspoord.'

Ik moest even ophouden met praten omdat de visagiste met een lippenpenseel aan mijn mond werkte. Terwijl ik daar zat te zwijgen, dacht ik aan een van Bobby's slimste streken ooit, de geheimzinnige geldopname uit een pinautomaat in Las Vegas in de nacht dat hij verdween.

Het enige wat hij daarvoor had hoeven doen, was zijn pincode op een geeltje schrijven en op zijn pinpas plakken. Op het vliegveld had hij gedaan alsof hij wachtte op de vlucht naar Las Vegas, terwijl hij in feite de andere passagiers had bestudeerd en een ietwat louche type probeerde uit te zoeken. Toen hij iemand had gevonden, ging Bobby achter de vent in de rij staan, tikte hem op de schouder en stak hem de pinpas toe.

'Hé vriend, ik geloof dat je dit hebt laten vallen,' had Bobby gezegd, en toen had hij eraan toegevoegd: 'Maar als ik jou was, zou ik mijn pincode niet bij mijn pinpas bewaren, hoor! Als iemand hem vindt, word je beroofd.'

Zonder met zijn ogen te knipperen had de man hem gewoon bedankt, de kaart aangenomen en in zijn zak gestoken. Kennelijk had hij zich na de vlucht op de eerste pinautomaat geworpen die hij tegenkwam. Hij had vast en zeker gehoopt op heel wat meer dan er op de rekening stond, maar honderd dollar was beter dan niets.

'En uw neef?' vroeg de schrijver. 'Isaac heet hij toch?'

'Ja, het gaat goed met hem,' zei ik terwijl de visagiste haar werk afmaakte. 'Hij is nogal getraumatiseerd door het hele propaangeval, vooral vlak na de verdwijning van zijn vader en zo. Maar het gaat steeds beter. Hij heeft geweldige ouders en een fantastische nieuwe school, dus we vertrouwen er allemaal op dat hij zich goed zal blijven ontwikkelen. En hij vindt het natuurlijk heerlijk om een grote broer te zijn.'

Ik keek om naar Lydia, die de kleine Samuel op haar heup torste, en zei er niet bij hoe opgelucht we waren toen genetisch onderzoek bevestigde dat het geknoei van doctor Updyke zich niet tot deze tweede zoon had uitgestrekt. We zouden het altijd blijven betreuren wat hij Isaac had aangedaan, maar Lydia had Bobby zijn bedrog kunnen vergeven. Ze hadden de laatste tijd erg hun best gedaan om het verleden achter zich te laten en zich te richten op de toekomst.

'En Bobby's Amish schoonfamilie? Wat is er met hun huis gebeurd?'

Op dat moment kwam de kapster binnen, gevolgd door de vertegenwoordiger van Lloyd's of London, de maatschappij die momenteel verantwoordelijk was voor de bescherming van de robijnen. Met enige tamtam kwam de man van Lloyd's naast mijn stoel staan en opende het deksel van het juwelenetui zodat de kapster de tiara eruit kon halen en in het kapsel schikken.

'Er was veel rookschade,' zei ik tegen de schrijver terwijl de kapster aan het werk was, 'dus er moesten reparaties plaatsvinden, maar daar zijn ze nu volop mee bezig. We corresponderen regelmatig en de hele familie maakt het goed.'

Ik zei er niet bij dat ze met hun deel van de robijnen het huis van de grond af zouden hebben kunnen herbouwen, en nog wel een keer. Eigenlijk waren we nu allemaal behoorlijk rijk. Bobby en ik probeerden nog steeds te bedenken hoe we goede rentmeesters van ons eigen geld konden zijn, maar mijn vader maakte mijn moeder al bang met zijn dromen over het opsporen van roodstuitzwaluwen op de Canarische Eilanden.

'Ik heb de politie van Lancaster County gesproken om te vragen hoe het nu gesteld is met Harold Updyke en Melody Wynn. Het ziet ernaaruit dat geen van beiden in de nabije toekomst weer in zijn eigen huis zit.'

Ik knikte, terwijl ik zag dat de kapster opnieuw in de etui reikte en de oorbellen pakte, die ze me zelf in liet doen.

'Is het waar dat u degene was die de politie de tip gaf om in Melody Wynns achtertuin te gaan zoeken naar het dode lichaam van dat kindje dat stierf aan een tumor die veroorzaakt was door illegale gentherapie?' vroeg de schrijver.

'Ja. Gezien de feiten had ik het gevoel dat Melody het kind in haar tuin had begraven en de boom er recht boven had geplant.'

'En het stoffelijk overschot van het kind is nu te rusten gelegd op een Amish begraafplaats?'

'Ja, na een mooie plechtigheid. Gelukkig heeft de Amish gemeenschap in Dreiheit zijn uiterste best gedaan om het goed te maken met de ouders van de baby en ik heb begrepen dat er veel herstel heeft plaatsgevonden.'

De kapster pakte de ketting, drapeerde hem zorgvuldig over mijn borst en sloot hem achter in mijn nek. Nu de juwelen langzaam aan mijn uiterlijk werden toegevoegd, voelde ik een golf van opwinding. De kapster nam de armbanden uit de etui en toen ze ze om mijn polsen vastmaakte, popelde ik om in de spiegel te kijken om het volledige effect te zien. Ik voelde me nu al met Stéphanie verbonden, haar bloed stroomde door mijn aderen.

'Over goedmaken gesproken, de drie overgebleven leden van de Vijf van Dreiheit zijn volledig vrijgesproken van hun vermeende misdaden. Klopt dat?'

'Ja, onze leien zijn schoongeveegd. We krijgen er die jaren niet mee terug, maar het doet ons goed om verder te kunnen zonder zo'n zware last uit het verleden mee te dragen.' Hij vroeg het niet, maar ik was ook vrijgesproken van mijn inbraak in het lab, een misdaad die de officier van justitie gezien de verzachtende omstandigheden niet wilde vervolgen.

'En hoe gaat u nu heten?' vroeg de schrijver. 'Anna Bailey? Of gaat u terug naar Jensen?'

De kapster haalde nog één sieraad tevoorschijn, maar ik wist niet wat het kon zijn, want ik dacht dat ik alles al om had. Ze stak me een ring toe die ik nog nooit had gezien. Ik stond versteld van de reusachtige witte diamant in het midden, omringd door een cirkel van robijnen.

Ik hield hem omhoog naar het licht en vroeg me af hoe dit stuk tot nu toe onopgemerkt had kunnen blijven. Ik wilde net Rémy roepen toen mijn oog getrokken werd door een vertrouwde beweging. Stil op de achtergrond stond de ene persoon die ik het liefst ter wereld wilde zien.

Reed Thornton.

Reed en ik hadden onze relatie sinds januari voorzichtig voortgezet. Half februari waren Heather en hij uit elkaar gegaan, en hoewel ik dat hoopgevend nieuws vond, had ik in het kielzog van zo'n lange relatie niets willen overhaasten.

We waren begonnen met schrijven en e-mailen en bellen om elkaar weer helemaal opnieuw te leren kennen. Toen de telefoongesprekken langer werden en vaker voorkwamen, kwam Reed eindelijk regelmatig op bezoek in Californië. We hadden zelfs niet gekust tot zijn laatste bezoek twee weken geleden, toen we een lange strandwandeling maakten in de buurt van zijn hotel. Daar, in de gloed van een warme Californische zonsondergang, had hij me eindelijk in zijn armen genomen en de woorden gezegd die ik al van hem had willen horen toen ik zeventien was: 'Ik houd van je, Anna.'

Nu was hij aanwezig bij de foto-opname en hij zag er in mijn ogen knapper uit dan ooit.

'En?' herhaalde de schrijver. 'Hoe gaat u nu heten?'

Langzaam kwam Reed naderbij, nam de ring van me over en hield hem bij mijn linkerhand. 'Wat zou je zeggen van Thornton?' vroeg hij me. 'Anna Thornton klinkt goed, vind je niet?' Naar adem happend keek ik neer op de ring en begreep eindelijk wat hij had gedaan. Ik stond perplex, niet alleen dat hij zo'n romantische manier had bedacht om me ten huwelijk te vragen, maar dat hij voor de gelegenheid een ring had uitgekozen die in uiterlijk en gevoel leek op de erfstukken die bijna tweehonderd jaar in mijn familie waren geweest.

Maar ja, het had me niet hoeven verbazen. Een man die in januari gaat winkelen om een tuniek te kopen om een meisje warm te houden en zelfvertrouwen te geven, was het soort man dat zijn leven lang liefde betoont met daden.

'Ja,' fluisterde ik terwijl ik tranen in mijn ogen kreeg toen Reed de ring helemaal aan mijn vinger schoof. 'Anna Thornton klinkt perfect.'

Ik knipperde met mijn ogen en er stroomden twee tranen over mijn wangen toen Reed zich over me heen boog voor een kus. 'Pas op dat de mascara niet uitloopt!' riep de visagiste.

'Denk erom dat de lippenstift niet vlekt!' zei de kapster.

Vlak voordat zijn lippen de mijne raakten, stopte Reed. Hij fluisterde alleen: 'Ik houd van je,' en schoof onwillig opzij. Zijn diepblauwe ogen straalden vol beloften van latere kussen, van onze mooie toekomst samen. Toen ik klaar was, bood hij me als een echte heer zijn arm. Als dame verkleed liet ik mijn hand in de kromming van zijn elleboog glijden.

'Zullen we dan maar?' zei Reed met een gebaar naar de camera's die wachtten om mijn portret vast te leggen.

'Laten we gaan,' antwoordde ik. Ik voelde me langer met het gewicht van mijn erfgoed fonkelend in mijn haar en om mijn hals.

Reed bracht me naar de plek waar ik moest staan, poserend zoals Stéphanie had geposeerd, voor een halfronde goudkleurige bank.

'Zo?' vroeg ik de fotograaf terwijl ik mijn handen voor mijn buik hield.

De stylisten kwamen aanrennen en schikten mijn handen, mijn rok, mijn haar. Terwijl ze met z'n allen om me heen fladderden, keek ik naar het groepje mensen dat mijn familie en mijn vrienden vormden, en die vandaag helemaal hierheen waren gekomen alleen om mij morele steun te verlenen.

Zes maanden geleden was mijn wereld veel kleiner geweest en Kiki had er bij me op aangedrongen een paar risico's te nemen. Nu was ik niet alleen herenigd met mijn familie en mijn verleden, maar had ik ook de stralende hoop op een toekomst vol belofte en licht.

Mijn hart nam een hoge vlucht en ineens begreep ik wat Stéphanie geleerd had: liefde gaat om het loslaten van jezelf.

Met mijn kin in de lucht keek ik recht in de camera en glimlachte. Mijn Amish vrienden hadden me voortdurend laten zien wat dat inhield.

Woord van dank

Ik ben veel dank verschuldigd aan:
John Clark, altijd, voor alles.
Emily en Lauren Clark, voor hun geduld en begrip en bezieling.
Kim Moore, die het steeds weer blijmoedig met me uithoudt.
Alle fantastische mensen van Harvest House Publishers.

Ook dank aan:
ChiLibris, Alice Clark, Colleen Coble, de leden van mijn online adviesgroep CONSENSUS, Aaron Dillon, Traci Hall, Traci Hoffman, Karri James, Aaron Jarvis, Benjamin Jarvis, Laura Knudson, Kristian, Toby Layton, Chip MacGregor, Tom Morrissey, Gayle Roper, Ned & Marie Scannell, Tami, Abby Van Wormers, Sisters in Crime, Shari Weber, Richard & Janet White en Tracie Williams.

Bijzondere dank aan Erik Wester, auteur van www.amishamerica. typepad.com.

Ten slotte dank aan J.K. Wolfe, MD, en Harry Krause, MD, voortreffelijke artsen die met me meedachten toen ik poogde de grenzen tussen medische werkelijkheid en fictie te laten vervagen. Alle onnauwkeurigheden en fantasieën komen geheel voor mijn rekening.